Владимир НАБОКОВ

Машенька
Подвиг

Романы

Санкт-Петербург
Издательство «Азбука-классика»
2005

УДК 882
ББК 84 Р
Н 14

Вступительная статья
Бориса Аверина

Набоков В.

Н 14   Машенька. Подвиг: Романы. — СПб.: Азбука-классика, 2005. — 352 с.

ISBN 5-352-00633-6

Владимир Набоков — гениальный автор «Дара», «Других берегов», «Лолиты», «Защиты Лужина», других романов, повестей и стихотворений. В настоящее издание вошли два романа В. Набокова — «Машенька» и «Подвиг». Построенные на биографическом материале, насквозь лиричные, их можно рассматривать как сплошную развернутую поэтическую метафору.

«НАУКА РАССТАВАНЬЯ»
(О романах В.Набокова „Машенька" и „Подвиг")

В основе романа «Машенька» лежат личные воспоминания автора — его юношеская любовная история, которая будет пересказана и в автобиографической книге
«Другие берега». Возлюбленная осталась в прошлом, за-
терялась где-то в навсегда оставленной России. Чтобы
изжить воспоминание, справиться с ним, «утолить том-
ление» *, и пишется роман. Но красота и объем воспоминания поднимаются на свет искусства не только затем,
чтобы быть преображенными с его помощью. Они и сами
способны привить искусству свое собственное содержа-
ние. Содержательным же оказывается не столько фабула,
восстанавливаемая памятью, не столько перипетии любовных отношений, сколько самый процесс воспоминания о
них. Этот процесс и заполняет собою сюжет.

«Машеньку» можно рассматривать как модель всей
позднейшей прозы Набокова, несмотря на то что впоследствии он назвал ее довольно неудачной книгой. Сюжетика и
поэтика Набокова, действительно, с каждым следующим
его романом усложнялись и совершенствовались, но их
главнейшие особенности предзаданы уже в «Машеньке».
Даже сложнейшие отношения между автором и его соста-

---

* В «Других берегах» сказано: «...с тех пор на несколько лет
потеря родины оставалась для меня равнозначной потере возлюбленной, пока писание... книги («Машенька») не утолило
томления» (*Набоков В.В.* Собрание сочинений: В 5 т. Русский
период. СПб., 1999. Т. IV. С. 268).

рившимся двойником, который пишет собственную биографию, каковой оказывается роман «Гляди на арлекинов!» — двойник «Других берегов» — не могли бы сложиться без той связи, в которую вступают автор «Машеньки» и ее герой, Лев Глебович Ганин. В романе подчеркнуто, что это — не настоящее его имя, но никакого другого взамен не предложено. Одинаково важно и указание на неподлинность имени, и отсутствие имени подлинного. Назвать его никак нельзя, ибо подлинное имя человека, пережившего пережитое Ганиным,— Набоков, но Набоков не равен Ганину.

Объем памяти, разделенный с героем, уже в «Машеньке» создает (пока еще почти незаметно обозначенную) проблему двойничества автора и героя, жизни и текста, которая станет одной из центральных в позднем набоковском творчестве. Подобных проблем не возникало до Набокова в русской автобиографической прозе. Их не было не только для Толстого, но даже и для Бунина, завершившего «Жизнь Арсеньева» — автобиографически точную книгу — вымышленной смертью героини.

В пятой главе романа старый поэт Подтягин, откликаясь на попытку Ганина рассказать о своей первой любви, указывает на избитость самой темы: «Только вот скучновато немного. Шестнадцать лет, роща, любовь...» Действительно, Тургенев, Чехов, Бунин, не говоря уже о писателях второго ряда, казалось бы, исчерпали этот сюжет. Если «Машеньку» и можно назвать романом о первой любви, то с двумя существенными оговорками.

Первая касается сюжета: история первой любви не воплощена непосредственно — она передана только как история воспоминания (автора и героя одновременно). Сюжет воспоминания вообще не пускает на порог любовную фабулу в ее неопосредованном виде — реальная встреча Ганина с Машенькой, к которой, постоянно напрягая читательское ожидание, казалось бы, было устремлено все повествование, в финале неожиданно отменяется как избыточная, излишняя. Исчерпывающим оказалось само событие воспоминания. Оно исчерпало полноту переживания и одновременно — полноту сюжета.

Вторая оговорка касается поэтики. Подобно тому как любовная история, пережитая в жизни (действительно пережитая в жизни — только не Ганиным, а Набоковым), опосредована воспоминанием, опосредована и литературная традиция романов о первой любви. Непосредственное развитие фабулы невозможно еще и потому, что эта фабула уже исчерпывающе развернута русской литературой — и теперь она может предстать опять-таки только как воспоминание.

На двойной характер воспоминания — жизненный и литературный — указывает и эпиграф, взятый из первой главы «Евгения Онегина»:

> Воспомня прежних лет романы,
> Воспомня прежнюю любовь...

«Романы» здесь имеют двойной смысл: это любовные истории, но это и книги о любовных историях. Эпиграф приглашает читателя разделить воспоминание одновременно литературное и экзистенциальное. Первое и второе сцеплены неразъемлемо и заполняют собой все пространство текста.

Действие в романе длится шесть дней. В воскресенье в остановившемся лифте Алферов знакомится с Ганиным, шесть лет назад (нарочитое совпадение числа дней и лет) покинувшим Россию, и рассказывает ему, что в субботу приезжает его жена Машенька. А внезапную остановку лифта трактует как событие символическое (подразумевая одновременно и «великое ожидание» эмигрантов, и собственное ожидание приезда жены). Во второй главе идет долгий рассказ о пансионе с шестью комнатами, номера которых обозначены листками из отрывного календаря — «шесть первых чисел апреля» (деталь, на которую многократно указывали интерпретаторы). Здесь же описано внутреннее состояние Ганина: апатия, безволие, отсутствие интереса к жизни, безделье. Между тем ранее он умел «не только управлять, но и играть силой воли». Сообщается, что он зарабатывал на жизнь, в частности, тем, что был статистом на киносъемках, происходивших в «балаганном сарае», где «с мистическим писком закипали светом чудовищные фацеты фонарей». В этой же главе Алферов, мечтая о жене, предлагает Подтягину такую тему для произведения: «женственность, прекрасная русская женственность, сильнее всякой революции, переживает все — невзгоды, террор...». «Экий пошляк», — характеризует такой сюжет Ганин, улавливая в нем профанированную и политизированную мифологему вечной женственности русских символистов. В конце главы происходит событие, смысл которого читателю не может быть ведом и будет воспринят им много позднее: Алферов показывает фотографию своей жены — и Ганин неожиданно, без объяснений выходит из комнаты.

Самая короткая в романе глава — третья: всего одна страница, в которой субъект и объект повествования не расчленены. Какой-то русский человек, как «ясновидящий», блуждает по улицам, читая в небе огненные буквы рекламы: «Неужели... это... возможно...». Комментарий Набокова к этим словам — максимально допустимая для него степень приближения к символизму: «Впрочем, чорт его знает, что на самом деле играло там, в темноте, над домами, световая ли реклама, или человеческая мысль, знак, зов, вопрос, брошенный в небо и получающий вдруг самоцветный, восхитительный ответ». Сразу затем утверждается, что каждый человек есть «наглухо заколоченный мир», неведомый для другого. И все-таки эти миры взаимопроницаемы, когда воспоминание становится «ясновидением», когда становится ясно видимым то, что казалось навсегда забытым.

В четвертой главе, обретя волю к жизни и действию, Ганин рвет отношения с Людмилой. Он «почувствовал, что свободен». «Восхитительное событие души» (читатель не знает какое) переставило «световые призмы всей его жизни» и опрокинуло на него его прошлое.

С этого момента начинается повествование о самом процессе воспоминания. Рассказ смещается в прошлое, но оно воспроизводится как настоящее. Герой лежит в постели после тяжелой болезни в состоянии блаженного покоя и одновременно — фантастического движения. Это странное состояние фиксируется многократно, через повтор, подобный рефрену: «лежишь словно на волне воздуха», «лежишь словно на воздухе», «постель будто отталкивается изголовьем от стены... и вот тронется, поплывет через всю комнату в окно, в глубокое июльское небо», «день-деньской кровать скользит в жаркое ветреное небо».

Тогда-то и начинает происходить «сотворение» женского образа, которому предстоит воплотиться только через месяц. В этом «сотворении» участвует все: и ощущение полета, и небо, и щебет птиц, и обстановка в комнате, и «коричневый лик Христа в киоте». Здесь действительно важно все, все мелочи и подробности, потому что «зарождавшийся образ стягивал, вбирал всю солнечную прелесть этой комнаты, и, конечно, без нее он никогда бы не вырос».

Мераб Мамардашвили, весьма чтивший Набокова, говорил в одной из своих лекций, само название которой — «Полнота бытия и собранный субъект» — хорошо подходит к нашей теме: «...Незнание — это забывание, и в этом смысле в древней философии и до Аристотеля слово „память" было эквивалентно слову „бытие". Или полноте бытия. Память — это наличие *всего* в одном моменте»[*].

Воспоминание для Набокова не есть любовное перебирание заветных подробностей и деталей. Оно представляет собой духовный акт «собирания» и «воскресения» личности, которая деятельно воссоединяет в момент воспоминания не только свое настоящее и прошлое, но даже и будущее. Поэтому процесс воспоминания описан у Набокова как движение не назад, а вперед, требующее медитативной сосредоточенности, духовного покоя: «...Его воспоминание непрерывно летело вперед, как апрельские облака по нежному берлинскому небу». В «Даре» возникнет образ воспоминания о будущем, связанный преж-

---

* *Мамардашвили М.* Необходимость себя. М., 1996. С. 55.

де всего с творчеством: «Я как будто помню свои будущие вещи, хотя даже не знаю, о чем будут они. Вспомню окончательно и напишу».

Есть странный оптический, но и не только оптический, эффект, часто описываемый Набоковым. Например: герой стоит на мосту и смотрит на движущуюся реку, но кажется, что река стоит, а движется мост. Или: вагон, в котором находится герой, трогается, но кажется, что вагон стоит, а движется перрон. Движение воспоминания аналогично этому эффекту. И в «Машеньке» такое сходство подчеркивается постоянным напоминанием о том, что дом, в котором находится пансион, движется (рядом с ним проходит железная дорога).

Что же возникло в памяти Ганина раньше: образ будущей/бывшей возлюбленной или же солнечный мир комнаты, где он лежал, выздоравливающий? По ее ли образу и подобию создан этот мир — или, наоборот, благодаря красоте мира угадывается и создается образ?

Героиня романа «Подвиг» считает, что представление о Боге аналогично представлению, какое можно составить о никогда не виденном человеке, просто воспринимая «его дом, его вещи, его теплицу и пасеку, далекий голос его, случайно услышанный ночью в поле». У выздоравливающего шестнадцатилетнего Ганина предчувствуемый, зарождающийся образ «стягивает» в единое целое и переживание полета, и солнечную прелесть окружающего мира, и происходит это бессознательно, помимо его воли. У погружающегося в процесс воспоминания взрослого Ганина есть воля, есть закон. Чувствуя себя «Богом, воссоздающим погибший мир», он «постепенно воскрешал этот мир», не смея поместить в него уже реальный, а не предчувствуемый образ, нарочно отодвигая его, «так как желал к нему подойти постепенно, шаг за шагом... боясь спутаться, затеряться в светлом лабиринте памяти», «бережно возвращаясь иногда к забытой мелочи, но не забегая вперед».

В структуре повествования резкие переходы из прошлого в настоящее часто никак не обозначены, не обоснованны, и читатель вынужден прерывать чтение в недоумении непонимания.

Иллюзия полного погружения Ганина в воспоминания столь глубока, что, блуждая по Берлину, «он и вправду выздоравливал, ощущал первое вставанье с постели, слабость в ногах». И сразу же следует короткая непонятная фраза: «Смотрелся во все зеркала». Где? В Берлине или в России? Постепенно становится ясно, что мы снова в русской усадьбе, а затем, через краткий отрезок текста, вновь окажемся в Берлине.

В пятой главе «Машеньки» Ганин пытается рассказать свой сюжет Подтягину, а тот, в свою очередь, вспоминает о своей гимназии. «Странно, должно быть, вам это вспоминать», — откликается Ганин. И продолжает: «Странно вообще вспоминать, ну хотя бы то, что несколько часов назад случилось, ежедневную — и все-таки не ежедневную — мелочь». В мысли Ганина предельно сокращен интервал между действительностью и воспоминанием, которое может превратить ежедневную мелочь в важный фрагмент пока еще не четко сформировавшегося узора. «А насчет странностей воспоминанья...» — продолжает Подтягин и прерывает фразу, удивившись улыбке Ганина.

Фраза не может быть продолжена потому, что весь роман «Машенька» — о странности воспоминания, о наложении угадываемых узоров действительной жизни на узоры прошлого и о законах их совпадения или несовпадения.

Когда «восхитительное событие» воспоминания «переставило световые призмы» всей жизни Ганина, он вспоминает и то, как увидел Машеньку на концерте в «отдельно стоящей риге», освещенной мягким светом. Эта встреча полна для него глубокого смысла: образ возлюбленной уже создан Ганиным и требует воплощения в реальности. Так движется воспоминание героя. Но и читатель здесь может вспомнить другой, позже случившийся, но раньше описанный эпизод, где повторится тот же набор деталей: сарай, концерт, особое освещение. Только все эти детали в том, другом эпизоде восприняты и поданы совершенно иначе. В «балаганном сарае», в мистическом свете фацетов кинематографических фонарей Ганин, в числе прочих статистов, глядя на воображаемую сцену, аплодирует «по заказу», в равнодушном неведении, в какой, собственно, картине он участвует, не зная сюжета, в который он включен. Сопоставление двух эпизодов и есть свидетельство того, что световые призмы теперь переставлены.

Еще одна, и решающая их перестановка произойдет в финале. Ганин встречает Машеньку на вокзале ранним утром. И «из-за того, что тени ложились в другую сторону, создавались странные сочетания, неожиданные для глаза, хорошо привыкшего к вечерним теням, но редко видящего рассветные. Все казалось не так поставленным, непрочным, перевернутым, как в зеркале». По мере того как вставало солнце, «тени расходились по своим обычным местам», а четыре дня описанной в романе недели, четыре дня, в течение которых Ганин вторично творил образ возлюбленной, становились завершенным воспоминанием, второй «счастливейшей порой его жизни». Финал воспоминания и финал романа — второе воскресение героя: «Ганин... давно не чувствовал себя таким здоровым, сильным, готовым на всякую борьбу».

Здесь проходит тонкая, но очень важная для Набокова грань между воспоминанием как жизнью в прошлом и воспоминанием как воскресением личности. В финале Ганин снова обретает свободу — свободу от прошлого, но не его забвение. Когда-то, расставшись с возлюбленной, он попросту забыл ее. Расплатой было духовное оскудение и почти болезненная апатия. Сюжет романа — воссоединение с прошлым в полноте воспоминания, парадоксальным образом дарующее свободу от него и готовность к следующему этапу жизни. В этом отношении набоковская память о прошлом имеет совсем иную природу, чем обычная эмигрантская ностальгия с ее приговоренностью к жизни в прошлом.

Зеркально опрокинувшиеся тени будут еще раз описаны Набоковым в финале «Других берегов», в ситуации, сюжетно близкой к «Машеньке». Книга воспоминаний охватывает всю жизнь «на том берегу» вплоть до самого момента отплытия в Америку — и это залог новой жизни на «других берегах», тот самый акт воспоминания, который и воплощает прошлое, и освобождает от него. Почти в самом конце книги рассказано о раннем берлинском утре 1934 года. Отправив беременную жену в больницу, автор возвращался домой. «В чистоте и пустоте незнакомого часа тени лежали с непривычной стороны, получалась полная перестановка», подобная отражению в зеркале*. Это — предвестие уже не метафизического возрождения личности, а реального рождения человека.

Метафорический знак тождества, поставленный в «Машеньке» между шестью днями развития сюжета и шестью днями творения, заставляет помнить не только о трудах Бога-Творца, но и о том первоначальном хаосе, из которого был создан мир. Начиная с «Машеньки» почти каждый роман Набокова развивается как движение от хаоса и неразличенности к осмысленности и стройности. Разумеется, это движение основано не на том, что сначала описывается хаос, а затем — стройность. Оно основано на специальной организации читательского восприятия. Текст, стройный от начала и до конца, далеко не сразу позволяет воспринять себя в таком качестве.

Автор как будто совсем не заботится о возбуждении читательского интереса. Более того, разнообразными приемами он сознательно затрудняет восприятие текста. Читатель долго не понимает, когда же наступит та «завязка», которая позволит взять в толк, к чему и зачем ему рассказываются многочисленные и слабо связанные друг с другом эпизоды. И даже когда, наконец, происходит событие, способное дать толчок к развитию действия, часто оказывается, что такая его оценка — лишь ошибка читателя.

В начале первого романа Набокова мы узнаем, что Алферов ждет приезда своей жены Машеньки, и по названию

---

* «Другие берега» (IV. С. 276)

догадываемся, что именно вокруг нее сосредоточится действие. Кроме того, мы понимаем, что главный герой произведения — Ганин, и следим за тем, как заканчивается его роман с Людмилой. В конце второй главы Алферов показывает фотографию своей жены Ганину, но читатель не знает, что она и есть первая любовь Ганина, и поймет это только в начале седьмой главы. И уже к концу романа, в тринадцатой главе, на шестой день из семи, о которых повествуется в «Машеньке», Ганин принимает решение: «Завтра же я увезу ее». То есть по существу только здесь, когда роман почти завершен, начинается развитие действия. Развязка же, как и положено, происходит в последней, семнадцатой главе.

С особым искусством автор строит повествование таким образом, чтобы момент узнавания того, что Машенька Алферова и Машенька Ганина — одно лицо, как можно дольше ускользал от читателя.

Замедленность развития сюжета с «ложными» завязками и «редуцированными», пунктирно намеченными параллельными побочными линиями не позволяет читателю понять, где тот принцип, по которому ему следует группировать отдельные сцены, описания и события. Отсутствие такого «стержня» можно определить как особый набоковский алогизм повествования.

Приемы, создающие впечатление алогизма повествования, множественны в текстах Набокова. Авторская точка зрения неожиданно и немотивированно смещается, то и дело появляются персонажи, вообще не имеющие отношения к действию. Таков, например, старик, который собирает окурки в третьей главе «Машеньки» и еще раз возникает в начале главы шестнадцатой. Эта фигура, никак не участвующая в развитии сюжета, маркирует, как точно заметил А. Яновский, кульминационные моменты действия* и, следовательно, в рамках того целого, которое составляет весь текст романа, выполняет логически обоснованную функцию.

---

* *Яновский А.* О романе Набокова «Машенька» // В. В. Набоков: Pro et contra. 1999. С. 847—848.

Употребляя здесь слово «алогизм», мы имеем в виду сознательное нарушение Набоковым одной из основных норм русской классической литературы. У Толстого, у Гончарова, у Чехова сюжет развивается неторопливо, и ход его могут перебивать самые разнообразные ответвления. Но некоторую смысловую логику сцепления эпизодов читатель ощущает всегда — хотя бы интуитивно, — а автор делает все возможное, чтобы эта логика была читателю ясна. Набоков же, наоборот, подталкивает читателя (и героя) к ложной интерпретации фактов. Если ложная интерпретация событий героем — одна из традиционнейших пружин фабульного развития, то читатель в классической традиции обычно уравнен в правах с автором. Набоков старается не давать читателю такого превосходства над героем. Медленно набирая ход, набоковское повествование накапливает массу деталей, значимость которых остается не маркированной, связь — не прочерченной. Кульминационные моменты затушевываются, центральная линия опутывается сетью скрывающих ее побочных.

Подобная поэтика может быть названа поэтикой сверхреализма: повествование имитирует жизнь, не только предметы изображения подаются читателю «как в жизни» — само чтение, погружение в текст максимально приближено к впечатлениям жизни и даже, пожалуй, к проживанию жизни. В тексте, как в жизни, возникают и исчезают случайные лица, слышатся обрывки чужих, бесконтекстных разговоров, происходят и забываются случайные встречи. Лишь некоторым из них мы придаем значение, большинство же остается разрозненными, случайными фрагментами того целого, связи которого мы уловить не в состоянии, хотя зачастую догадываемся, что многие из этих связей имеют непосредственное, иногда решающее значение в нашей судьбе, в судьбе близких, в судьбе героя. Так, выпав из контекста «своего» романа, Алферов и Машенька появятся как второстепенные, почти безразличные для развития сюжета персонажи в «Защите Лужина». Детали повествования не дифференцированы, не маркированы, как и подробности жизни. Ориентироваться в них так же трудно, как и в потоке ежедневных жизненных впечатлений.

В «Машеньке» есть символический в этом отношении и уже упоминавшийся эпизод: Ганин вместе с толпой таких же статистов, как он, участвует в съемках, не зная ни сюжета фильма, ни даже сюжета той сцены, в которой снимается.

На фоне подобной поэтики традиционный классический реализм кажется условным стилем, радикально трансформирующим попадающий в рамки произведения жизненный материал. Впечатление алогизма и хаоса, царящих в сюжете, усиливается введением многообразных «случайностей». В русской литературной традиции со времен «Пиковой дамы» случай идет рука об руку с иррациональным. Завязка первых романов Набокова основана на нарочитой, даже грубо нарочитой случайности. В самом деле, это надо же было случиться такому, что в одно и то же время, в одном и том же немецком пансионе поселились муж Машеньки Алферов и первый возлюбленный Машеньки Ганин. Это надо же так случиться, что день намеченного отъезда Ганина совпал с кануном ожидаемого приезда Машеньки — и т. д.

Для того чтобы ориентироваться в набоковском мире, читатель, подобно автору и герою, должен стать человеком вспоминающим. Он должен быть погружен одновременно в воспоминания текста романа и его литературного контекста. Лишь в этом случае сцены, которые кажутся проходными, начнут получать те смысл и объем, что заложены в них автором. Перекрещиваясь друг с другом, воспоминания ведут к пониманию смысла.

В «Подвиге» один более или менее эпизодический персонаж, Грузинов, произносит бытовую, незначащую фразу: «...я все равно мороженое никогда не ем». «Мартыну показалось, что уже где-то, когда-то были сказаны эти слова (как в „Незнакомке" Блока), и что тогда, как и теперь, он чем-то был озадачен, что-то пытался объяснить». Комментируя этот эпизод, О. Дарк поясняет: «У Блока („Незнакомка", третье видение, ремарка) „...все внезапно вспомнили, что где-то произносились те же слова и в том же порядке". Сцена в светской гостиной пародийно воспроизводит последовательность действий сцены в уличном кабачке (первое видение) — любимый прием и Набокова, „повторение хода"»[*]. К этому необходимо добавить следующее. Воспоминание отсылает Мартына, а вслед за ним и читателя, к одному из начальных эпизодов романа. Мартын, еще мальчик, перед сном «всей силой души» вспоминает умершего отца — потом засыпает и видит, «что сидит в классе, не знает урока и Лида, почесывая ногу, говорит ему, что грузины не едят мороженого». Слова, которые кажутся Мартыну уже когда-то сказанными, были сказаны во сне — и это отсылает уже не к одной, а к двум блоковским «Незнакомкам» («Иль это только снится мне?»). Самый же сон оказывается «грезой пророческой». По следам Грузинова Мартын уйдет в Зоорландию, навсегда исчезнет из жизни, перебравшись наконец в картинку, висевшую над его детской кроваткой, подобно мальчику из книжки, которую мать читала ему перед сном.

Системой часто очень глубоко скрытых повторов, или, точнее сказать, *неявных соответствий*, Набоков заставляет читателя погрузиться в воспоминание о тексте читаемого произведения. Тогда начинают проступать «тайные знаки» явного сюжета. Так неожиданный эпизод или новый факт вдруг может заставить человека увидеть связь тех событий, что раньше никак не связывались между собой,— и взамен бесконечного нагромождения линий начинает проступать осмысленный узор.

Автобиографическая основа романа «Машенька» описана самим Набоковым в «Других берегах». Общим у автора и героя является объем воспоминаний, а также природа воспоминания. Кое-что совпадает и в обстоятельствах берлинской жизни. Не останавливаясь на мелочном перечете

———————
[*] *Набоков В. В.* Собрание сочинений: В 4 т. М., 1990. Т. 2. С. 451.

сходств и различий, укажем те главные обстоятельства, которые растождествляют сюжет романа и историю жизни писателя. Сочиненной является общая рама фабулы: возможность встречи с утраченной возлюбленной, ее ожидаемый приезд в Берлин и отказ героя от этой встречи. Мы уже говорили о том, что этот ожидаемый не только героем, но и читателем ход любовного сюжета вытесняется из романа сюжетом воспоминания, который упраздняет необходимость актуального разворачивания событий. Тем самым воспоминание выдвигается на центральное место, очевидной становится его значимость и его природа.

Подобное сочетание подлинной биографии и вымысла осуществится и в «Жизни Арсеньева». Сюжетные приемы Набокова и Бунина в этом отношении очень близки. Бунин в последней части своего романа будет следовать подлинным событиям, но изменит финал любовного романа, заставив героиню умереть, чтобы быть воскрешенной через воспоминание и творчество. Как и Набокову, Бунину это отступление от биографических фактов необходимо для того, чтобы сюжет воспоминания получил свою полную силу.

Второе существенное различие между Ганиным и Набоковым состоит в том, что Ганин не писатель. В позднейших романах Набоков будет наделять автобиографических героев даром творчества. В «Машеньке» отсутствие этого качества у главного героя имеет сразу два последствия. Во-первых, творчеством Ганина становится сам акт воспоминания. По природе памяти он родствен и Годунову-Чердынцеву в «Даре», и самому Набокову. В результате еще раз повышена значимость воспоминания. Во-вторых, отдавая события своей жизни герою не пишущему, Набоков совершает акт самоотчуждения. Ганин не равен Набокову, по отношению к Набокову Ганин — «не я». Но он получает и возлюбленную Набокова, и его жизненный сюжет, и существенную часть его духовного опыта, связанную с воспоминанием. Возникает сложный и странный эксперимент над собственной жизнью: ее проживает другой человек, другое «я».

В сущности, тот же эксперимент повторяется в «Подвиге», причем его условия становятся еще более жесткими. Если в «Машеньке» сюжетное расхождение с биографическими событиями композиционно отделено от совпадающего с ними центрального сюжета воспоминания, так что вымышленной становится «рамка» этого сюжета, то в «Подвиге» интимно-биографическое и вымышленное начала взаимодействуют на протяжении всего повествования.

Как и Ганин, как и все последующие герои автобиографических романов Набокова, Мартын — эмигрант. Его биография в деталях повторяет биографию Набокова: первые книжки, прочитанные по-английски; ранние поездки за границу и огромная роль этих ранних воспоминаний; крымские впечатления; эмиграция через Константинополь; учеба в Кембридже. Герой, как и автор, увлекается футболом, он, как и автор, — голкипер. Футбольная тема, составляющая один из лейтмотивов романа, корреспондирует с футбольной темой в «Других берегах». Духовное сходство автора и героя связано и с более глубокими вещами: та же преданность воспоминаниям, то же изучение науки изгнания.

Тема изгнания у Набокова вовсе не однозначна. В великолепную швейцарскую осень, так похожую на осень в России, Мартын вдруг остро чувствует, что он — изгнанник, и само слово «изгнанник» становится для него «сладчайшим звуком». Сладчайшим потому, что изгнанничество позволяет изведать «блаженство духовного одиночества», о котором Набоков пишет на протяжении всего творчества и которое самому ему сопутствовало всю жизнь. Воспоминание — акт индивидуальный, он совершается в одиночестве, он не может быть разделен ни с кем. Изгнание, таким образом, оказывается условием, открывающим дорогу к воспоминанию, — с этим и связана метафизика изгнания, лишь очень опосредованно соотносящаяся с ностальгической темой.

Кроме того, изгнание — самая очевидная из повторных тайных тем набоковской биографии (вынужденная эмиграция из России — в Германию, из Германии — во Францию, из Франции — в Америку). Трижды изгнанник неминуемо должен начать изучать «науку изгнания», которая предполагает близкое знакомство с политикой, историей, но прежде всего — с метафизикой.

Но, углубляясь, сходство сопровождается все более резко проводимыми чертами различия. В 1970 г., в предисловии к английскому переводу «Подвига», Набоков писал: «Если Мартына можно еще в какой-то степени считать моим дальним родственником (он симпатичнее меня, но и гораздо наивнее, чем я когда-то был), с которым у меня есть несколько общих детских воспоминаний и несколько более поздних симпатий и антипатий, то его бледные родители, *per contra*, ни с какой разумной точки зрения не похожи на моих»[*]. Отец автора и отец героя действительно ничем не напоминают друг друга. Но в то же время для душевной жизни Мартына большую значимость имеет смерть отца, он постоянно мысленно возвращается к ней. Так же пережита смерть отца и Набоковым. Точнее — не пережита, а переживается, ибо в момент создания романа это переживание еще не отодвинуто в прошлое. В жизни Мартына, как и в жизни Набокова, огромную роль играют обе родительские фигуры. Мать героя опять-таки не схожа с матерью автора. Это другой характер, хотя кое-что повторяется (например, такая существенная черта, как отношение к религии). Но духовная связь с матерью — мотив, проходящий через весь роман.

Отождествление и растождествление автора и героя сплетены в единый узел. Но главное связано не с деталями, какую бы бесконечную значимость они ни имели. Главное связано с центральным сюжетным ходом. Самый краткий сюжетный пересказ «Подвига» состоит в том, что мальчик, мечтавший, подобно герою сказки, уйти в картинку, висевшую над его детской кроваткой, вырос и совершил то, о чем мечтал. Эпизод с картинкой — метафора всего сюжетного развития романа (ситуация, в чем-то близкая к «Станционному смотрителю», где в домике

---

[*] *Набоков В. В.* Pro et contra. С. 72.

Самсона Вырина висят лубочные картинки с изображением истории блудного сына, которая является прообразом истории героини). Этот эпизод является автобиографическим — о нем рассказано в «Других берегах». Примечательны слова, которыми он завершается: «...дробя молитву, присаживаясь на собственные икры, млея в припудренной, преддремной, блаженной своей мгле, я соображал, как перелезу с подушки в картину, в зачарованный лес — куда, кстати, в свое время я и попал». Так кончается третий раздел четвертой главы «Других берегов», и читателю предоставлено самому судить о том, что такое «зачарованный лес», в который «в свое время» попал автор. В «Подвиге» этим «лесом» становится покинутая Мартыном Россия, куда он уходит, где он исчезает, ибо, уйдя в картинку, вернуться уже невозможно.

Как бы ни интерпретировать метафору леса в «Других берегах», ясно, что там речь идет совсем о другом, хотя сама идея тайно посетить Россию не оставляла Набокова и в поздние годы. Ее осуществит и другой автобиографический герой Набокова — Вадим Вадимович из «Смотри на арлекинов!». Тем не менее «лес» героя «Подвига» и «лес» Набокова не совпадают. Не совпадают потому, что герой проживает другую жизнь, чем автор. Другую — но очень похожую. Точку сходства и совпадения Набоков, пожалуй, неявно определяет словом «осуществление», которое он акцентирует, поясняя в предисловии к английскому переводу выбор названия («Glory»). Автор пишет о Мартыне: «Осуществление — это фуговая тема его судьбы; он из тех редких людей, чьи „сны сбываются"»[*].

В «Подвиге» впервые у Набокова прошлое вплотную сомкнулось с настоящим — и это обеспечено тем, что герой разлучен с родиной, воспоминание о которой пронизывает всю его заграничную жизнь таким образом, что он как будто одновременно находится в двух измерениях:

---

* *Набоков В. В.* Pro et contra. С. 72.

памяти и настоящего. Память о прошлом предопределяет центральный сюжетный ход: герой помнит, как в детстве ему хотелось уйти в висевшую над кроваткой картинку, — и претворяет это воспоминание в жизнь.

Сходство-различие автора и героя составляет нерв автобиографической темы в «Подвиге», а затем и в других, более поздних романах. Набоков берет свою жизнь, свою судьбу, состав своей личности и сплавляет это «я» с элементами «не я»: другой жизни, другой судьбы, другой личности. По отношению к собственной биографии и собственному «я» это становится экспериментом, подобным тому, который Пушкин произвел над героями «Евгения Онегина». Судьба Ольги и Ленского (а также определившаяся исходом дуэли судьба Онегина и Татьяны) сложилась вполне определенным образом — но Пушкин проигрывает и другие варианты судьбы. Возникает сюжет возможностей*, имеющий сложную модальность. У Набокова одновременно умножена и степень условности, и степень реальности. Поскольку в основе сюжета — его реально прожитая жизнь, его собственный духовный опыт, то именно они (а не вымышленная биография героя, Ленского например) оказываются лишены положительной модальности. Реальность становится «сослагательной», собственное «я» оказывается вариантом в ряду других, условных вариантов.

Б. Аверин

---

* Термин С. Г. Бочарова.

Машенька

Роман

Посвящаю моей жене

...Воспомня прежних лет романы,
Воспомня прежнюю любовь...

Пушкин

1

— Лев Глево... Лев Глебович? Ну и имя у вас, батенька, язык вывихнуть можно...

— Можно, — довольно холодно подтвердил Ганин, стараясь разглядеть в неожиданной темноте лицо своего собеседника. Он был раздражен дурацким положеньем, в которое они оба попали, и этим вынужденным разговором с чужим человеком.

— Я неспроста осведомился о вашем имени, — беззаботно продолжал голос. — По моему мнению, всякое имя...

— Давайте я опять нажму кнопку, — прервал его Ганин.

— Нажимайте. Боюсь, не поможет. Так вот: всякое имя обязывает. Лев и Глеб — сложное, редкое соединение. Оно от вас требует сухости, твердости, оригинальности. У меня имя поскромнее; а жену зовут совсем просто: Мария. Кстати, позвольте представиться: Алексей Иванович Алферов. Простите, я вам, кажется, на ногу наступил...

— Очень приятно, — сказал Ганин, нащупывая в темноте руку, которая тыкалась ему в обшлаг. — А как вы думаете, мы еще тут долго проторчим? Пора бы что-нибудь предпринять. Чорт...

— Сядем-ка на лавку да подождем, — опять зазвучал над самым его ухом бойкий и докучливый голос. — Вчера, когда я приехал, мы с вами столкнулись в коридоре. Вечером, слышу, за стеной вы прокашлялись, и сразу по звуку кашля решил: земляк. Скажите, вы давно живете в этом пансионе?

— Давно. Спички у вас есть?

— Нету. Не курю. А пансионат грязноват, — даром что русский. У меня, знаете, большое счастье: жена из России приезжает. Четыре года — шутка ль сказать... Да-с. А теперь недолго ждать. Нынче уже воскресенье.

— Тьма какая... — проговорил Ганин и хрустнул пальцами. — Интересно, который час...

Алферов шумно вздохнул; хлынул теплый, вялый запашок не совсем здорового, пожилого мужчины. Есть что-то грустное в таком запашке.

— Значит, осталось шесть дней. Я так полагаю, что она в субботу приедет. Вот я вчера письмо от нее получил. Очень смешно она адрес написала. Жаль, что такая темень, а то показал бы. Что вы там щупаете, голубчик? Эти оконца не открываются.

— Я не прочь их разбить, — сказал Ганин.

— Бросьте, Лев Глебович; не сыграть ли нам лучше в какое-нибудь пти-жо? Я знаю удивительные, сам их сочиняю. Задумайте, например, какое-нибудь двузначное число. Готово?

— Увольте, — сказал Ганин и бухнул раза два кулаком в стенку.

— Швейцар давно почивает, — всплыл голос Алферова, — так что и стучать бесполезно.

— Но согласитесь, что мы не можем всю ночь проторчать здесь.

— Кажется, придется. А не думаете ли вы, Лев Глебович, что есть нечто символическое в нашей

26

встрече? Будучи еще на терра фирма*, мы друг друга не знали, да так случилось, что вернулись домой в один и тот же час и вошли в это помещеньице вместе. Кстати сказать, — какой тут пол тонкий! А под ним — черный колодец. Так вот, я говорил: мы молча вошли сюда, еще не зная друг друга, молча поплыли вверх и вдруг — стоп. И наступила тьма.

— В чем же, собственно говоря, символ? — хмуро спросил Ганин.

— Да вот, в остановке, в неподвижности, в темноте этой. И в ожиданье. Сегодня за обедом этот, — как его... старый писатель... да, Подтягин... — спорил со мной о смысле нашей эмигрантской жизни, нашего великого ожиданья. Вы сегодня тут не обедали, Лев Глебович?

— Нет. Был за городом.

— Теперь — весна. Там, должно быть, приятно.

Голос Алферова на несколько мгновений пропал, и, когда снова возник, был неприятно певуч, оттого что, говоря, Алферов, вероятно, улыбался:

— Вот когда жена моя приедет, я тоже с нею поеду за город. Она обожает прогулки. Мне хозяйка сказала, что ваша комната к субботе освободится?

— Так точно, — сухо ответил Ганин.

— Совсем уезжаете из Берлина?

Ганин кивнул, забыв, что в темноте кивок не виден. Алферов поерзал на лавке, раза два вздохнул, затем стал тихо и сахаристо посвистывать. Помолчит и снова начнет. Прошло минут десять; вдруг наверху что-то щелкнуло.

— Вот это лучше, — усмехнулся Ганин.

В тот же миг вспыхнула в потолке лампочка, и вся загудевшая, поплывшая вверх клетка налилась

---

* Твердая почва (*лат.*).

желтым светом. Алферов, словно проснувшись, заморгал. Он был в старом, балахонистом, песочного цвета пальто, — как говорится, демисезонном, — и в руке держал котелок. Светлые редкие волосы слегка растрепались, и было что-то лубочное, слащаво-евангельское в его чертах — в золотистой бородке, в повороте тощей шеи, с которой он стягивал пестренький шарф.

Лифт тряско зацепился за порог четвертой площадки, остановился.

— Чудеса, — заулыбался Алферов, открыв дверь... — Я думал, кто-то наверху нас поднял, а тут никого и нет. Пожалуйте, Лев Глебович; за вами.

Но Ганин, поморщившись, легонько вытолкнул его и затем, выйдя сам, громыхнул в сердцах железной дверцей. Никогда он раньше не бывал так раздражителен.

— Чудеса, — повторял Алферов, — поднялись, а никого и нет. Тоже, знаете, — символ...

2

Пансион был русский и притом неприятный. Неприятно было главным образом то, что день-деньской и добрую часть ночи слышны были поезда городской железной дороги, и оттого казалось, что весь дом медленно едет куда-то. Прихожая, где висело темное зеркало с подставкой для перчаток и стоял дубовый баул, на который легко было наскочить коленом, суживалась в голый, очень тесный коридор. По бокам было по три комнаты с крупными, черными цифрами, наклеенными на дверях: это были просто листочки, вырванные из старого календаря, — шесть первых чисел апреля месяца. В комнате первоапрельской — первая дверь налево — жил теперь Алферов, в следующей — Ганин, в третьей — сама хозяйка, Лидия Николаевна Дорн, вдова немецкого коммерсанта, лет двадцать тому назад привезшего ее из Сарепты и умершего в позапрошлом году от воспаления мозга. В трех номерах направо — от четвертого по шестое апреля — жили: старый российский поэт Антон Сергеевич Подтягин, Клара — полногрудая барышня с замечательными синевато-карими глазами, — и наконец — в комнате шестой, на сгибе коридора, — балетные танцовщики Колин и Горноцветов, оба по-женски смешливые, худенькие, с припудренными носами и мускулистыми ляжками. В конце первой части коридора была столовая, с литографической «Тайной Вечерью» на стене против двери и с рогатыми желтыми оленьими черепами по другой стене, над пузатым буфетом, где стояли две хрустальных вазы, бывшие когда-то самыми чистыми предметами во всей квартире, а теперь потускневшие от пушистой пыли. Дойдя до столовой, коридор сворачивал под прямым углом направо: там дальше, в трагических и неблаговонных дебрях, находились кухня, каморка для прислуги, грязная ванная и туалетная келья, на двери которой было два пунцовых нуля, лишенных своих законных десятков, с которыми они составляли некогда два разных воскресных дня в настольном календаре господина Дорна. Спустя месяц после его кончины Лидия Николаевна, женщина маленькая, глуховатая и не без странностей, наняла пустую квартиру и обратила ее в пансион, выказав при этом необыкновенную, несколько жуткую, изобретательность в смысле распределения всех тех немногих предметов обихода, которые ей достались в наследство. Столы, стулья, скрипучие шкафы и ухабистые кушетки разбрелись по комнатам, которые она собралась сдавать, и, разлучившись таким образом друг с другом, сразу поблекли, приняли унылый и нелепый вид, как кости разобранного скелета. Письменный стол покойника, дубовая громада с железной чернильницей в виде жабы и с глубоким, как трюм, средним ящиком, оказался в первом номере, где жил Алферов, а вертящийся табурет, некогда приобретенный со столом этим вместе, сиротливо отошел к танцорам, жившим в комнате шестой. Чета зеленых кресел тоже разделилась: одно скучало у Ганина, в другом сиживала сама хозяйка или ее старая такса, черная, толстая сучка с седою мордочкой и висячими ушами, бархатными на концах, как бахрома бабочки. А на полке, в комнате у Клары, стояло ради украшения несколько первых томов энциклопедии, меж тем как остальные тома попали к Подтягину. Кларе достался и единственный приличный умывальник с зеркалом и ящиками; в каждом же из других номеров был просто плотный поставец, и на нем жестяная чашка с таким же кувшином. Но вот кровати пришлось прикупить, и это госпожа Дорн сделала скрепя сердце, не потому что была скупа, а потому что находила какой-то сладкий азарт, какую-то хозяйственную гордость в том, как распределяется вся ее прежняя обстановка, и в данном случае ей досадно было, что нельзя распилить на нужное количество частей двухспальную кровать, на которой ей, вдове, слишком просторно было спать. Комнаты она убирала сама, да притом кое-как, стряпать же вовсе не умела и держала кухарку — грозу базара, огромную рыжую бабищу, которая по пятницам надевала малиновую шляпу и катила в северные кварталы промышлять своею соблазнительной тучностью. Лидия Николаевна в кухню входить боялась, да и вообще была тихая, пугливая особа. Когда она, семеня тупыми ножками, пробегала по коридору, то жильцам казалось, что эта маленькая, седая, курносая женщина вовсе не хозяйка, а так, просто, глупая старушка, попавшая в чужую квартиру. Она складывалась как тряпичная кукла, когда по утрам быстро собирала щеткой сор из-под мебели, — и потом исчезала в свою комнату, самую маленькую из всех, и там читала какие-то потрепанные немецкие книжонки или же просматривала бумаги покойного мужа, в которых не понимала ни аза. Один только Подтягин заходил в эту комнату, поглаживал черную ласковую таксу, пощипывал ей уши, бородавку на седой мордочке, пытался заставить собачку подать кривую лапу и рассказывал Лидии Николаевне о своей стариковской, мучительной болезни и о том, что он уже давно, полгода, хлопочет о визе в Париж, где живет его племянница и где очень дешевы длинные хрустящие булки и красное вино. Старушка кивала головой, иногда расспрашивала его о других жильцах и в особенности о Ганине, который ей казался вовсе не похожим на всех русских молодых людей, перебывавших у нее в пансионе. Ганин, прожив у нее три месяца, собирался теперь съезжать, сказал даже, что освободит комнату в эту субботу, но собирался он уже несколько раз, да все откладывал, перерешал. И Лидия Николаевна со слов старого мягкого поэта знала, что у Ганина есть подруга. В том-то и была вся штука.

За последнее время он стал вял и угрюм. Еще так недавно он умел, не хуже японского акробата, ходить на руках, стройно вскинув ноги и двигаясь подобно парусу, умел зубами поднимать стул и рвать веревку на тугом бицепсе. В его теле постоянно играл огонь — желанье перемахнуть через забор, расшатать столб, словом — ахнуть, как говорили мы в юности. Теперь же ослабла какая-то гайка, он стал даже горбиться, и сам признавался Подтягину, что «как баба» страдает бессонницей. Плохо он спал и в ту ночь с воскресенья на понедельник, после двадцати минут, проведенных с развязным господином в застрявшем лифте. В понедельник утром он долго просидел нагишом, сцепив между колен протянутые холодноватые руки, ошеломленный мыслью, что и сегодня придется надеть рубашку, носки, штаны — всю эту потом и пылью пропитанную дрянь, — и думал о цирковом пуделе, который выглядит в человеческих одеждах до ужаса, до тошноты жалким. Отчасти эта вялость происходила от безделья. Особенно трудиться ему сейчас не приходилось, так как за зиму он накопил некоторую сумму, от которой, впрочем, оставалось теперь марок двести, не больше: эти три последних месяца обошлись дороговато.

В прошлом году, по приезде в Берлин, он сразу нашел работу и потом до января трудился — много и разнообразно: знал желтую темноту того раннего часа, когда едешь на фабрику; знал тоже, как ноют ноги после того, как десять извилистых верст пробежишь с тарелкой в руке между столиков в ресторане «Pir Goroi»; знал он и другие труды, брал на комиссию все, что подвернется, — и бублики, и бриллиантин, и просто бриллианты. Не брезговал он ничем: не раз даже продавал свою тень подобно многим из нас. Иначе говоря, ездил в качестве статиста на съемку, за город, где в балаганном сарае с мистическим писком закипали светом чудовищные фацеты фонарей, наведенных, как пушки, на мертвенно-ярную толпу статистов, палили в упор белым убийственным блеском, озаряя крашеный воск застывших лиц, щелкнув, погасали, — но долго еще в этих сложных стеклах дотлевали красноватые зори — наш человеческий стыд. Сделка была совершена, и безымянные тени наши пущены по миру.

Оставшихся денег было бы достаточно, чтобы выехать из Берлина. Но для этого пришлось бы порвать с Людмилой, а как порвать — он не знал. И хотя он поставил себе сроком неделю и объявил хозяйке, что окончательно решил съехать в субботу, Ганин чувствовал, что ни эта неделя, ни следующая не изменят ничего. Меж тем тоска по новой чужбине особенно мучила его именно весной. Окно его выходило на полотно железной дороги, и потому возможность уехать дразнила неотвязно. Каждые пять минут сдержанным гулом начинал ходить дом, затем громада дыма вздымалась перед окном, заслоняя белый берлинский день, медленно расплывалась, и тогда виден был опять веер полотна, суживающийся вдаль, между черных задних стен, словно срезанных, домов, и над всем этим небо, бледное, как миндальное молоко.

Ганину было бы легче, если бы он жил по ту сторону коридора, в комнате Подтягина, Клары или танцоров; окна там выходили на скучноватую улицу, поперек которой висел, правда, железнодорожный мост, но где не было зато бледной, заманчивой дали. Мост этот был продолженьем рельс, видимых из окна Ганина, и Ганин никогда не мог отделаться от чувства, что каждый поезд проходит незримо сквозь толщу самого дома: вот он вошел с той стороны, призрачный гул его расшатывает стену, толчками пробирается он по старому ковру, задевает стакан на рукомойнике, уходит наконец с холодным звоном в окно, — и сразу за стеклом вырастает туча дыма, спадает, и виден городской поезд, изверженный домом: тускло-оливковые вагоны с темными сучьими сосками вдоль крыш и куцый паровоз, что, не тем концом прицепленный, быстро пятится, оттягивает вагоны в белую даль между слепых стен, сажная чернота которых местами облупилась, местами испещрена фресками устарелых реклам. Так и жил весь дом на железном сквозняке.

«Уехать бы», — тоскливо потягивался Ганин и сразу осекался: а как же быть-то с Людмилой? Ему было смешно, что он так обмяк. В прежнее время (когда он ходил на руках или же прыгал через пять стульев) он умел не только управлять, но и играть силой своей воли. Бывало, он упражнял ее, заставлял себя, например, встать с постели среди ночи, чтобы выйти на улицу и бросить в почтовый ящик окурок. А теперь он не мог заставить себя сказать женщине, что он ее больше не любит. Третьего дня она пять часов просидела у него; вчера, в воскресенье, он целый день провел с нею на озерах под Берлином, не мог ей отказать в этой дурацкой поездке. Ему теперь все противно было в Людмиле: желтые лохмы, по моде стриженные, две дорожки невыбритых темных волосков сзади на узком затылке, томная темнота век, а главное — губы, накрашенные до лилового лоску. Ему противно и скучно было, когда после схватки механической любви она, одеваясь, щурилась, отчего глаза ее сразу делались неприятно-мохнатыми, и говорила: «Я, знаешь, такая чуткая, что отлично замечу, как только ты станешь любить меня меньше». Ганин не отвечал, отворачивался к окну, где вырастала белая стена дыма, и тогда она посмеивалась в нос и глуховатым шепотком подзывала: «Ну, поди сюда...» Тогда ему хотелось заломить руки, так, чтобы сладко и тоскливо хрустнули хрящи, и спокойно сказать ей: «Убирайся-ка, матушка, прощай». Вместо этого он улыбался, склонялся к ней. Она бродила острыми, словно фальшивыми, ногтями по его груди и выпучивала губы, моргала угольными ресницами, изображая, как ей казалось, обиженную девочку, капризную маркизу. Он чувствовал запах ее духов, в котором было что-то неопрятное, несвежее, пожилое, хотя ей самой было всего двадцать пять лет. Он дотрагивался губами до ее маленького, теплого лба, и тогда она все забывала — ложь свою, которую она, как запах духов, всюду влачила за собой, ложь детских словечек, изысканных чувств, орхидей каких-то, которые она будто бы страстно любит, каких-то По и Бодлеров, которых она не читала никогда, забывала все то, чем думала пленить, и модную желтизну волос, и смугловатую пудру, и шелковые чулки поросячьего цвета, — и всем своим слабым, жалким, ненужным ему телом припадала к Ганину, закинув голову.

И, тоскуя и стыдясь, он чувствовал, как бессмысленная нежность — печальная теплота, оставшаяся там, где очень мимолетно скользнула когда-то любовь, — заставляет его прижиматься без страсти к пурпурной резине ее поддающихся губ, но нежностью этой не был заглушен спокойный насмешливый голос, ему советовавший: «А что, мол, если вот сейчас отшвырнуть ее?».

Вздохнув, он с тихой улыбкой глядел на ее поднятое лицо и ничего не мог ей ответить, когда, вцепившись ему в плечи, она летучим каким-то голосом — не тем прежним носовым шепотком — молила, вся улетала в слова: «Да скажи ты мне наконец — ты меня любишь?» Но, заметив что-то в его лице — знакомую тень, невольную суровость, — она опять вспоминала, что нужно очаровывать — чуткостью, духами, поэзией, — и принималась опять притворяться то бедной девочкой, то изысканной куртизанкой. И Ганину становилось скучно опять, он шагал вдоль комнаты от окна к двери и обратно, до слез позевывал, и она, надевая шляпу, искоса в зеркало наблюдала за ним.

Клара, полногрудая, вся в черном шелку, очень уютная барышня, знала, что ее подруга бывает у Ганина, и ей становилось тоскливо и неловко, когда та рассказывала ей о своей любви. Кларе казалось, что эти чувства должны быть тише, без ирисов и скрипичных вскриков. Но еще невыносимее было, когда подруга, щурясь и выпуская сквозь ноздри папиросный дым, начинала ей передавать еще не остывшие, до ужаса определенные подробности, после которых Клара видела чудовищные и стыдные сны. И последнее время она избегала Людмилу из боязни, что подруга вконец ей испортит то огромное и всегда праздничное, что зовется смазливым словом «мечта». Острое, несколько надменное лицо Ганина, его серые глаза с блестящими стрелками, расходящимися вокруг особенно крупных зрачков, и густые, очень темные брови, составлявшие, когда он хмурился или внимательно слушал, одну сплошную черную черту, но зато распахивавшиеся, как легкие крылья, когда редкая улыбка обнажала на миг его прекрасные, влажно-белые зубы, эти резкие черты так нравились Кларе, что она в его присутствии терялась, говорила не так, как говорить бы хотела, да все похлопывала себя по каштановой волне прически, наполовину прикрывавшей ухо, или же поправляла на груди черные складки, отчего сразу у нее выдавалась вперед нижняя губа и намечался второй подбородок. Впрочем, с Ганиным она встречалась не часто, раз в день за обедом, и только однажды ужинала с ним и с Людмилой в той скверной пивной, где он по вечерам ел сосиски с капустой или холодную свинину. За обедом в унылой пансионной столовой она сидела против Ганина, так как хозяйка разместила своих жильцов приблизительно в том же порядке, в каком находились их комнаты: таким образом, Клара сидела между Подтягиным и Горноцветовым, а Ганин между Алферовым и Колиным. Маленькая, черная, меланхолически-чопорная фигура самой госпожи Дорн в конце стола, между обращенных друг к другу через стол профилей напудренных, жеманных танцоров, которые быстро-быстро с какими-то птичьими ужимками заговаривали с ней, казалась очень неуместной, жалкой и потерянной. Она сама говорила мало, стесненная своей легкой глухотой, и только следила, чтобы громадная Эрика вовремя приносила и уносила тарелки. И то и дело ее крошечная, морщинистая рука, как сухой лист, взлетала к висячему звонку и спадала опять, мелькнув блеклой желтизной.

Когда в понедельник, около половины третьего, Ганин вошел в столовую, все уже были в сборе. Алферов, увидя его, приветливо улыбнулся, привстал, но Ганин руки не подал и, молча кивнув, занял свое место рядом с ним, заранее проклиная прилипчивого соседа. Подтягин, опрятный скромный старик, который не ел, а кушал, шумно присасывая и придерживая левой рукой салфетку, заткнутую за воротник, посмотрел поверх стекол пенснэ на Ганина и потом с неопределенным вздохом снова принялся за суп. Ганин в минуту откровенности как-то рассказал ему о тяжелой Людмилиной любви и теперь жалел об этом. Колин, его сосед слева, передал ему с дрожащей осторожностью тарелку супу и при этом взглянул на него так вкрадчиво, так улыбнулись его странные, с поволокой, глаза, что Ганину стало неловко. Меж тем справа уже бежал маслом смазанный тенорок Алферова, возражавшего на что-то сказанное Подтягиным, сидевшим против него.

— Напрасно хаете, Антон Сергеевич. Культурнейшая страна. Не чета нашей сторонушке.

Подтягин ласково блеснул стеклами и обратился к Ганину:

— Поздравьте меня, сегодня мне прислали визу. Прямо хоть орденскую ленту надевай да к президенту в гости.

У него был необыкновенно приятный голос, тихий, без всяких повышений, звук мягкий и матовый. Полное, гладкое лицо, с седою щеточкой под самой нижней губой и с отступающим подбородком, было как будто покрыто сплошным красноватым загаром, и ласковые морщинки отходили от ясных, умных глаз. В профиль он был похож на большую поседевшую морскую свинку.

— Очень рад,— сказал Ганин.— Когда же вы едете?

Но Алферов не дал старику ответить и продолжал, дергая по привычке шеей, тощей, в золотистых волосках, с крупным прыгающим кадыком:

— Я советую вам здесь остаться. Чем тут плохо? Это, так сказать, прямая линия. Франция скорее зигзаг, а Россия наша, та — просто загогулина. Мне очень нравится здесь: и работать можно, и по улицам ходить приятно. Математически доказываю вам, что если уже где-нибудь жительствовать...

— Но я же говорю вам, — мягко прервал Подтягин, — горы бумаг, гроба картонные, папки, папки без конца! Полки под ними так и ломятся. И полицейский чиновник, пока отыскал мою фамилию, чуть не подох от натуги. Вы вообще не можете себе и представить (при словах «и представить» Подтягин тяжело и жалобно повел головой), сколько человеку нужно перестрадать, чтобы получить право на выезд отсюда. Одних бланков сколько я заполнил. Сегодня уж думал — стукнут мне выездную визу... Куда там... Послали сниматься, а карточки только вечером будут готовы.

— Очень все правильно, — закивал Алферов, — так и должно быть в порядочной стране. Тут вам не российский кавардак. Вы обратили внимание, например, что на парадных дверях написано? «Только для господ». Это знаменательно. Вообще говоря, разницу между, скажем, нашей страной и этой можно так выразить: вообразите сперва кривую, и на ней...

Ганин, не слушая дальше, обратился к Кларе, сидевшей против него:

— Меня вчера просила Людмила Борисовна вам передать, чтоб вы ей позвонили, как только вернетесь со службы. Это насчет кинематографа, кажется.

Клара растерянно подумала: «Как он это так просто говорит о ней... Ведь он знает, что я знаю...»

Она спросила ради приличия:

— Ах, вы ее вчера видели?

Ганин удивленно двинул бровями и продолжал есть.

— Я не совсем понимаю вашу геометрию, — тихо говорил Подтягин, осторожно счищая ножиком хлебные крошки себе в ладонь. Как большинство стареющих поэтов, он был склонен к простой человеческой логике.

— Да как же, это так ясно, — взволновался Алферов, — вообразите...

— Не понимаю, — твердо повторил Подтягин и, откинув слегка голову, всыпал собранные крошки себе в рот.

Алферов быстро развел руками, сшиб стакан Ганина:

— Ах, извините!..

— Пустой, — сказал Ганин.

— Вы не математик, Антон Сергеич, — суетливо продолжал Алферов. — А я нá числах, как на качелях, всю жизнь прокачался. Бывало, говорил жене: раз я математик, ты мать-и-мачеха...

Горноцветов и Колин залились тонким смехом. Госпожа Дорн вздрогнула, испуганно посмотрела на обоих.

— Одним словом: цифра и цветок, — холодно сказал Ганин. Только Клара улыбнулась. Ганин стал наливать себе воды, все смотрели на его движенье.

— Да, вы правы, нежнейший цветок, — протяжно сказал Алферов, окинув соседа своим блестящим, рассеянным взглядом. — Прямо чудо, как она пережила эти годы ужаса. Я вот уверен, что она приедет сюда цветущая, веселая... Вы — поэт, Антон Сергеевич, опишите-ка такую штуку — как женственность, прекрасная русская женственность, сильнее всякой революции, переживает все — невзгоды, террор...

Колин шепнул Ганину: «Вот он опять... Вчера уже только и было речи, что об его жене...»

«Экий пошляк, — подумал Ганин, глядя на движущуюся бородку Алферова, — а жена у него, верно, шустрая... Такому не изменять — грех...»

— Сегодня — барашек, — провозгласила вдруг Лидия Николаевна деревянным голоском, исподлобья глядя, как жильцы ее невнимательно едят жаркое. Алферов почему-то поклонился и продолжал:

— Напрасно, батюшка, не берете такой темы. — (Подтягин мягко, но решительно мотал головой.) — Может быть, когда увидите мою жену, то поймете, что я хочу сказать... Кстати, она очень любит поэзию. Столкуетесь. И я вам вот еще что скажу...

Колин, украдкой, отбивал такт, искоса посматривая на Алферова. Горноцветов тихо покатывался со смеху, глядя на палец своего друга.

— А главное, — все тараторил Алферов, — ведь с Россией — кончено. Смыли ее, как вот, знаете, если мокрой губкой мазнуть по черной доске, по нарисованной роже...

— Однако... — усмехнулся Ганин.

— Не любо слушать, Лев Глебович?

— Не любо, но не мешаю, Алексей Иванович.

— Что же, вы тогда считаете, может быть, что...

— Ах, господа, — своим матовым, чуть шепелявым голосом перебил Подтягин, — без политики. Зачем политика?

— А все-таки мсье Алферов не прав, — неожиданно вставила Клара и проворно поправила прическу.

— Ваша жена приезжает в субботу? — через весь стол невинным голосом спросил Колин, и Горноцветов прыснул в салфетку.

— В субботу, — ответил Алферов, отставляя тарелку с недоеденной бараниной. Его глаза, заблиставшие было воинственным огоньком, сразу задумчиво погасли.

— Знаете что, Лидия Николаевна, — сказал он, — мы вчера с Глеб Львовичем в лифте застряли.

— Компот, — ответила госпожа Дорн, — грушевый.

Танцоры расхохотались. Эрика, толкая боками локти сидевших за столом, стала убирать тарелки. Ганин тщательно свернул салфетку, втиснул ее в кольцо и встал. Сладкого он не ел.

«Тощища какая... — думал он, возвращаясь в свою комнату. — И что мне теперь делать? Выйти погулять, что ли?..»

Этот день его, как и предыдущие, прошел вяло, в какой-то безвкусной праздности, лишенной мечтательной надежды, которая делает праздность прелестной. Бездействие теперь его тяготило, а дела не было. Подняв воротник старого макинтоша, купленного за один фунт у английского лейтенанта в Константинополе, и крепко засунув кулаки в карманы, он медленно, вразвалку, пошатался по бледным апрельским улицам, где плыли и качались черные купола зонтиков, и долго смотрел в витрину пароходного общества на чудесную модель Мавритании, на цветные шнуры, соединяющие гавани двух материков на большой карте. И в глубине была фотография тропической рощи — шоколадного цвета пальмы на бледно-коричневом небе.

Он с час попивал кофе, сидя у чистого огромного окна, и смотрел на прохожих. Вернувшись домой, он пробовал читать, но то, что было в книге, показалось ему таким чужим и неуместным, что он бросил ее посредине придаточного предложения. На него нашло то, что он называл «рассеянье воли».

Он сидел не шевелясь перед столом и не мог решить, что ему делать: переменить ли положение тела, встать ли, чтобы пойти вымыть руки, отворить ли окно, за которым пасмурный день уже переходил в сумерки... Это было мучительное и страшное состояние, несколько похожее на ту тяжкую тоску, что охватывает нас, когда, уже выйдя из сна, мы не сразу можем раскрыть словно навсегда слипшиеся веки. Так и Ганин чувствовал, что мутные сумерки, которыми постепенно наливалась комната, заполняют его всего, претворяют самую кровь в туман, что нет у него сил пресечь сумеречное наважденье. А сил не было потому, что не было у него определенного желанья, и мученье было именно в том, что он тщетно искал желанья. Он не мог принудить себя протянуть руку к лампе, чтобы включить свет. Ему казался немыслимым чудом этот простой переход от намеренья к его осуществленью. Ничто не украшало его бесцветной тоски, мысли ползли без связи, сердце билось тихо, белье докучливо липло к телу. То казалось ему, что вот сейчас нужно написать к Людмиле письмо, твердо объяснить ей, что пора прервать этот тусклый роман, то вспоминалось ему, что вечером нужно с ней идти в кинематограф, и почему-то было гораздо труднее решиться позвонить, чтобы отказаться от сегодняшней встречи, нежели написать письмо, и потому он не мог исполнить ни того, ни другого.

А сколько раз уже он клялся себе, что завтра же с нею порвет, придумывал без труда нужные выражения, но никак не мог себе представить вот ту последнюю минуту, когда пожмет ей руку и спокойно выйдет из комнаты. Вот это движенье — повернуться, уйти — казалось немыслимым. Он был из породы людей, которые умеют добиваться, достигать, настигать, но совершенно не способны ни к отречению, ни к бегству, — что в конце концов одно и то же. Так мешались в нем чувство чести и чувство жалости, отуманивая волю этого человека, способного в другое время на всякие творческие подвиги, на всякий труд и принимающегося за этот труд жадно, с охотой, с радостным намерением все одолеть и всего достичь.

Он не знал, какой толчок извне должен произойти, чтобы дать ему силы порвать трехмесячную связь с Людмилой, так же как не знал, что именно должно случиться, чтобы он мог встать со стула. Очень недолго продолжалось подлинное его увлечение, то состояние его души, при котором Людмила ему представлялась в обольстительном тумане, состояние ищущего, высокого, почти неземного волненья, подобное музыке, играющей именно тогда, когда мы делаем что-нибудь совсем обыкновенное — идем от столика к буфету, чтобы расплатиться, — и превращающей это наше простое движенье в какой-то внутренний танец, в значительный и бессмертный жест.

Эта музыка смолкла в тот миг, когда ночью, на тряском полу темного таксомотора, Людмила ему отдалась, и сразу все стало очень скучным — женщина, поправлявшая шляпу, что съехала ей на затылок, огни, мелькавшие мимо окон, спина шофера, горой черневшая за передним стеклом.

Теперь приходилось расплачиваться за эту ночь трудным обманом, продолжать эту ночь без конца и бессильно, безвольно предаваться ее ползучей тени, которая теперь насытила все углы комнаты, превратила мебель в облака. Он впал в туманную дремоту, подперев лоб ладонью и странно вытянув под столом одеревеневшие ноги.

. . . .

А потом, в кинематографе, стало людно и жарко. Очень долго молча, без музыки, по экрану мелькали крашеные рекламы, рояли, платья, духи. Наконец заиграл оркестр, и началась драма.

Людмила была весела необычайно. Она пригласила Клару пойти вместе, оттого что отлично чувствовала, что той нравится Ганин, и хотела доставить удовольствие и ей, и самой себе, щегольнуть своим романом и умением его скрывать. Клара же согласилась пойти, оттого что знала, что Ганин в субботу собирается уезжать, и между прочим удивлялась, что Людмила словно об этом не знает, — или, может быть, нарочно ничего не говорит, а уедет с ним вместе.

Ганин, сидевший между ними, был раздражен тем, что Людмила, как большинство женщин ее типа, все время, пока шла картина, говорила о посторонних вещах, перегибалась через колени Ганина к подруге, обдавая его каждый раз холодным, неприятно-знакомым запахом духов. Меж тем картина была занимательная, прекрасно сделанная.

— Послушайте, Людмила Борисовна, — не выдержал наконец Ганин, — перестаньте шептать. Уже немец за мной сердится.

Она в темноте быстро глянула на него, откинулась, посмотрела на сияющее полотно:

— Я ничего не понимаю, сплошная чепуха какая-то.

— Вольно было вам шептать, — сказал Ганин. — Немудрено, что ничего не понимаете.

На экране было светящееся, сизое движение: примадонна, совершившая в жизни своей невольное

45

убийство, вдруг вспоминала о нем, играя в опере роль преступницы, и, выкатив огромные неправдоподобные глаза, валилась навзничь на подмостки. Медленно проплыла зала театра, публика рукоплещет, ложи и ряды встают в экстазе одобренья. И внезапно Ганину померещилось что-то смутно и жутко знакомое. Он с тревогой вспомнил грубо сколоченные ряды, сиденья и барьеры лож, выкрашенные в зловещий фиолетовый цвет, ленивых рабочих, вольно и равнодушно, как синие ангелы, переходивших с балки на балку высоко наверху или наводивших слепительные жерла юпитеров на целый полк россиян, согнанный в громадный сарай и снимавшийся в полном неведении относительно общей фабулы картины. Он вспомнил молодых людей в поношенных, но на диво сшитых одеждах, лица дам в лиловых и желтых разводах грима и тех безобидных изгнанников, старичков да невзрачных девиц, которых сажали в самую глубь, лишь для заполнения фона. Теперь внутренность того холодного сарая превратилась на экране в уютный театр, рогожа стала бархатом, нищая толпа — театральной публикой. Он напряг зрение и с пронзительным содроганьем стыда узнал себя самого среди этих людей, хлопавших по заказу, и вспомнил, как они все должны были глядеть вперед, на воображаемую сцену, где никакой примадонны не было, а стоял на помосте, среди фонарей, толстый рыжий человек без пиджака и до одури орал в рупор.

Двойник Ганина тоже стоял и хлопал, вон там, рядом с чернобородым, очень эффектным господином, с лентой поперек белой груди. Он попадал всегда в первый ряд за эту вот бородку и крахмальное белье, а в перерывах жевал бутерброд, а потом, после съемки, надевал поверх фрака убогое пальтишко и ехал к себе домой, в отдаленную часть Берлина, где работал наборщиком в типографии.

И Ганин в этот миг почувствовал не только стыд, но и быстротечность, неповторимость человеческой жизни. Там, на экране, его худощавый облик, острое, поднятое кверху лицо и хлопавшие руки исчезли в сером круговороте других фигур, а еще через мгновенье зал, повернувшись как корабль, ушел, и теперь показывали пожилую, на весь мир знаменитую актрису, очень искусно изображавшую мертвую молодую женщину. «Не знаем, что творим», — с отвращеньем подумал Ганин, уже не глядя на картину.

Людмила снова шепталась с Кларой — о какой-то портнихе, материи, — драма подходила к концу, и Ганину было смертельно скучно. Когда через несколько минут они пробирались к выходу, Людмила к нему прижалась, шепнула: «Позвоню тебе завтра в два, миленький...»

Ганин и Клара проводили ее до дому и потом вместе пошли в свой пансион. Ганин молчал, и Клара мучительно старалась найти тему для разговора.

— Вы, говорят, в субботу уезжаете? — спросила она.

— Не знаю, ничего не знаю... — хмуро ответил Ганин.

Он шел и думал, что вот теперь его тень будет странствовать из города в город, с экрана на экран, что он никогда не узнает, какие люди увидят ее и как долго она будет мыкаться по свету. И когда потом он лег в постель и слушал поезда, насквозь проходившие через этот унылый дом, где жило семь русских потерянных теней, — вся жизнь ему представилась той же съемкой, во время которой равнодушный статист не ведает, в какой картине он участвует.

Ганин не мог уснуть; в ногах бегали мурашки, и подушка мучила голову. И среди ночи, за стеной, его сосед Алферов стал напевать. Сквозь тонкую стену слышно было, как он шлепает по полу, то близясь, то удаляясь, и Ганин лежал и злился. Когда прокатывала дрожь поезда, голос Алферова смешивался с гулом, а потом снова всплывал: ту-у-у, ту-ту, ту-у-у.

Ганин не выдержал. Он натянул штаны, вышел в коридор и кулаком постучал в дверь первого номера. Алферов, среди блужданья своего, оказался как раз против двери и сразу отпахнул ее, так что Ганин даже вздрогнул от неожиданности.

— Пожалуйте, Лев Глебович, милости просим.

Он был в сорочке и подштанниках, золотистая бородка слегка растрепалась — оттого, верно, что он песенки выдувал, — и в бледно-голубых глазах так и металось счастие.

— Вы вот поете, — сказал Ганин, сдвинув брови, — а мне это мешает спать.

— Да входите же, голубчик, что это вы, право, на пороге топчетесь, — засуетился Алексей Иванович, неловко и ласково беря Ганина за талию. — Простите великодушно, если мешал.

Ганин неохотно вошел в комнату. В ней было очень мало вещей и очень много беспорядка. Один из двух стульев, вместо того чтобы стоять у письменного стола (той дубовой махины, на которой была чернильница в виде большой жабы), забрел было в сторону маленького умывальника, но на полпути остановился, видимо споткнувшись об отвернутый край зеленого коврика. Другой стул, что стоял у по-

48

стели и служил ночным столиком, исчезал под черным пиджаком, павшим на него словно с Арарата, так он тяжело и рыхло сел. На дубовой пустыне стола, а также на постели разбросаны были тонкие листы. На этих листах Ганин мельком заметил карандашные чертежи, колеса, квадраты, сделанные без всякой технической точности, а так, кое-как, ради препровожденья времени. Сам Алферов в своих теплых подштанниках, делающих всякого мужчину, будь он строен как Адонис и изящен как Бруммель, необыкновенно непривлекательным, уже опять расхаживал среди этого комнатного бурелома, щелкая ногтем то по зеленому колпаку настольной лампы, то по спинке стула.

— Я страшно рад, что вы наконец ко мне заглянули, — говорил он, — сам-то я не в состоянии спать. Подумайте, — в субботу моя жена приезжает. А завтра уже вторник... Бедняжка моя, представляю, как она измучилась в этой проклятой России!

Ганин, который хмуро разглядывал шахматную задачу, набросанную на одном из листов, валявшихся на постели, вдруг поднял голову:

— Как вы сказали?

— Приезжает, — бойко щелкнул ногтем Алферов.

— Нет, не то... Как вы про Россию сказали?

— Проклятая. А что, разве не правда?

— Нет, так, — занятный эпитет.

— Эх, Лев Глебович, — остановился вдруг посреди комнаты Алферов. — Полно вам большевика ломать. Вам это кажется очень интересным, но, поверьте, это грешно с вашей стороны. Пора нам всем открыто заявить, что России капут, что «богоносец» оказался, как, впрочем, можно было ожидать, серой сволочью, что наша родина, стало быть, навсегда погибла.

Ганин рассмеялся:

— Конечно, конечно, Алексей Иванович.

Алферов помазал ладонью сверху вниз по блестевшему лицу и улыбнулся вдруг широкой мечтательной улыбкой:

— Отчего вы не женаты, дорогой мой. А?

— Не пришлось, — отвечал Ганин. — Это весело?

— Роскошно. Моя жена — прелесть. Брюнетка, знаете, глаза этакие живые... Совсем молоденькая. Мы женились в Полтаве, в девятнадцатом году, а в двадцатом мне пришлось бежать: вот здесь у меня в столе карточки, — покажу вам.

Он снизу, согнутой пятерней, вытолкнул широкий ящик.

— Чем вы тогда были, Алексей Иванович? — без любопытства спросил Ганин.

Алферов покачал головой:

— Не помню. Разве можно помнить, чем был в прошлой жизни, — быть может, устрицей или, скажем, птицей, а может быть, учителем математики. Прежняя жизнь в России так и кажется мне чем-то довременным, метафизическим, или, как это... другое слово, — да, — метампсихозой...

Ганин довольно равнодушно рассматривал снимок в открытом ящике. Это было лицо растрепанной молодой женщины с веселым, очень зубастым ртом. Алферов наклонился через его плечо:

— Нет, это не жена, это моя сестрица. От тифа умерла, в Киеве. Хорошая была, хохотунья, мастерица в пятнашки играть...

Он придвинул другой снимок:

— А вот это Машенька, жена моя. Плохая фотография, но все-таки похоже. А вот другая, в саду

50

нашем снято. Машенька — та, что сидит в светлом платье. Четыре года не видел ее. Но не думаю, чтобы особенно изменилась. Прямо не знаю, как доживу до субботы... Стойте... Куда вы, Лев Глебович? Посидите еще!..

Ганин, глубоко засунув руки в карманы штанов, шел к двери.

— Лев Глебович! Что с вами? Обидел я вас чемнибудь? — Дверь захлопнулась. Алферов остался стоять один посреди комнаты. — Все-таки... какой невежа, — пробормотал он. — Что за муха его укусила?

3

В эту ночь, как всегда, старичок в черной пелерине брел вдоль самой панели по длинному пустынному проспекту и тыкал острием сучковатой палки в асфальт, отыскивая табачные кончики — золотые, пробковые и просто бумажные, — а также слоистые окурки сигар. Изредка, вскрикнув оленьим голосом, промахивал автомобиль, или случалось то, что ни один городской пешеход не может заметить, — падала, быстрее мысли и беззвучнее слезы, звезда. Ярче, веселее звезд были огненные буквы, которые высыпали одна за другой над черной крышей, семенили гуськом и разом пропадали во тьме.

«Неужели... это... возможно...» — огненным осторожным шепотом проступали буквы, и ночь одним бархатным ударом смахивала их. «Неужели... это...» — опять начинали они, крадясь по небу.

И снова наваливалась темнота. Но они настойчиво разгорались и наконец, вместо того чтобы исчезнуть сразу, остались сиять на целых пять минут, как и было условлено между бюро электрических реклам и фабрикантом.

Впрочем, чорт его знает, что на самом деле играло там, в темноте, над домами, световая ли реклама, или человеческая мысль, знак, зов, вопрос, брошенный в небо и получающий вдруг самоцветный, восхитительный ответ.

А по улицам, ставшим широкими, как черные блестящие моря, в этот поздний час, когда последний кабак закрывается и русский человек, забыв о сне, без шапки, без пиджака, под старым макинтошем, как ясновидящий, вышел на улицу блуждать, — в этот поздний час по этим широким улицам расхаживали миры друг другу неведомые — не гуляка, не женщина, не просто прохожий, — а наглухо заколоченный мир, полный чудес и преступлений. Пять извозчичьих пролеток стояли вдоль бульвара рядом с огромным барабаном уличной уборной, — пять сонных, теплых, седых миров в кучерских ливреях, и пять других миров на больных копытах, спящих и видящих во сне только овес, что с тихим треском льется из мешка.

Бывают такие мгновения, когда все становится чудовищным, бездонно-глубоким, когда, кажется, так страшно жить и еще страшнее умереть. И вдруг, пока мчишься так по ночному городу, сквозь слезы глядя на огни и ловя в них дивное ослепительное воспоминанье счастья, — женское лицо, всплывшее опять после многих лет житейского забвенья, — вдруг, пока мчишься и безумствуешь так, вежливо остановит тебя прохожий и спросит, как пройти на такую-то улицу, — голосом обыкновенным, но которого уже никогда больше не услышишь.

4

Во вторник, поздно проснувшись, он почувствовал некоторую ломоту в ногах и, облокотившись на подушку, раза два с тревожным, изумленным блаженством вздохнул, вспомнив, что вчера случилось.

Утро было белое, нежное, дымное. Деловитым гулом дрожали стекла.

Он решительным махом соскочил с постели и принялся бриться. Сегодня он находил в этом особое удовольствие. Кто бреется, тот каждое утро молодеет на день. Ганину сегодня казалось, что он помолодел ровно на девять лет.

Щетина на вытянутой коже, размягченная хлопьями пены, равномерно похрустывала и сходила под стальным плужком бритвы. Бреясь, Ганин поводил бровями, а потом, когда обливался из кувшина холодной водой, радостно улыбался. Он пригладил на темени влажные темные волосы, быстро оделся и вышел на улицу.

В пансионе никого из жильцов не оставалось, кроме танцоров, которые обыкновенно вставали только к обеду: Алферов отправился к знакомому, с которым затевал конторское дело, Подтягин поехал в полицейский участок добиваться выездной визы, Клара, уже опоздавшая на службу, ждала трамвая на углу, прижав к груди бумажный мешок с апельсинами.

А Ганин, без волненья, поднялся на второй этаж в знакомом ему доме, дернул кольцо звонка. Отперев дверь, но не сняв внутренней цепочки, высунулась горничная и сказала, что госпожа Рубанская еще спит.

— Все равно, мне нужно ее видеть, — спокойно сказал Ганин и, просунув в скважину руку, сам снял цепочку.

Горничная, коренастая бледная девушка, с негодованием что-то забормотала, но Ганин все так же решительно, отстранив ее локтем, прошел в полусумрак коридора и стукнул в дверь.

— Кто там? — раздался хрипловатый утренний голос Людмилы.

— Я, отопри.

Она простукала босыми пятками к двери, повернула ключ и, раньше чем посмотреть на Ганина, побежала обратно к постели, прыгнула под одеяло. По кончику уха видно было, что она в подушку улыбается, ждет, чтобы Ганин к ней подошел.

Но он остановился посреди комнаты и так простоял довольно долго, бренча мелкими монетами в карманах макинтоша.

Людмила вдруг перевернулась на спину и смеясь распахнула голые худенькие руки. Утро к ней не шло: лицо было бледное, опухшее, и желтые волосы стояли дыбом.

— Ну же, — протянула она и зажмурилась.

Ганин перестал бренчать.

— Вот что, Людмила, — сказал он тихо.

Она привстала, широко открыв глаза:

— Что-нибудь случилось?

Ганин пристально посмотрел на нее и ответил:

— Да. Я, оказывается, люблю другую женщину. Я пришел с тобой проститься.

Она заморгала спутанными своими ресницами, прикусила губу.

— Это, собственно, все, — сказал Ганин. — Мне очень жаль, но ничего не поделаешь. Мы сейчас простимся. Я полагаю, что так будет лучше.

Людмила, закрыв лицо, опять пала ничком в подушку. Лазурное стеганое одеяло стало косо сползать с ее ног на белый мохнатый коврик. Ганин поднял, поправил его. Потом прошелся раза два по комнате.

— Горничная не хотела меня впускать,— сказал он.

Людмила, уткнувшись в подушку, лежала как мертвая.

— Вообще говоря, — сказал Ганин, — она какая-то неприветливая.

— Пора перестать топить. Весна, — сказал он немного погодя. Прошел от двери к белому трюмо, потом надел шляпу.

Людмила все не шевелилась. Он еще постоял, поглядел на нее молча и, издав горлом легкий звук, как будто хотел откашляться, вышел из комнаты.

Стараясь ступать тихо, он быстро прошел по длинному коридору, ошибся дверью, попал с размаху в ванную комнату, откуда хлынула волосатая рука и львиный рык, круто повернул и, столкнувшись опять с коренастой горничной, которая терла тряпкой бронзовый бюст в прихожей, стал спускаться в последний раз по отлогой каменной лестнице. На площадке громадная рама окна, выходившего на задний двор, была отпахнута, и во дворе бродячий баритон ревел по-немецки «Стеньку Разина».

И, послушав по-весеннему дрожавший голос и взглянув на роспись открытого стекла — куст кубических роз и павлиний веер, — Ганин почувствовал, что свободен.

Он медленно шел по улице, куря на ходу. День был холодноватый, молочный; белые растрепанные облака поднимались навстречу ему в голубом пролете между домов. Он всегда вспоминал Россию, когда видел быстрые облака, но теперь он вспомнил бы ее и без облаков: с минувшей ночи он только и думал о ней.

То, что случилось в эту ночь, то восхитительное событие души, переставило световые призмы всей его жизни, опрокинуло на него прошлое.

Он сел на скамейку в просторном сквере, и сразу трепетный и нежный спутник, который его сопровождал, разлегся у его ног сероватой весенней тенью, заговорил.

И теперь, после исчезновенья Людмилы, он свободен был слушать его...

Девять лет тому назад... Лето, усадьба, тиф... Удивительно приятно выздоравливать после тифа. Лежишь словно на волне воздуха; еще, правда, побаливает селезенка, и выписанная из Петербурга сиделка трет тебе язык по утрам — вязкий после сна — ватой, пропитанной портвейном. Сиделка очень низенького роста, с мягкой грудью, с проворными короткими руками, и идет от нее сыроватый запах, стародевичья прохлада. Она любит прибаутки, японские словечки, оставшиеся у нее от войны четвертого года. Лицо с кулачок, бабье, щербатое, с острым носиком, и ни один волосок не торчит из-под косынки.

Лежишь словно на воздухе. Постель слева отгорожена от двери камышовой ширмой, сплошь желтой, с плавными сгибами. Направо, совсем близко, в углу — киот: смуглые образа за стеклом, восковые цветы, коралловый крестик. Два окна, — одно прямо напротив, но далеко: постель будто отталкивается изголовьем от стены и метит в него медными набалдашниками изножья, в каждом из которых пузырек солнца, метит и вот тронется, поплывет через всю комнату в окно, в глубокое июльское небо, по которому наискось поднимаются рыхлые, сияющие облака. Второе окно, в правой стене, выходит на зеленоватую косую крышу: спальня во втором этаже, а это — крыша одноэтажного крыла, где людская и кухня. Окна запираются на ночь белыми створчатыми ставнями.

За ширмой — дверь, ведущая на лестницу, а подальше у той же стены — блестящая белая печка и старинный умывальник, с баком, с клювастым краном: нажмешь ногой на медную педаль, и из крана прыщет тонкий фонтанчик. Слева от переднего окна — красного дерева комод с очень тугими ящиками, а справа — оттоманка.

Обои — белые, в голубоватых розах. В полубреду, бывало, из этих роз лепишь профиль за профилем или странствуешь глазами вверх и вниз, стараясь не задеть по пути ни одного цветка, ни одного листика, находишь лазейки в узоре, проскакиваешь, возвращаешься вспять, попав в тупик, и сызнова начинаешь бродить по светлому лабиринту. Направо от постели, между киотом и боковым окном, висят две картины: черепаховая кошка, лакающая с блюдца молоко, и скворец, сделанный выпукло из собственных перьев на нарисованной скворечнице. Рядом, у оконного косяка, приделана керосиновая лампа, склонная выпускать черный язык копоти. Есть еще картины: литография — неаполитанец с открытой грудью — над комодом, а над рукомойником — нарисованная карандашом голова лошади, что, раздув ноздри, плывет по воде.

День-деньской кровать скользит в жаркое ветреное небо, и когда привстаешь, то видишь верхушки лип, круто прохваченные желтым солнцем, телефонные проволоки, на которые садятся стрижи, и часть деревянного навеса над мягкой красной дорогой перед парадным крыльцом. Оттуда доносятся изумительные звуки: щебетанье, далекий лай, скрип водокачки.

Лежишь, плывешь и думаешь о том, что скоро встанешь; и в солнечной луже играют мухи, и цветной моток шелка, как живой, спрыгивает с колен матери, сидящей подле, мягко катится по янтарному паркету...

В этой комнате, где в шестнадцать лет выздоравливал Ганин, и зародилось то счастье, тот женский образ, который спустя месяц он встретил наяву. В этом сотворении участвовало все — и мягкие литографии на стенах, и щебет за окном, и коричневый лик Христа в киоте, и даже фонтанчик умывальника. Зарождавшийся образ стягивал, вбирал всю солнечную прелесть этой комнаты, и, конечно, без нее он никогда бы не вырос. В конце концов, это было просто юношеское предчувствие, сладкие туманы, но Ганину теперь казалось, что никогда такого рода предчувствие не оправдывалось так совершенно. И целый день он переходил из садика в садик, из кафе в кафе, и его воспоминанье непрерывно летело вперед, как апрельские облака по нежному берлинскому небу. Люди, сидевшие в кафе, полагали, что у этого человека, так пристально глядящего перед собой, должно быть какое-нибудь глубокое горе, а на улице он в рассеянье толкал встречных, и раз быстрый автомобиль затормозил и выругался, едва его не задев.

Он был богом, воссоздающим погибший мир. Он постепенно воскрешал этот мир, в угоду женщине, которую он еще не смел в него поместить, пока весь он не будет закончен. Но ее образ, ее присутствие, тень ее воспоминанья требовали того, чтобы наконец он и ее бы воскресил, — и он нарочно отодвигал ее образ, так как желал к нему подойти постепенно, шаг за шагом, точно так же, как тогда, девять лет тому назад. Боясь спутаться, затеряться в светлом лабиринте памяти, он прежний путь свой воссоздавал осторожно, бережно, возвращаясь иногда к забытой мелочи, но не забегая вперед. Блуждая в этот весенний вторник по Берлину, он и вправду выздоравливал, ощущал первое вставанье с постели, слабость в ногах. Смотрелся во все зеркала. Белье и одежды казались необыкновенно чистыми, просторными и немного чужими. Он медленно шел по широкой аллее, что вела от площадки дома в дебри парка. Там и сям вздувались на лиловатой от лиственной тени земле черные червистые холмики — работа кротов. Он надел белые панталоны, сиреневые носки. Он мечтал встретить кого-нибудь в парке, кого — он еще не знал.

Дойдя до конца аллеи, где сияла в темной зелени хвои белая скамья, он повернул обратно, и далеко впереди в пролете между лип виден был оранжевый песок садовой площадки и блестевшие стекла веранды.

Сиделка уехала обратно в Петербург, — долго высовывалась из коляски, махала коротенькой рукой, и ветер трепал косынку. Дни пошли радостные, бодрые. В усадьбе была прохлада, плащи солнца на паркете. И через две недели он уже до одури катался на велосипеде, лупил по вечерам в городки с сыном скотницы. А еще через неделю случилось то, чего он так ждал. «И куда все это делось, — вздохнул Ганин. — Где теперь это счастье и солнце, эти рюхи, которые так славно звякали и скакали, мой велосипед с низким рулем и большой передачей?.. По какому-то там закону ничто не теряется, материю истребить нельзя, значит, где-то существуют и по сей час щепки от моих рюх и спицы от велосипеда. Да вот

59

беда в том, что не соберешь их опять, — никогда. Я читал о „вечном возвращении“... А что, если этот сложный пасьянс никогда не выйдет во второй раз? Вот... чего-то никак не осмыслю... Да: неужели все это умрет со мной? Я сейчас один в чужом городе. Пьян. От коньяку и пива трещит башка. Ноги вдосталь нашатались. И вот сейчас может лопнуть сердце, — и с ним лопнет мой мир... Никак не осмыслю...»

Он оказался опять в том же сквере, но теперь было совсем холодно, небо к вечеру подернулось обморочной бледнотой.

«Осталось четыре дня: среда, четверг, пятница, суббота. А я сейчас могу умереть...»

— Подтянуться! — вдруг пробормотал он, сдвинув темные брови. — Довольно. Пора домой.

На площадке лестницы он встретился с Алферовым, который, слегка сгорбившись в своем широченном пальто и старательно выпучив губы, совал ключ в замочную скважину лифта.

— Иду газету покупать, Лев Глебович. Хотите, вместе пройдемся?

— Благодарю, — сказал Ганин и прошел к себе.

Но, взявшись за ручку двери, он остановился. Им овладел мгновенный соблазн. Он услышал, как Алферов вошел в лифт, как машина с трудным глухим грохотом опустилась донизу и там лязгнула.

«Унесло... — подумал он, покусывая губы. — А, чорт... рискну». Судьба так захотела, чтобы минут пять спустя Клара постучалась к Алферову, чтобы спросить, нет ли у него почтовой марки. Сквозь верхнее матовое стекло двери желтел свет, и потому она решила, что Алферов дома.

— Алексей Иванович, — сказала Клара, одновременно стуча и приоткрывая дверь, — нет ли у вас...

Она в изумленье запнулась. У письменного стола стоял Ганин и поспешно задвигал ящик. Он оглянулся, блеснув зубами, толкнул ящик бедром и выпрямился.

— Ах, Боже мой, — тихо сказала Клара и попятилась из комнаты.

Ганин быстро шагнул к ней, на ходу выключив свет и захлопнув дверь. Клара прислонилась к стене в полутемном коридоре и с ужасом глядела на него, прижав пухлые руки к вискам.

— Боже мой... — повторила она так же тихо. — Как вы могли...

С медленным грохотом, словно отдуваясь, поплыл вверх лифт.

— Возвращается... — таинственно шепнул Ганин.

— О, я не выдам вас, — горько воскликнула Клара, не сводя с него блестящих, влажных глаз, — но как вы могли? Ведь он не богаче вас... Нет, это кошмар какой-то.

— Пойдемте к вам, — сказал с улыбкой Ганин. — Я вам, пожалуй, объясню...

Она медленно отделилась от стены и, нагнув голову, пошла в свою комнату. Там было тепло, пахло хорошими духами, на стене была копия с картины Беклина «Остров мертвых», на столике стояла фотография — Людмилино лицо, очень подправленное.

— Мы с нею поссорились, — кивнул Ганин в сторону снимка. — Не зовите меня, если она будет у вас. Все кончено.

Клара села с ногами на кушетку и, кутаясь в черный платок, исподлобья глядела на Ганина.

— Все это глупости, Клара, — сказал он, садясь рядом с ней и опираясь на выпрямленную руку. — Неужели вы думаете, что я действительно крал деньги?

Но конечно, мне будет неприятно, если Алферов узнает, что я залезал к нему в стол.

— Да что же вы делали? Что могло быть другого? — зашептала Клара. — Я от вас не ожидала этого, Лев Глебович.

— Какая вы, право, смешная, — сказал Ганин и заметил, что ее большие, ласковые, слегка навыкате глаза чересчур уж блестят, что слишком уж взволнованно поднимаются и спадают ее плечи под черным платком.

— Полноте, — улыбнулся он. — Ну хорошо, предположим, я — вор, взломщик. Но почему это вас так тревожит?

— Уходите, пожалуйста, — тихо сказала Клара и отвернула голову. Он рассмеялся, пожал плечом...

Когда же дверь за ним закрылась, Клара заплакала, и плакала долго, тяжелыми блестящими слезами, которые равномерно возникали на ее ресницах и сползали продолговатыми каплями по ее запылавшим от рыданий щекам.

— Бедный мой, — бормотала она, — до чего жизнь довела его. И что я могу ему сказать...

Раздался легкий стук в стену из комнаты танцоров. Клара сильно высморкалась, прислушалась. Стук повторился опять, по-женски бархатный: это, верно, стучал Колин. Потом прокатился смех, кто-то воскликнул: «Алек, о Алек, перестань...» — и два голоса глухо и нежно затараторили.

Клара подумала о том, что завтра, как всегда, нужно ехать на службу, до шести стучать по кнопкам, следя за лиловой строчкой, которая с зернистым потрескиваньем высыпает на лист, или же, если дела нет, читать, подперев ее об черный ремингтон, одолженную, бесстыдно растрепанную книгу.

Она сварила себе чай, вяло поужинала, потом долго раздевалась, вздыхая и лениво двигаясь. Лежа в постели, она слышала, что рядом, в номере у Подтягина, голоса, кто-то входил, выходил, неожиданно голос Ганина что-то громко сказал, Подтягин ответил тихо, сокрушенно. Она вспомнила, что старик сегодня опять ездил насчет паспорта, что у него тяжелая болезнь сердца, что жизнь проходит: в пятницу ей минет двадцать шесть лет. А голоса все звучали, — и Кларе казалось, что она живет в стеклянном доме, колеблющемся и плывущем куда-то. Шум поездов, особенно ясно слышный по ту сторону коридора, добирался и сюда, и кровать как будто поднималась и покачивалась. Перед ней мелькнула спина Ганина, который склонялся над столом и оглядывался через плечо, скаля яркие зубы. А потом она уснула и во сне видела какую-то чушь: будто села в трамвай, а рядом старушка, необыкновенно похожая на ее тетку, жившую в Лодзи, быстро говорит что-то по-немецки, и оказывается понемногу, что это вовсе не ее тетка, а та радушная торговка, у которой Клара по дороге на службу покупает апельсины.

5

В этот вечер к Антону Сергеевичу зашел гость. Это был старый господин с желтоватыми усами, подстриженными на английский манер, солидный, очень опрятно одетый, в сюртуке и полосатых штанах. Подтягин его потчевал бульоном «магги», когда вошел Ганин. Воздух был синеват от папиросных паров.

— Господин Ганин, господин Куницын, — и Антон Сергеевич, сияя стеклами пенснэ и посапывая, вдавил Ганина своей мягкой рукой в кресло.

— Это, Лев Глебович, мой старый однокашник, когда-то шпаргалки мне писал.

Куницын осклабился.

— Было дело, — проговорил он низким, круглым голосом. — А позвольте вас спросить, дорогой Антон Сергеевич, который теперь час?

— Да ну вас, час детский, можно еще посидеть.

Куницын встал, подтягивая жилет:

— Супруга ждет, не могу.

— Ну что же, не смею удерживать, — развел руками Антон Сергеевич и бочком, через пенснэ поглядел на гостя. — А жене вашей кланяйтесь. Не имею чести знать, но поклон передайте.

— Благодарю, — сказал Куницын. — Очень приятно. Всего доброго. Пальто я, кажется, в передней оставил.

— Я вас еще провожу, — сказал Подтягин. — Простите, пожалуйста, Лев Глебович, сейчас вернусь.

Оставшись один, Ганин поудобнее уселся в старом зеленом кресле и в раздумье улыбнулся. Он зашел к старому поэту, оттого что это был, пожалуй, единственный человек, который мог бы понять его волненье. Ему хотелось рассказать ему о многом — о закатах над русским шоссе, о березовых рощах. В переплетенных старых журналах «Всемирная Иллюстрация» да «Живописное Обозрение» ведь бывали под виньетками стихи этого самого Подтягина.

Антон Сергеевич вернулся, хмуро покачивая головой.

— Обидел меня, — сказал он, садясь к столу и барабаня пальцами. — Ах, как обидел...

— В чем дело? — улыбнулся Ганин.

Антон Сергеевич снял пенснэ, вытер его краем скатерти.

— Презирает он меня, вот в чем дело. Знаете, что он мне давеча сказал? Посмотрел с этакой холодной усмешечкой: вы, говорит, стихи свои пописывали, а я не читал. А если бы читал, терял бы то время, что отдавал работе. Вот что он мне сказал, Лев Глебович; я вас спрашиваю, умно ли это?

— А кто он такой? — спросил Ганин.

— Да чорт его знает. Деньги делает. Эх-ма. Он человек, видите ли...

— Что же тут обидного, Антон Сергеевич? У него одно, а у вас другое. Ведь вы его, небось, тоже презираете.

— Ах, Лев Глебович,— заволновался Подтягин,— да разве я не прав, коли презираю его? Не это ведь ужасно, а ужасно то, что такой человек смеет мне деньги предложить...

Он открыл кулак, выбросил на стол смятую бумажку:

— ...ужасно то, что я принял. Извольте любоваться,— двадцать марковей, чтобы их чорт подрал. Старик совсем растрепетался, жевал губами, седая щетка под нижней губой прыгала, толстые пальцы барабанили по столу. Потом он с болезненным присвистом вздохнул и покачал головой:

— Петька Куницын... Как же, все помню... Хорошо учился, подлец. И аккуратный такой был, при часах. Пальцем показывал во время урока, сколько минут до звонка. Первую гимназию с медалью кончил.

— Странно, должно быть, вам это вспоминать,— задумчиво сказал Ганин.— Странно вообще вспоминать, ну хотя бы то, что несколько часов назад случилось, ежедневную — и все-таки не ежедневную — мелочь.

Подтягин внимательно и мягко посмотрел на него:

— Что это с вами, Лев Глебович? Лицо у вас как-то светлее. Опять, что ли, влюблены? А насчет странностей воспоминанья... Фу ты, как хорошо улыбнулся...

— Я недаром к вам зашел, Антон Сергеич...

— А я вас Куницыным угостил. Берите пример с него. Вы как учились?

— Так себе, — опять улыбнулся Ганин. — Балашовское училище в Петербурге, знаете? — продолжал он, слегка подлаживаясь под тон Подтягина, как это часто бывает, когда говоришь со стариком. — Ну, вот. Помню тамошний двор. Мы в футбол лупили. Под аркой были сложены дрова. Мяч, бывало, собьет полено.

— Мы больше в лапту играли да в казаки-разбойники, — сказал Подтягин. — Вот жизнь и прошла, — добавил он неожиданно.

— А я, знаете, Антон Сергеевич, сегодня вспоминал старые журналы, в которых были ваши стихи. И березовые рощи.

— Неужели помните, — ласково и насмешливо повернулся к нему старик. — Дура я, дура, — я ведь из-за этих берез всю свою жизнь проглядел, всю Россию. Теперь, слава Богу, стихов не пишу. Баста. Совестно даже в бланки вписывать: «поэт». Я, кстати, сегодня опять ни черта не понял. Чиновник даже обиделся. Завтра снова поеду.

Ганин посмотрел себе на ноги и не спеша заговорил:

— В школе, в последних классах, мои товарищи думали, что у меня есть любовница, да еще какая:

светская дама. Уважали меня за это. Я ничего не возражал, так как сам распустил этот слух.

— Так, так, — закивал Подтягин. — В вас есть что-то хитрое, Левушка... Это хорошо...

— А на самом деле я был до смешного чист. И совершенно не страдал от этой чистоты. Гордился ею, как особенной тайной, а выходило, что я очень опытен. Правда, я вовсе не был стыдлив и застенчив. Просто очень удобно жил в самом себе и ждал. А товарищи мои, те, что сквернословили, задыхались при слове «женщина», были все такие прыщеватые, грязные, с мокрыми ладонями. Вот за эти прыщи я их презирал. И лгали они ужасно отвратительно о своих любовных делах.

— Не могу скрыть от вас, — своим матовым голосом сказал Подтягин, — что я начал с горничной. А какая была прелесть, тихая, сероглазая. Глашей звали. Вот какие дела.

— Нет, я ждал, — тихо сказал Ганин. — От тринадцати до шестнадцати лет, три, значит, года. Когда мне было тринадцать лет, мы играли раз в прятки, и я оказался со сверстником вместе в платяном шкафу. Он в темноте и рассказал мне, что есть на свете чудесные женщины, которые позволяют себя раздевать за деньги. Я не расслышал правильно, как он их назвал, и у меня вышло: принститутка. Смесь институтки и принцессы. Их образ мне казался поэтому особенно очаровательным, таким таинственным. Но конечно, я вскоре понял, что ошибся, так как те женщины, которые вразвалку ходили по Невскому и называли нас, гимназистов, «карандашами», вовсе меня не прельщали. И вот, после трех лет такой гордости и чистоты, я дождался. Это было летом, у нас в деревне.

— Так, так, — сказал Подтягин. — Все это я понимаю. Только вот скучно немного. Шестнадцать лет, роща, любовь...

Ганин посмотрел на него с любопытством:

— Да что же может быть лучше, Антон Сергеевич?

— Эх, не знаю, не спрашивайте меня, голубчик. Я сам поэзией охолостил жизнь, а теперь поздно начать жить сызнова. Только думается мне, что в конце концов лучше быть сангвиником, человеком дела, а если кутить, так так, чтобы зеркала лопались.

— И это было, — усмехнулся Ганин.

Подтягин на минуту задумался.

— Вот вы о русской деревне говорили, Лев Глебович. Вы-то, пожалуй, увидите ее опять. А мне тут костьми лечь. Или если не здесь, то в Париже. Совсем я сегодня раскис что-то. Простите.

Оба замолкли. Прошел поезд. Далеко, далеко крикнул безутешно и вольно паровоз. Ночь в незавешенном стекле холодно синела, отражая абажур лампы и край освещенного стола. Подтягин сидел сутуло, опустив седую голову и вертя в руках кожаный футляр портсигара. Никто бы не мог сказать, о чем он размышлял. Были ли то думы о бледно прошедшей жизни, или же старость, болезнь, нищета, с темной ясностью ночного отраженья, являлись перед ним, — были ли это думы о паспорте, о Париже, или просто — скучная мысль о том, что вот узор на коврике как раз вмещает носок сапога, что хорошо бы выпить холодного пива, что гость засиделся, не уходит, — Бог весть; но Ганин, глядя на его большую поникшую голову, на старческий пушок в ушах, на плечи, округленные писательским трудом, почувствовал внезапно такую грусть, что уже не хотелось рассказывать ни о русском лете, ни о тропинках парка, ни тем более о том удивительном, что случилось вчера.

— Ну вот, я пойду. Спите спокойно, Антон Сергеевич.

— Спокойной ночи, Левушка, — вздохнул Подтягин. — Хорошо мы потолковали с вами. Вы вот не презираете меня за то, что я взял у Куницына денег.

И только в последнюю минуту, уже на пороге комнаты, Ганин остановился, сказал:

— Знаете что, Антон Сергеевич? У меня начался чудеснейший роман. Я сейчас иду к ней. Я очень счастлив.

Подтягин приветливо кивнул:

— Так, так. Кланяйтесь. Не имею чести знать, но все равно кланяйтесь.

6

Он, странно сказать, не помнил, когда именно увидел ее в первый раз. Быть может, на дачном концерте, устроенном в большой риге на лугу. А может быть, и до того он мельком ее видал. Он как будто бы уже знал ее смех, нежную смуглоту и большой бант, когда студент-санитар при местном солдатском лазарете рассказывал ему о барышне «милой и замечательной» — так выразился студент, — но этот разговор происходил еще до концерта. Ганин теперь напрасно напрягал память: первую, самую первую встречу он представить себе не мог. Дело в том, что он ожидал ее с такою жадностью, так много думал о ней в те блаженные дни после тифа, что сотворил ее единственный образ задолго до того, как действительно ее увидел, потому теперь, через много лет, ему и казалось, что та встреча, которая мерещилась ему, и та встреча, которая наяву произошла, сливаются, переходят одна в другую незаметно, оттого что она, живая, была только плавным продленьем образа, предвещавшего ее.

И в июльский вечер Ганин нажал на железную, певучую дверь парадного крыльца и вышел в синеву сумерок. В сумерках особенно легко шел велосипед, шина с шелестом нащупывала каждый подъем и выгиб в утоптанной земле по краю дороги. И когда он скользнул мимо темной конюшни, оттуда пахнуло теплом, фырканьем, нежным стуком переставленного копыта. И дальше дорогу охватили с обеих сторон бесшумные в этот час березы, и в стороне, посреди луга, был мягкий свет, словно на гумне тлел пожар, и темными полями к отдельно стоявшей риге шли вразброд, не спеша, по-праздничному гудевшие люди.

Внутри был сколочен помост, расставлены скамейки, свет обливал головы и плечи, играл в глазах, пахло леденцами и керосином. Народу набралось много: в глубине разместились мужики и бабы, посередке дачники и дачницы, впереди же на белых парковых скамейках — человек двадцать солдат из сельского лазарета, нахохленных, тихих, с проплешинами в серой синеве стриженых, очень круглых голов. А в стенах, украшенных еловой хвоей, там и сям были щели, сквозь которые глядели звездная ночь да черные тени мальчишек, взгромоздившихся по той стороне на высоко наваленные бревна.

Из Петербурга приехавший бас, тощий, с лошадиным лицом, извергался глухим громом; школьный хор, послушный певучему щелчку камертона, подтягивал ему.

И среди желтого, жаркого блеска, среди звуков, становившихся зримыми в виде складок пунцовых и серебристых платков, мигавших ресниц, черных теней на верхних балках, перемещавшихся, когда продувал ночной ветерок, среди этого мерцанья и лубочной музыки, среди всех плеч и голов, в громадной, битком набитой риге, — для Ганина было только одно: он смотрел перед собой на каштановую косу в черном банте, чуть зазубрившемся на краях, он гладил глазами темный блеск волос, по-девически ровный на темени. Когда она поворачивала в сторону лицо, обращаясь быстрым, смеющимся взглядом к соседке, он видел и темный румянец ее щеки, уголок татарского горящего глаза, тонкий изгиб ноздри, которая то щурилась, то расширялась от смеха.

А потом, когда все кончилось, и огромный заводской автомобиль, таинственно озарив траву и затем взмахом света ослепив спящую березу и мостик над канавой, увез столичного баса, и в синюю темноту по клеверной росе поплыли, празднично и зыбко белеясь, дачницы, и кто-то в темноте закуривал, держа в горстях у освещенного лица вспыхнувший огонек, — Ганин, взволнованный и одинокий, пошел домой, катя за седло чуть стрекотавший спицами велосипед.

Окно большой старомодной уборной в крыле дома, между чуланом и комнатушкой экономки, выходило на заброшенную часть садовой площадки, где чернела в тени железного навеса чета колес над колодцем и шли по земле деревянные желоба водостока между обнаженными вьющимися корнями трех огромных, разросшихся вширь тополей. Окно было расписное: цветной копьеносец казал на стекле свою квадратную бороду и могучие икры, — и странно светился он при тусклом блеске керосиновой лампы с жестяным рефлектором, висевшей подле тяжелого бархатного шнура: дернешь, и в таинственных недрах дубового кресла закипит влажный гул, глухие глотки. Ганин отпахнул пошире раму цветного окна, уселся с ногами на подоконник, — и бархатный шнур тихо качался, — и звездное небо между черных тополей было такое, что хотелось поглубже вздохнуть. И эту минуту, когда он сидел на подоконнике мрачной дубовой уборной и думал о том, что, верно, никогда, никогда он не узнает ближе барышни с черным бантом на нежном затылке, и тщетно ждал, чтобы в тополях защелкал фетовский соловей, — эту минуту Ганин теперь справедливо считал самой важной и возвышенной во всей его жизни.

Он не помнил, когда он ее увидел опять — на следующий день или через неделю. На закате, до вечернего чая, он взмахивал на пружинистый кожаный клин, упирался руками в рулевые рога и катил прямо в зарю. Он избирал всегда один и тот же путь, круговой, мимо двух деревень, разделенных сосновым лесом, и потом по шоссе, между полей, и домой через большое село Воскресенск, что лежит на реке Оредеж, воспетой Рылеевым. Он знал самый путь, то узкий, утрамбованный, бегущий вдоль опасной канавы, то мощенный булыжниками, по которым прыгало переднее колесо, то изрытый коварными колеями, то гладкий, розоватый, твердый, — он знал этот путь на ощупь и на глаз, как знаешь живое тело, и катил по нему без запинки, вдавливая в шелестящую пустоту упругие педали.

В сосновом перелеске, на шероховатых стволах, вечернее солнце лежало огненно-румяными полосками. Из дачных садиков доносился стук крокетных шаров; и в рот, в глаза попадали мошки.

Иногда на шоссе у пирамидки щебня, над которым пустынно и нежно гудел телеграфный столб, облупившийся сизыми струпьями, он останавливался и, опираясь на велосипед, глядел через поля на одну из тех лесных опушек, что бывают только в России, далекую, зубчатую, черную, и над ней золотой запад был пересечен одним только лиловатым облаком, из-под которого огненным веером расходились лучи. И глядя на небо, и слушая, как далеко-далеко на селе почти мечтательно мычит корова, он старался понять, что все это значит — вот это небо, и поля, и гудящий столб; казалось, что вот-вот сейчас он поймет, — но вдруг начинала кружиться голова, и светлое томленье становилось нестерпимым.

Он никогда не знал, где встретит, где обгонит ее, на каком повороте дороги, в этом ли перелеске или в следующем. Она жила в Воскресенске, и в тот же час, как и он, выходила бродить в пустыне солнечного вечера. Он замечал ее издали, и сразу холодело в груди. Она шла быстро, засунув руки в карманы темно-синей, под цвет юбки, шевиотовой кофточки, надетой поверх белой блузки, и Ганин, как тихий ветер нагоняя ее, видел только складки синей материи, которые на спине у нее слегка натягивались и переливались, да черный шелковый бант, распахнувший крылья. Пролетая мимо, он никогда не заглядывал ей в лицо, а притворялся углубленным в езду, хотя за минуту до того, представляя себе встречу, клялся, что улыбнется ей, поздоровается. Ему казалось в эти дни, что у нее должно быть какое-нибудь необыкновенное, звучное имя, а когда узнал от того же студента, что ее зовут Машенька, вовсе не удивился, словно знал наперед, — и по-новому, очаровательной значительностью, зазвучало для него это простенькое имя.

— Машенька, Машенька, — зашептал Ганин, — Машенька... — и набрал побольше воздуха, и замер, слушая, как бьется сердце. Было около трех часов ночи, поезда не шли, и потому казалось, что дом остановился. На стуле, раскинув руки, как человек, оцепеневший среди молитвы, смутно белела в темноте сброшенная рубашка.

— Машенька, — опять повторил Ганин, стараясь вложить в эти три слога все то, что пело в них раньше, — ветер, и гудение телеграфных столбов, и счастие, — и еще какой-то сокровенный звук, который был самой жизнью этого слова. Он лежал навзничь, слушал свое прошлое. И вдруг за стеной раздалось нежно, тихонько, назойливо: туу... ту... ту-ту... Алферов думал о субботе.

7

Утром на следующий день, в среду, рыжая ручища Эрики просунулась в номер второго апреля и уронила на пол длинный сиреневый конверт. На конверте Ганин равнодушно узнал косой, крупный, очень правильный почерк. Марка была наклеена вниз головой, и в углу толстый палец Эрики оставил жирный след. Конверт был крепко надушен, и Ганин мельком подумал, что надушить письмо то же, что опрыскать духами сапоги для того, чтобы перейти через улицу. Он надул щеки, выпустил воздух и сунул нераспечатанное письмо в карман. Спустя несколько минут он его опять вынул, повертел в руках и кинул на стол. Потом прошелся раза два по комнате.

Все двери пансиона были открыты. Звуки утренней уборки мешались с шумом поездов, которые, пользуясь сквозняками, прокатывали по всем комнатам. Ганин, остававшийся по утрам дома, обычно сам выметал сор, стелил постель. Он теперь спохватился, что второй день не убирал комнаты, и вышел в коридор в поисках щетки и тряпки. Лидия Николаевна с ведром в руке шуркнула мимо него как мышь и на ходу спросила: «Вам Эрика передала письмо?»

Ганин молча кивнул и взял половую щетку, лежавшую на дубовом бауле. В зеркале прихожей он увидел отраженную глубину комнаты Алферова, дверь которой была настежь открыта. В этой солнечной глубине — день был на диво погожий — косой конус озаренной пыли проходил через угол письменного стола, и он с мучительной ясностью представил себе те фотографии, которые сперва ему показывал Алферов и которые он потом с таким волненьем рассматривал один, когда помешала ему Клара. На этих снимках Машенька была совсем такой, какой он ее помнил, и теперь страшно было подумать, что его прошлое лежит в чужом столе.

В зеркале отраженье захлопнулось: это Лидия Николаевна, мышиными шажками просеменив по коридору, толкнула открытую дверь.

Ганин со щеткой в руке вернулся в свою комнату. На столе лежало сиреневое пятно. Он вспомнил по быстрому сочетанью мыслей, вызванных этим пятном и отраженьем стола в зеркале, те другие, очень старые письма, что хранились у него в черном бумажнике, лежащем рядом с крымским брау-нингом, на дне чемодана.

Он загреб длинный конверт со стола, локтем от-пахнул пошире оконную раму и сильными своими пальцами разорвал накрест письмо, разорвал опять каждую долю, пустил лоскутки по ветру, и бумаж-ные снежинки полетели, сияя, в солнечную бездну. Один лоскуток порхнул на подоконник, Ганин про-чел на нем несколько изуродованных строк:

> *нечно, сумею теб*
> *юбовь. Я только про*
> *обы ты был сча*

Он щелчком скинул его с подоконника в бездну, откуда веяло запахом угля, весенним простором, и, облегченно двинув плечами, принялся убирать ком-нату.

Потом он слышал, как один за другим возвраща-лись к обеду соседи, как Алферов громко смеялся, как Подтягин что-то мягко бормотал. И еще спустя некоторое время Эрика вышла в коридор и уныло забухала в гонг.

Идя к обеду, он обогнал у двери столовой Кла-ру, которая испуганно взглянула на него. И Ганин улыбнулся, да такой красивой и ласковой улыбкой, что Клара подумала: «Пускай он вор, — а все-таки такого второго нет». Ганин открыл дверь, она на-клонила голову и прошла мимо него в столовую. Остальные уже сидели по местам, и Лидия Нико-лаевна, держа громадную ложку в крохотной увяд-шей руке, грустно разливала суп.

У Подтягина сегодня опять ничего не вышло. Старику действительно не везло. Французы разре-шили приехать, а немцы почему-то не выпускали.

Между тем у него оставалось как раз достаточно средств, чтобы выехать, а продлись эта канитель еще неделю, деньги уйдут на жизнь, и тогда до Парижа не доберешься. Кушая суп, он рассказывал, с каким-то грустным и медлительным юмором, как его гнали из одного отдела в другой, как он сам не мог объяснить, что ему нужно, и как наконец усталый, раздраженный чиновник накричал на него.

Ганин поднял глаза и сказал:

— Да поедем туда завтра вместе, Антон Сергеевич. У меня времени вдоволь. Я помогу вам объясниться.

Он, точно, хорошо говорил по-немецки.

— Ну что же, спасибо, — ответил Подтягин и снова, как вчера, заметил необычную светлость его лица. — А то, знаете, прямо хоть плачь. Опять два часа простоял в хвосте и вернулся ни с чем. Спасибо, Левушка.

— Вот у жены моей тоже будут хлопоты...— заговорил Алферов. И с Ганиным случилось то, чего никогда с ним не случалось. Он почувствовал, что нестерпимая краска медленно заливает ему лицо, горячо щекочет лоб, словно он напился уксусу. Идя к обеду, он не подумал о том, что эти люди, тени его изгнаннического сна, будут говорить о настоящей его жизни — о Машеньке. И с ужасом, со стыдом он вспомнил, что сам, по неведенью своему, третьего дня за обедом смеялся с другими над женой Алферова. И сегодня опять кто-нибудь мог усмехнуться.

— Она, впрочем, у меня расторопная, — говорил тем временем Алферов. — В обиду себя не даст. Не даст себя в обиду моя женка.

Колин и Горноцветов переглянулись, хихикнули... Ганин, кусая губы и опустив глаза, катал хлебный шарик. Он решил было встать и уйти, но потом пересилил себя. Подняв голову, он заставил себя взглянуть на Алферова и, взглянув, подивился, как Машенька могла выйти за этого человека с жидкой бородкой и блестящим пухлым носом. И мысль, что он сидит рядом с мужчиной, который Машеньку трогал, знает ощущенье ее губ, ее словечки, смех, движенья и теперь ждет ее, — эта мысль была ужасна, но вместе с тем он ощущал какую-то волнующую гордость при воспоминанье о том, что Машенька отдала ему, а не мужу, свое глубокое, неповторимое благоуханье.

После обеда он вышел пройтись, потом влез на верхушку автобуса. Внизу проливались улицы, по солнечным зеркалам асфальта разбегались черные фигурки, автобус качался, грохотал, — и Ганину казалось, что чужой город, проходивший перед ним, только движущийся снимок. Потом, вернувшись домой, он видел, как Подтягин стучался в номер Клары, и Подтягин показался ему тоже тенью, случайной и ненужной.

— А наш-то, опять в кого-то влюблен, — кивнул в сторону двери Антон Сергеевич, попивая чай у Клары. — Не в вас ли?

Та отвернулась, полная грудь ее поднялась и опустилась, ей не верилось, что это это могло быть так; она боялась этого, боялась того Ганина, который шарил в чужом столе, но все-таки ей был приятен вопрос Подтягина.

— Не в вас ли, Кларочка? — повторил он, дуя на чай и через пенснэ искоса поглядывая на нее.

— Он вчера порвал с Людмилой, — вдруг сказала Клара, чувствуя, что Подтягину можно проговориться.

— Я так и думал, — кивнул старик, со вкусом отхлебывая. — Недаром он такой озаренный. Старому — прочь, новому — добро пожаловать. Слыхали, что он мне сегодня предложил? Завтра — вместе со мной в полицию.

— Я буду у нее вечером, — задумчиво сказала Клара. — Бедняжка. У нее был загробный голос по телефону.

Подтягин вздохнул:

— Что же, дело молодое. Ваша подруга утешится. Все это благо. А знаете, Кларочка, мне-то скоро помирать...

— Бог с вами, Антон Сергеевич! Какие глупости.

— Нет, не глупости. Сегодня ночью опять был припадок. Сердце — то во рту, то под кроватью...

— Бедный вы, — забеспокоилась Клара. — Ведь нужно доктора...

Подтягин улыбнулся:

— Я пошутил. Мне, напротив, куда легче эти дни. А припадок — пустяк. Сам сейчас выдумал, чтобы посмотреть, как вы очеса распахнете. Если бы мы были в России, Кларочка, то за вами ухаживал бы земский врач или какой-нибудь солидный архитектор. Вы как — любите Россию?

— Очень.

— То-то же. Россию надо любить. Без нашей эмигрантской любви России — крышка. Там ее никто не любит.

— Мне уже двадцать шесть лет, — сказала Клара, — я целое утро стучу на машинке и пять раз в неделю работаю до шести. Я очень устаю. Я совершенно одна в Берлине. Как вы думаете, Антон Сергеевич, это долго будет так продолжаться?

— Не знаю, голубушка, — вздохнул Подтягин. — Сказал бы, да не знаю. Вот я тоже работал, журнал тут затеял... А теперь сижу на бобах. Дай Бог только в Париж попасть. Там жить привольнее. Как вы думаете, попаду?

— Ну что вы, Антон Сергеевич, конечно. Завтра все устроится.

— Привольнее и, кажется, дешевле,— сказал Подтягин, ложечкой доставая нерастаявший кусочек сахара и думая о том, что в этом ноздреватом кусочке есть что-то русское, весеннее, когда вот снег тает.

8

День Ганина еще более опустел в житейском смысле после его разрыва с Людмилой, но зато теперь не было тоски бездействия. Воспоминанье так занимало его, что он не чувствовал времени. Тень его жила в пансионе госпожи Дорн, — он же сам был в России, переживал воспоминанье свое как действительность. Временем для него был ход его воспоминанья, которое развертывалось постепенно. И хотя роман его с Машенькой продолжался в те далекие годы не три дня, не неделю, а гораздо больше, он не чувствовал несоответствия между действительным временем и тем другим временем, в котором он жил, так как память его не учитывала каждого мгновенья, а перескакивала через пустые, непамятные места, озаряя только то, что было связано с Машенькой, и потому выходило так, что не было несоответствия между ходом прошлой жизни и ходом настоящей.

Казалось, что эта прошлая, доведенная до совершенства жизнь проходит ровным узором через берлинские будни. Что бы Ганин ни делал в эти дни, та жизнь согревала его неотступно.

Это было не просто воспоминанье, а жизнь, гораздо действительнее, гораздо «интенсивнее» — как пишут в газетах, — чем жизнь его берлинской тени. Это был удивительный роман, развивающийся с подлинной, нежной осторожностью.

Конец июля на севере России уже пахнет слегка осенью. Мелкий желтый лист нет-нет да и слетит с березы; в просторах скошенных полей уже пусто и светло по-осеннему. Вдоль опушки, где еще лоснится на ветру островок высокой травы, избежавшей косарей, на бледно-лиловых подушечках скабиоз спят отяжелевшие шмели. И как-то вечером, в парковой беседке...

Да. Эта беседка стояла на подгнивших сваях, над оврагом, и с обеих сторон к ней вели два покатых мостика, скользких от ольховых сережек да еловых игол.

В небольших ромбах белых оконниц были разноцветные стекла: глядишь, бывало, сквозь синее — и мир кажется застывшим в лунном обмороке, — сквозь желтое — и все весело чрезвычайно, — сквозь красное — и небо розово, а листва как бургундское вино. И некоторые стекла были разбиты, а торчавшие уголки соединены паутиной. Беседка была снутри беленая; на стенах, на откидном столике дачники, забиравшиеся незаконно в парк, оставляли карандашные надписи.

Так забралась и Машенька с двумя неприметными подругами. Он сперва обогнал ее на тропинке парка, бегущей вдоль реки, и проехал так близко, что подруги ее с визгом шарахнулись. Он обогнул парк, перерезал его, и потом вдали, сквозь листву, увидел, как они входят в беседку. Он прислонил велосипед к дереву и вошел за ними.

— В парке нельзя гулять посторонним, — сказал он тихо и хрипло, — на калитке есть даже вывеска.

Она ничего не ответила, играющими раскосыми глазами смотрела на него. Он спросил, указывая на одну из бледных надписей:

— Это вы сделали?

А написано было: «В этой беседке двадцатого июня Машенька, Лида и Нина пережидали грозу».

Они все три рассмеялись, и тогда он рассмеялся тоже, сел на столик, закачал ногами, заметил некстати, что черный шелковый носок порвался на щиколотке. И Машенька вдруг сказала, указав на розовую дырочку:

— Смотрите, у вас — солнышко.

Они говорили о грозе, о дачниках и о том, что он болен был тифом, и о смешном студенте в солдатском лазарете, и о концерте в сарае.

У нее были прелестные бойкие брови, смугловатое лицо, подернутое тончайшим шелковистым пушком, придающим особенно теплый оттенок щекам; ноздри раздувались, пока она говорила, посмеиваясь и высасывая сладость из травяного стебля; голос был подвижный, картавый, с неожиданными грудными звуками, и нежно вздрагивала ямочка на открытой шее.

Потом, к вечеру, он провожал ее и ее подруг до села и, проходя по зеленой лесной дороге, заросшей плевелами, мимо хромой скамьи, очень серьезно рассказывал: «Макароны растут в Италии. Когда они еще маленькие, их зовут вермишелью. Это значит: Мишины червяки».

Он условился с ними, что завтра повезет их всех на лодке. Но она явилась без подруг. У шаткой пристани он развернул грохочущую цепь большой, тяжелой, красного дерева шлюпки, откинул брезент, ввинтил уключины, выволок весла из длинного ящика, вдел стержень руля в стальное кольцо.

Поодаль ровно шумели шлюзы водяной мельницы; вдоль белых складок спадающей воды рыжеватым золотом отливали подплывшие стволы сосен.

Машенька села у руля, он оттолкнулся багром и медленно стал грести вдоль самого берега парка, где на воде черными павлиньими глазами отражались густые ольхи и порхало много темно-синих стрекоз. Потом он повернул на середину реки, виляя между парчовых островов тины, и Машенька, держа в одной руке оба конца мокрой рулевой веревки, другую руку опускала в воду, стараясь сорвать глянцевито-желтую головку кувшинки. Уключины скрипели при каждом нажиме весел; он то откидывался, то подавался вперед, и Машенька, сидевшая против него у руля, то отдалялась, то приближалась в своей синей кофточке, раскрытой на легкой, дышащей блузе.

На реке теперь отражался левый, красный как терракота, берег, сверху поросший елью да черемухой, в красной крутизне вырезаны были имена и даты, а в одном месте кто-то, лет сорок тому назад, высек громадное скуластое лицо. Правый берег был пологий, вереск лиловел между пятнистых берез. А потом, под мостом, хлынула темная прохлада, сверху был тяжелый стук копыт и колес, и когда опять лодка выплыла, солнце ослепило, сверкнуло на концах весел, выхватило телегу с сеном, которая как раз проезжала по низкому мосту, и зеленый скат, и над ним белые колонны большой заколоченной усадьбы александровских времен. А потом спустился к самой реке с обеих сторон темный бор, и лодка с мягким шуршаньем въехала в камыши.

А дома ничего не знали, жизнь тянулась летняя, знакомая, милая, едва затронутая далекой войной, шедшей уже целый год. Старый, зеленовато-серый, деревянный дом, соединенный галереей с флигелем, весело и спокойно глядел цветными глазами своих двух стеклянных веранд на опушку парка и на оранжевый крендель садовых тропинок, огибавших черноземную пестроту куртин. В гостиной, где стояла белая мебель и на скатерти стола, расшитой розами, лежали мрамористые тома старых журналов, желтый паркет выливался из наклонного зеркала в овальной раме, и дагерротипы на стенах слушали, как оживало и звенело белое пианино. Вечером высокий синий буфетчик в нитяных перчатках выносил на веранду лампу под шелковым абажуром, и Ганин возвращался домой пить чай, глотать холодные хлопья простокваши на этой светлой веранде с камышовым ковром на полу и черными лаврами вдоль каменных ступеней, ведущих в сад.

Он теперь ежедневно встречался с Машенькой, по той стороне реки, где стояла на зеленом холму пустая белая усадьба и был другой парк, пошире и запущеннее, чем на мызе.

Перед этой чужой усадьбой, на высокой площадке над рекой, стояли под липами скамьи и железный круглый стол, с дыркой посередке для стока дождевой воды. Оттуда виден был далеко внизу мост через тинистую излучину и шоссе, поднимавшееся в Воскресенск. Эта площадка была их любимым местом.

И однажды, когда они встретились там в солнечный вечер после бурного ливня, на садовом столе оказалась хулиганская надпись. Деревенский озорник соединил их имена коротким, грубым глаголом, безграмотно начав его с буквы «и». Надпись сделана была химическим карандашом и слегка расплылась от дождя. Тут же, на мокром столе, прилипли сучки, листики, меловые червячки птичьих испражнений.

И так как стол принадлежал им, был святой, освященный их встречами, то спокойно, молча они принялись стирать пучками травы сырой лиловый росчерк. И когда весь стол смешно полиловел и пальцы у Машеньки стали такими, как будто она только что собирала чернику, Ганин, отвернувшись и прищуренными глазами глядя внимательно на что-то желто-зеленое, текучее, жаркое, что было в обыкновенное время липовой листвой, объявил Машеньке, что давно любит ее.

Они так много целовались в эти первые дни их любви, что у Машеньки распухали губы и на шее, такой всегда горячей под узлом косы, появлялись нежные подтеки. Она была удивительно веселая, скорее смешливая, чем насмешливая. Любила песенки, прибаутки всякие, словечки да стихи. Песенка у нее погостит два-три дня и потом забудется, прилетит новая. Так, во время самых первых свиданий она все повторяла, картаво и проникновенно: «Скрутили Ванечке руки и ноги, долго томили Ваню в остроге», — и смеялась воркотливым, грудным смехом: «Вот здорово-то!» Во рвах о ту пору зрела последняя, водянисто-сладкая малина; она необыкновенно любила ее, да и вообще постоянно что-нибудь сосала — стебелек, листик, леденец. Ландриновские леденцы она носила просто в кармане, слипшимися кусками, к которым прилипали шерстинки, сор. И духи у нее были недорогие, сладкие, назывались «Тагор». Этот запах, смешанный со свежестью осеннего парка, Ганин теперь старался опять уловить, но, как известно, память воскрешает все, кроме запахов, и зато ничто так полно не воскрешает прошлого, как запах, когда-то связанный с ним.

И Ганин на мгновенье отстал от своего воспоминанья, подумал о том, как мог прожить столько лет без мысли о Машеньке, — и сразу опять нагнал ее: она бежала по шуршащей темной тропинке, черный бант мелькал, как огромная траурница, — и Машенька вдруг остановилась, схватилась за его плечо и, подняв ногу, принялась тереть запачкавшийся башмачок о чулок другой ноги — повыше, под складками синей юбки.

Ганин уснул, лежа одетый на нераскрытой постели; воспоминанье его расплылось и перешло в сновиденье. Это сновиденье было необычайное, редчайшее, и он бы знал, о чем оно, если бы на рассвете его не разбудил странный, словно громовой, раскат. Он привстал, прислушался. Гром оказался непонятным кряхтеньем и шорохом за дверью: кто-то тяжело скребся в нее; ручка, едва блестевшая в тумане рассветного воздуха, вдруг опустилась и вскочила опять, но дверь осталась закрытой, хотя не была заперта на ключ. Ганин, двигаясь беззвучно и с удовольствием предвкушая приключенье, сполз с постели и, на всякий случай сжав в кулак левую руку, правой сильно рванул дверь.

К нему на плечо, с размаху, как громадная, мягкая кукла, ничком пал человек. От неожиданности Ганин едва не ударил его, но тотчас же почувствовал, что человек валится на него только потому, что не в силах стоять. Он отодвинул его к стене и нащупал свет.

Перед ним, опираясь головой о стену и ловя воздух разинутым ртом, стоял старик Подтягин, босой, в длинной ночной рубашке, распахнутой на седой груди. Глаза его, без пенснэ, обнаженные, слепые, не мигали, лицо было цвета сухой глины, большой живот горой ходил под натянутым полотном рубашки.

Ганин сразу понял, что старика опять одолел сердечный припадок. Он поддержал его, и Подтягин, тяжко передвигая сизые ноги, добрался до кресла, рухнул в него, откинул серое, вдруг вспотевшее лицо.

Ганин сунул в кувшин полотенце и прижал отяжелевшие мокрые складки к голой груди старика. Ему казалось, что в этом большом, напряженном теле могут сейчас с резким хрустом лопнуть все кости.

И вдруг Подтягин передохнул, со свистом выпустил воздух. Это был не просто вздох, а чудеснейшее наслажденье, от которого сразу оживились его черты. Ганин, поощрительно улыбаясь, все прижимал к его телу мокрое полотенце, потирал ему грудь, бока.

— Лу...лучше, — выдохнул старик.

— Сидите совсем спокойно, — сказал Ганин. — Сейчас все пройдет.

Подтягин дышал и мычал, шевеля крупными кривыми пальцами босых ног. Ганин прикрыл его одеялом, дал ему выпить воды, отворил пошире окно.

— Не мог... дышать, — с трудом проговорил Подтягин. — Не мог к вам войти... так ослаб. Один... не хотел умирать...

— Сидите смирно, Антон Сергеевич. Скоро день. Позовем доктора.

Подтягин медленно потер лоб рукой, задышал ровнее.

— Миновало, — сказал он. — На время миновало. У меня все капли вышли. Потому было так худо.

— И капель купим. Хотите перебраться ко мне на постель?..

— Нет... Я посижу и пойду к себе. Миновало. А завтра утром...

— Отложим до пятницы, — сказал Ганин. — Виза не убежит.

Подтягин облизал толстым, пупырчатым языком засохшие губы:

— Меня в Париже давно ждут, Левушка. А у племянницы нет денег выслать мне на дорогу. Эх-ма...

Ганин сел на подоконник (и мельком подумал: «Я так сидел совсем недавно, но где?» И вдруг вспомнил — цветную глубину беседки, белый откидной столик, дырку на носке).

— Потушите, пожалуйста, свет, голубчик, — попросил Подтягин. — Больно глазам.

В полутьме все показалось очень странным: и шум первых поездов, и эта большая седая тень в кресле, и блеск пролитой воды на полу. И все это было гораздо таинственнее и смутнее той бессмертной действительности, которой жил Ганин.

9

Утром Колин заваривал для Горноцветова чай. В этот четверг Горноцветов должен был рано поехать за город, чтобы повидать балерину, набиравшую труппу, и потому все в доме еще спали, когда Колин, в необыкновенно грязном японском халатике и в потрепанных ботинках на босу ногу, поплелся в кухню за кипятком. Его круглое, неумное, очень русское лицо, со вздернутым носом и синими томными глазами (сам он думал, что похож на верлэновского «полу-пьерро, полу-гаврош»), было помято и лоснилось, белокурые волосы, еще не причесанные на косой ряд, падали поперек лба, свободные шнурки ботинок со звуком мелкого дождя похлестывали об пол. Он по-женски надувал губы, возясь с чайником, а потом стал что-то мурлыкать, тихо и сосредоточенно. Горноцветов кончал одеваться, завязывал бантиком пятнистый галстук перед зеркалом, сердясь на прыщ, только что срезанный при бритье и теперь сочащийся желтой кровью сквозь плотный слой пудры. Лицо у него было темное, очень правильное, длинные загнутые ресницы придавали его карим глазам ясное, невинное выраженье, черные короткие волосы слегка курчавились, он по-кучерски брил сзади шею и отпускал бачки, которые двумя темными полосками загибались вдоль ушей. Был он, как и его приятель, невысокого роста, очень тощий, с прекрасно развитыми мускулами ног, но узенький в груди и в плечах.

Они подружились сравнительно недавно, танцовали в русском кабарэ где-то на Балканах и месяца два тому назад приехали в Берлин в поисках театральной фортуны. Особый оттенок, таинственная жеманность несколько отделяла их от остальных пансионеров, но, говоря по совести, нельзя было порицать голубиное счастие этой безобидной четы.

Колин, после ухода друга, оставшись один в неубранной комнате, открыл прибор для отделки ногтей и, вполголоса напевая, стал подрезывать себе заусеницы. Чрезмерной чистоплотностью он не отличался, зато ногти держал в отменном порядке.

В комнате тяжело пахло ориганом и потом; в мыльной воде плавал пучок волос, выдернутых из гребешка. По стенам поднимали ножку балетные снимки; на столе лежал большой раскрытый веер, и рядом с ним — грязный крахмальный воротничок.

Колин, полюбовавшись на пунцоватый блеск вычищенных ногтей, тщательно вымыл руки, натер лицо и шею туалетной водой, душистой до тошноты, скинув халат, прошелся нагишом на пуантах, подпрыгнул с быстрой ножною трелью, проворно оделся, напудрил нос, подвел глаза и, застегнув на все пуговицы серое, в талию, пальто, пошел прогуляться, ровным движеньем поднимая и опуская конец щегольской тросточки.

Возвращаясь домой к обеду, он обогнал у парадной двери Ганина, который только что покупал в аптеке лекарство для Подтягина. Старик чувствовал себя хорошо, что-то пописывал, ходил по комнате, но Клара, посоветовавшись с Ганиным, решила не пускать его сегодня из дому.

Колин, подоспев сзади, сжал Ганину руку повыше локтя. Тот обернулся:

— А, Колин... хорошо погуляли?

— Алек сегодня уехал, — заговорил Колин, поднимаясь рядом с Ганиным по лестнице. — Я ужасно волнуюсь, получит ли он ангажемент...

— Так, так, — сказал Ганин, который решительно не знал, о чем с ним говорить.

Колин засмеялся:

— А Алферов-то вчера опять застрял в лифте. Теперь лифт не действует...

Он повел набалдашником трости по перилу и посмотрел на Ганина с застенчивой улыбкой:

— Можно у вас посидеть немного? Мне что-то очень скучно сегодня...

«Ну ты, брат, не вздумай со скуки ухаживать за мной», — мысленно огрызнулся Ганин, открывая дверь пансиона, и вслух ответил:

— К сожалению, я сейчас занят. В другой раз.

— Как жаль, — протянул Колин, входя за Ганиным и прикрывая за собой дверь. Дверь не поддалась, кто-то сзади просунул большую, коричневую руку, и оттуда басистый берлинский голос грянул:

— Одно мгновенье, господа.

Ганин и Колин оглянулись. Порог переступил усатый, тучный почтальон.

— Здесь живет герр Алфэров?

— Первая дверь налево, — сказал Ганин.

— Благодарю, — на песенный лад прогудел почтальон и постучался в указанный номер.

Это была телеграмма.

— Что такое? Что такое? Что такое? — судорожно лепетал Алферов, неловкими пальцами развертывая ее. От волненья он не сразу мог прочесть наклеенную ленточку бледных неровных букв: «Priedu subbotu 8 utra». Алферов вдруг понял, вздохнул и перекрестился.

— Слава тебе, Господи... Приезжает...

Широко улыбаясь и потирая свои костлявые ляжки, он присел на постель и стал покачиваться взад и вперед. Его водянисто-голубые глаза быстро помигивали, бородка цвета навозца золотилась в косом потоке солнца.

— Зер гут, — бормотал он. — Послезавтра — суббота. Зер гут. Сапоги в каком виде!.. Машенька удивится. Ничего, как-нибудь проживем. Квартирку наймем, дешевенькую. Она уж решит. А пока здесь поживем. Благо, дверь есть между комнатами.

Погодя немного, он вышел в коридор и постучался в соседний номер.

Ганин подумал: «Что это мне сегодня покоя не дают?»

— Вот что, Глеб Львович, — без обиняков начал Алферов, круговым взглядом обводя комнату, — вы когда думаете съехать?

Ганин с раздраженьем посмотрел на него:

— Меня зовут Лев. Постарайтесь запомнить.

— Ведь к субботе съедете? — спросил Алферов и мысленно соображал: «Постель нужно будет иначе. Шкаф от проходной двери отставить...»

— Да, съеду, — ответил Ганин и опять, как тогда за обедом, почувствовал острую неловкость.

— Ну вот и отлично, — возбужденно подхватил Алферов. — Простите за беспокойство, Глеб Львович.

И, в последний раз окинув взглядом комнату, он со стуком вышел.

— Дурак... — пробормотал Ганин. — К чорту его. О чем это я так хорошо думал сейчас... Ах, да... ночь, дождь, белые колонны...

— Лидия Николаевна! Лидия Николаевна! — громко звал маслянистый голос Алферова в коридоре.

«Житья от него нет, — злобно подумал Ганин. — Не буду сегодня здесь обедать. Довольно».

На улице асфальт отливал лиловым блеском; солнце путалось в колесах автомобилей. Рядом с кабачком был гараж; пройма его ворот зияла темнотой, и оттуда нежно пахнуло карбидом. И этот случайный запах помог Ганину вспомнить еще живее тот русский дождливый август, тот поток счастья, который тени его берлинской жизни все утро так назойливо прерывали.

Он выходил из светлой усадьбы в черный, журчащий сумрак, зажигал нежный огонь в фонарике велосипеда, — и теперь, когда он случайно вдохнул карбид, ему все вспомнилось сразу: мокрая трава, хлещущая по движущейся икре, по спицам колес, круг молочного света, впивающий и растворяющий тьму, из которой возникали: то морщинистая лужа, то блестящий камешек, то навозом обитые доски моста, то, наконец, вертящаяся калитка, сквозь которую он протискивался, задевая плечом мягкую мокрую листву акаций.

И тогда в струящейся тьме выступали с тихим вращеньем колонны, омытые все тем же нежным, белесым светом велосипедного фонарика, и там на шестиколонном крытом перроне чужой заколоченной усадьбы его встречал душистый холодок, смешанный запах духов и промокшего шевиота, — и этот осенний, этот дождевой поцелуй был так долог и так глубок, что потом плыли в глазах большие, светлые, дрожащие пятна, и еще сильнее казался развесистый, многолиственный, шелестящий шум дождя. Мокрыми пальцами он открывал стеклянную дверцу фонарика, тушил огонек. Ветер напирал из тьмы тяжело и влажно. Машенька, сидя рядом на облупившейся балюстраде, гладила ему виски холодной ладошкой, в темноте он различал смутный угол ее промокшего банта и улыбавшийся блеск глаз.

Дождевая сила в липах перед перроном, в черной, клубящейся тьме, прокатывала широким порывом, и скрипели стволы, схваченные железными скрепами для поддержания их дряхлой мощи. И под шум осенней ночи он расстегивал ей кофточку, целовал ее в горячую ключицу; она молчала, — только чуть блестели глаза, — и кожа на ее открытой груди медленно остывала от прикосновений его губ и сырого ночного ветра. Они говорили мало, говорить было слишком темно. Когда он наконец зажигал спичку, чтобы посмотреть на часы, Машенька щурилась, откидывала со щеки мокрую прядь. Он обнимал ее одной рукой, другой катил, толкая за седло, велосипед, — и в моросящей тьме они тихо шли прочь, спускались по тропе к мосту и там прощались — длительно, горестно, словно перед долгой разлукой.

И в ту черную, бурную ночь, когда, накануне отъезда в Петербург к началу школьного года, он в последний раз встретился с ней на этом перроне с колоннами, случилось нечто страшное и нежданное, символ, быть может, всех грядущих кощунств. В эту ночь особенно шумно шел дождь, и особенно нежной была их встреча. И внезапно Машенька вскрикнула, спрыгнула с перил. И при свете спички Ганин увидел, что ставня одного из окон, выходящих на перрон, отвернута, что к черному стеклу изнутри прижимается, сплющив белый нос, человеческое лицо. Оно двинулось, скользнуло прочь, но оба они успели узнать рыжеватые вихры и выпученный рот сына сторожа, зубоскала и бабника лет двадцати, всегда попадавшегося им в аллеях парка. И Ганин одним бешеным прыжком кинулся к окну, просадил спиною хряснувшее стекло, ввалился в ледяную мглу и с размаху ударился головой в чью-то крепкую грудь, которая екнула от толчка. И в следующий миг они сцепились, покатились по гулкому паркету, задевая во тьме мертвую мебель в чехлах, и Ганин, высвободив правую руку, стал бить каменным кулаком по мокрому лицу, оказавшемуся вдруг под ним. И только когда сильное тело, прижатое им к полу, вдруг обмякло и стало стонать, он встал и, тяжело дыша, тыкаясь во тьме о какие-то мягкие углы, добрался до окна, вылез опять на перрон, отыскал рыдавшую, перепуганную Машеньку — и тогда заметил, что изо рта у него течет что-то теплое, железистое и что руки порезаны осколками стекла. А утром он уехал в Петербург — и по дороге на станцию, из окна глухо и мягко стучавшей кареты, увидел Машеньку, шедшую по краю шоссе вместе с подругами. Стенка, обитая черной кожей, мгновенно закрыла ее, и так как он был не один в карете, то он не решился взглянуть в заднее овальное оконце.

Судьба в этот последний августовский день дала ему наперед отведать будущей разлуки с Машенькой, разлуки с Россией.

Это было пробным испытаньем, таинственным предвкушеньем; особенно грустно уходили одна за другой в серую муть горящие рябины, и казалось невероятным, что весною он опять увидит эти поля, этот валун на юру, эти задумчивые телеграфные столбища.

В петербургском доме все показалось по-новому чистым, и светлым, и положительным, как это всегда бывает по возвращении из деревни. Началась школа,— он был в седьмом классе, учился небрежно. Выпал первый снег, и чугунные ограды, спины понурых лошадей, дрова на баржах покрылись белым, пухловатым слоем.

И только в ноябре Машенька переселилась в Петербург. Они встретились под той аркой, где — в опере Чайковского — гибнет Лиза. Валил отвесно крупный мягкий снег в сером, как матовое стекло, воздухе. И Машенька в это первое петербургское свидание показалась слегка чужой, оттого, быть может, что была в шляпе и в шубке. С этого дня началась новая — снеговая — эпоха их любви. Встречаться было трудно, подолгу блуждать на морозе было мучительно, искать теплой уединенности в музеях и в кинематографах было мучительнее всего, — и недаром в тех частых, пронзительно-нежных письмах, которые они в пустые дни писали друг другу (он жил на Английской набережной, она на Каравáнной), оба вспоминали о тропинках парка, о запахе листопада как о чем-то немыслимо дорогом и уже невозвратимом: быть может, только бередили любовь свою, а может быть, действительно понимали, что настоящее счастие минуло. И по вечерам они звонили друг другу — узнать, получено ли письмо и где и когда встретиться: ее смешное произношенье было еще прелестнее в телефон, она говорила куцые стишки и тепло смеялась, прижимала к груди трубку, и ему чудилось, что он слышит стук ее сердца.

Так они говорили часами.

Она ходила в ту зиму в серой шубке, слегка толстившей ее, и в замшевых гетрах, надетых прямо на тонкие комнатные башмачки. Он никогда не видел ее простуженной, даже озябшей. Мороз, метель только оживляли ее, и в ледяных вихрях в темном переулке он обнажал ей плечи, снежинки щекотали ее, она улыбалась сквозь мокрые ресницы, прижимала к себе его голову, и рыхлый снежок осыпался с его каракулевой шапки к ней на голую грудь.

Эти встречи на ветру, на морозе больше его мучили, чем ее. Он чувствовал, что от этих несовершенных встреч мельчает, протирается любовь. Всякая любовь требует уединенья, прикрытия, приюта, а у них приюта не было. Их семьи не знали друг друга; эта тайна, которая сперва была такой чудесной, теперь мешала им. И ему начинало казаться, что все поправится, если она, хотя бы в меблированных номерах, станет его любовницей, — и эта мысль жила в нем как-то отдельно от самого желанья, которое уже слабело под пыткой скудных прикосновений.

Так проблуждали они всю зиму, вспоминая деревню, мечтая о будущем лете, иногда ссорясь и ревнуя, пожимая друг дружке руки под мохнатой, плешивой полостью легких извозчичьих санок,— а в самом начале нового года Машеньку увезли в Москву.

И странно: эта разлука была для Ганина облегченьем.

Он знал, что летом она вернется в дачное место под Петербургом, он сперва много думал о ней, воображал новое лето, новые встречи, писал ей все те же пронзительные письма, а потом стал писать реже, а когда сам переехал на дачу в первые дни мая, то и вовсе писать перестал. И в эти дни он успел сойтись и порвать с нарядной, милой, белокурой дамой, муж которой воевал в Галиции.

И потом Машенька вернулась.

Голос ее слабо и далеко вспыхнул, в телефоне дрожал гул, как в морской раковине, по временам еще более далекий перекрестный голос перебивал, вел с кем-то разговор в четвертом измеренье: дачный телефонный аппарат был старый, с вращательной ручкой,— и между ним и Машенькой было верст пятьдесят гудящего тумана.

— Я приеду, — кричал в трубку Ганин. — Я говорю, что приеду. На велосипеде, выйдет два часа.

— ...Не хотел опять в Воскресенске. Ты слушаешь? Папа ни за что не хотел опять снять дачу в Воскресенске. От тебя досюда пятьдесят...

— Не забудьте привезти штиблеты, — мягко и равнодушно сказал перекрестный голос.

И снова в жужжанье просквозила Машенька точно в перевернутом телескопе. И когда она совсем исчезла, Ганин прислонился к стене и почувствовал, что у него горят уши.

Он выехал около трех часов дня, в открытой рубашке и футбольных трусиках, в резиновых башмаках на босу ногу. Ветер был в спину, он ехал быстро, выбирая гладкие места между острых камешков на шоссе, и вспоминал, как проезжал мимо Машеньки в прошлом июле, когда еще не был с нею знаком.

На пятнадцатой версте лопнула задняя шина, и он долго чинил ее, сидя на краю канавы. Над полями, с обеих сторон шоссе, звенели жаворонки; прокатил в облаке пыли серый автомобиль с двумя офицерами в совиных очках. Покрепче надув починенную шину, он поехал дальше, чувствуя, что не рассчитал, опоздал уже на час. Свернув с шоссе, он поехал лесом, по тропе, указанной прохожим мужиком. И потом свернул опять, да неверно, и долго колесил, раньше чем попал на правильную дорогу. Он отдохнул и поел в деревушке, и когда оставалось всего двенадцать верст, переехал острый камушек и опять свистнула и осела та же шина.

Было уже темновато, когда он прикатил в дачный городок, где жила Машенька. Она ждала его у ворот парка, как было условлено, но уже не надеялась, что он приедет, так как ждала уже с шести часов. Увидя его, она от волненья оступилась, чуть не упала. На ней было белое сквозистое платье, которого Ганин не знал. Бант исчез, и потому ее прелестная голова казалась меньше. В подобранных волосах синели васильки.

В этот странный, осторожно темнеющий вечер, в липовом сумраке широкого городского парка, на каменной плите, вбитой в мох, Ганин, за один недолгий час, полюбил ее острее прежнего и разлюбил ее как будто навсегда.

Они сначала говорили тихо и блаженно — о том, что вот так долго не виделись, о том, что на мху, как крохотный семафор, блестит светлячок. Ее милые, милые татарские глаза близко скользили у его лица, белое платье словно мерцало в темноте, — и, Боже мой, этот запах ее, непонятный, единственный в мире...

— Я твоя, — сказала она. — Делай со мной что хочешь.

Молча, с бьющимся сердцем, он наклонился над ней, забродил руками по ее мягким, холодноватым ногам. Но в парке были странные шорохи, кто-то словно все приближался из-за кустов; коленям было твердо и холодно на каменной плите; Машенька лежала слишком покорно, слишком неподвижно.

Он застыл, потом неловко усмехнулся.

— Мне все кажется, что кто-то идет, — сказал он и поднялся.

Машенька вздохнула, оправила смутно белевшее платье, встала тоже.

И потом, когда они шли к воротам по пятнистой от луны дорожке, Машенька подобрала с травы бледно-зеленого светляка. Она держала его на ладони, наклонив голову, и вдруг рассмеялась, сказала с чуть деревенской ужимочкой: «В обчем — холодный червячок».

И в это время Ганин, усталый, недовольный собой, озябший в своей легкой рубашке, думал о том, что все кончено, Машеньку он разлюбил, — и когда через несколько минут он покатил в лунную мглу домой по бледной полосе шоссе, то знал, что больше к ней не приедет.

Лето прошло; Машенька не писала, не звонила, он же занят был другими делами, другими чувствами.

Снова на зиму он вернулся в Петербург, ускоренным порядком в декабре держал выпускные экзамены, поступил в Михайловское юнкерское училище. И следующим летом, уже в год революции, он еще раз увиделся с Машенькой.

Он был на перроне Варшавского вокзала. Вечерело. Только что подали дачный поезд. В ожиданье звонка он гулял взад и вперед по замызганной платформе и, глядя на сломанную багажную тачку, думал о чем-то другом, о вчерашней пальбе перед Гостиным Двором, и вместе с тем был раздражен мыслью, что не мог дозвониться на дачу и что придется плестись со станции на извозчике.

Когда лязгнул третий звонок, он подошел к единственному в составе синему вагону, стал влезать на площадку, — и на площадке, глядя на него сверху, стояла Машенька. За год она изменилась, слегка, пожалуй, похудела и была в незнакомом синем пальто с пояском. Ганин неловко поздоровался, вагон громыхнул буферами, поплыл. Они остались стоять на площадке. Машенька, должно быть, видела его раньше и нарочно забралась в синий вагон, хотя ездила всегда в желтом, и теперь с билетом второго не хотела идти в отделение. В руках у нее была плитка шоколада «Блигкен и Робинсон»; она сразу отломала кусок, предложила.

И Ганину было страшно грустно смотреть на нее, — что-то робкое, чужое было во всем ее облике, посмеивалась она реже, все отворачивала лицо. И на нежной шее были лиловатые кровоподтеки, теневое ожерелье, очень шедшее к ней. Он рассказывал какую-то чепуху, показывал ссадину от пули на сапоге, говорил о политике. А вагон погрохатывал, поезд несся между дымившихся торфяных болот в желтом потоке вечерней зари; торфяной сероватый дым мягко и низко стелился, образуя как бы две волны тумана, меж которых несся поезд.

Она слезла на первой станции, и он долго смотрел с площадки на ее удалявшуюся синюю фигуру, и чем дальше она отходила, тем яснее ему становилось, что он никогда не разлюбил ее. Она не оглянулась. Из сумерек тяжело и пушисто пахло черемухой.

Когда поезд тронулся, он вошел в отделение, и там было темно, оттого что в пустом вагоне кондуктор не счел нужным зажечь огарки в фонарях. Он лег навзничь на полосатый тюфяк лавки и в пройму дверцы видел, как за коридорным окном поднимаются тонкие провода среди дыма горящего торфа и смуглого золота заката. Было странно и жутковато нестись в этом пустом, тряском вагоне между серых потоков дыма, и странные мысли приходили в голову, словно все это уже было когда-то, — так вот лежал, подперев руками затылок, в сквозной грохочущей тьме, и так вот мимо окон, шумно и широко, проплывал дымный закат.

Больше он не видался с Машенькой.

10

Шум подкатил, хлынул, бледное облако заволокло окно, стакан задребезжал на рукомойнике. Поезд прошел, и теперь в окне снова раскинулась веерная пустыня рельс. Нежен и туманен Берлин, в апреле, под вечер.

В этот четверг, в сумерки, когда всего глуше гул поездов, к Ганину зашла, ужасно волнуясь, Клара — передать ему Людмилины слова: «Скажи ему так, — бормотала Людмила, когда от нее уходила подруга. — Так скажи: что я не из тех женщин, которых бросают. Я сама умею бросать. Скажи ему, что я от него ничего не требую, не хочу, но считаю свинством, что он не ответил на мое письмо. Я хотела проститься с ним по-дружески, предложить ему, что пускай любви не будет, но пускай останутся самые простые дружеские отношения, а он не потрудился даже позвонить. Передай ему, Клара, что я ему желаю всякого счастья с его немочкой и знаю, что он не так скоро забудет меня».

— Откуда взялась немочка? — поморщился Ганин, когда Клара, не глядя на него, быстрым, тихим голосом передала ему все это. — И вообще, почему она вмешивает вас в это дело. Очень все это скучно.

— Знаете что, Лев Глебович, — вдруг воскликнула Клара, окатив его своим влажным взглядом, — вы просто очень недобрый... Людмила о вас думает только хорошее, идеализирует вас, но если бы она все про вас знала...

Ганин с добродушным удивленьем глядел на нее. Она смутилась, испугалась, опустила опять глаза.

— Я только передаю вам, потому что она сама просила, — тихо сказала Клара.

— Мне нужно уезжать, — после молчанья спокойно заговорил Ганин. — Эта комната, эти поезда, стряпня Эрики — надоели мне. К тому же деньги мои кончаются, скоро придется опять работать. Я думаю в субботу покинуть Берлин навсегда, махнуть на юг земли, в какой-нибудь порт...

Он задумался, сжимая и разжимая руку.

— Впрочем, я ничего не знаю... Есть одно обстоятельство... Вы бы очень удивились, если бы узнали, что я задумал... У меня удивительный, неслыханный план. Если он выйдет, то уже послезавтра меня в этом городе не будет.

«Какой он, право, странный», — думала Клара, с тем щемящим чувством одиночества, которое всегда овладевает нами, когда человек, нам дорогой, предается мечте, в которой нам нет места.

Зеркально-черные зрачки Ганина расширились, нежные, частые ресницы придавали что-то пушистое, теплое его глазам, и спокойная улыбка задумчивости чуть приподымала его верхнюю губу, из-под которой белой полоской блестели ровные зубы. Темные, густые брови, напоминавшие Кларе обрезки дорогого меха, то сходились, то расступались, и на чистом лбу появлялись и исчезали мягкие морщинки. Заметив, что Клара глядит на него, он перемигнул ресницами, провел рукой по лицу и вспомнил, что хотел ей сказать:

— Да. Я уезжаю, и все прекратится. Вы так просто ей и скажите: Ганин, мол, уезжает и просит не поминать его лихом. Вот и все.

11

В пятницу утром танцовщики разослали остальным четырем жильцам такую записку:

Ввиду того что:
1. Господин Ганин нас покидает.
2. Господин Подтягин покидать собирается.
3. К господину Алферову завтра приезжает жена.
4. M-lle Кларе исполняется двадцать шесть лет.
и 5. Нижеподписавшиеся получили в сем городе ангажемент — ввиду всего этого устраивается сегодня в десять часов пополудни в номере шестого апреля — празднество.

— Гостеприимные юноши, — усмехнулся Подтягин, выходя из дома вместе с Ганиным, который взялся сопровождать его в полицию. — Куда это вы едете, Левушка? Далеко загнете? Да... Вы — вольная птица.

103

Вот меня в юности мучило желанье путешествовать, пожирать свет Божий. Осуществилось, нечего сказать...

Он поежился от свежего весеннего ветра, поднял воротник пальто, темно-серого, чистого, с большущими костяными пуговицами. Он еще чувствовал в ногах сосущую слабость, оставшуюся после припадка, но сегодня ему было как-то легко, весело от мысли, что теперь-то уж наверное кончится возня с паспортом и он получит возможность хоть завтра уехать в Париж.

Громадное, багровое здание центрального полицейского управления выходило сразу на четыре улицы; оно было построено в грозном, но очень дурном готическом стиле, с тусклыми окнами, с очень интересным двором, через который нельзя было проходить, и с бесстрастным полицейским у главного портала. Стрелка на стене указывала через улицу на мастерскую фотографа, где в двадцать минут можно было получить свое жалкое изображение: полдюжины одинаковых физиономий, из которых одна наклеивалась на желтый лист паспорта, еще одна поступала в полицейский архив, а остальные, вероятно, расходились по частным коллекциям чиновников.

Подтягин и Ганин вошли в широкий серый коридор. У двери паспортного отделенья стоял столик, и седой, в усах, чиновник выдавал билетики с номерами, изредка, как школьный учитель, поглядывая через очки на небольшую разноплеменную толпу.

— Вам надо стать в очередь и взять номер, — сказал Ганин.

— Этого-то я и не делал, — шепотом ответил старый поэт. — Прямо проходил в дверь...

Получив через несколько минут билетик, он обрадовался, стал еще больше похож на толстую морскую свинку.

В голой комнате, где за низкой перегородкой, в душной волне солнца, сидели за своими столами чиновники, опять была толпа, которая, казалось, только затем и пришла, чтобы во все глаза смотреть на то, как эти угрюмые господа пишут.

Ганин протиснулся вперед, таща за рукав Подтягина, который доверчиво посапывал.

Через полчаса, сдав подтягинский паспорт, они перешли к другому столу,— опять была очередь, давка, чье-то гнилое дыханье, и, наконец, за несколько марок желтый лист был возвращен, уже украшенный волшебным клеймом.

— Ну теперь айда в консульство,— радостно крякнул Подтягин, когда они вышли из грозного на вид, но в общем скучноватого заведения. — Теперь — дело в шляпе. Как это вы, Лев Глебович дорогой, так покойно с ними говорили? А я-то в прошлые разы как мучился... Давайте-ка на имперьял влезем. Какое, однако, счастье. Я даже, знаете, вспотел.

Он первый вскарабкался по винтовой лесенке, кондуктор сверху бабахнул ладонью о железный борт, автобус тронулся. Мимо поплыли дома, вывески, солнце в витринах.

— Наши внуки никак не поймут вот этой чепухи с визами,— говорил Подтягин, благоговейно рассматривая свой паспорт. — Никак не поймут, что в простом штемпеле могло быть столько человеческого волненья... Как вы думаете,— вдруг спохватился он,— мне теперь французы наверное визу поставят?

— Ну конечно, поставят,— сказал Ганин. — Ведь вам сообщили, что есть разрешение.

— Пожалуй, завтра уеду, — посмеивался Подтягин. — Поедем вместе, Левушка. Хорошо будет в Париже. Нет, да вы только посмотрите, какая мордомерия у меня.

Ганин через его руку взглянул на паспорт, на снимок в уголку. Снимок, точно, был замечательный: изумленное распухшее лицо плавало в сероватой мути.

— А у меня целых два паспорта, — сказал с улыбкой Ганин. — Один русский, настоящий, только очень старый, а другой польский, подложный. По нему-то и живу.

Подтягин, платя кондуктору, положил свой желтый листок на сиденье, рядом с собой, выбрал из нескольких монет на ладони сорок пфеннигов, вскинул глаза на кондуктора:

— Генух?*

Потом бочком глянул на Ганина:

— Что это вы говорите, Лев Глебович. Подложный?

— Именно. Меня, правда, зовут Лев, но фамилия вовсе не Ганин.

— Как же это так, голубчик, — удивленно таращил глаза Подтягин и вдруг схватился за шляпу — дул сильный ветер.

— Так. Были дела, — задумчиво проговорил Ганин. — Года три тому назад. Партизанский отряд. В Польше. И так далее. Я когда-то думал: проберусь в Петербург, подниму восстание... А теперь как-то забавно и удобно с этим паспортом.

Подтягин вдруг отвел глаза, мрачно сказал:

— Мне, Левушка, сегодня Петербург снился. Иду по Невскому, знаю, что Невский, хотя ничего похо-

---

* Достаточно? *(Нем.)*

жего. Дома — косыми углами, сплошная футуристика, а небо черное, хотя знаю, что день. И прохожие косятся на меня. Потом переходит улицу человек и целится мне в голову. Я часто это вижу. Страшно, — ох, страшно, — что когда нам снится Россия, мы видим не ее прелесть, которую помним наяву, а что-то чудовищное. Такие, знаете, сны, когда небо валится и пахнет концом мира.

— Нет, — сказал Ганин, — мне снится только прелесть. Тот же лес, та же усадьба. Только иногда бывает как-то пустовато, незнакомые просеки. Но это ничего. Нам тут вылезать, Антон Сергеевич.

Он сошел по винтовой лесенке, помог Подтягину соступить на асфальт.

— Вода славно сверкает, — заметил Подтягин, с трудом дыша и указывая растопыренной рукой на канал.

— Осторожно — велосипед, — сказал Ганин. — А консульство вон там, направо.

— Примите мое искреннее благодарение, Лев Глебович. Я один бы никогда не кончил этой паспортной канители. Отлегло. Прощай, Дейтчланд.

Они вошли в здание консульства и стали подниматься по ступеням.

Подтягин на ходу пошарил в кармане.

— Идем же, — обернулся Ганин.

Но старик все шарил.

12

К обеду собралось только четверо пансионеров.

— Что же наши-то — так опоздали? — весело проговорил Алферов.

— Верно, ничего у них не вышло.

От него так и несло радостным ожиданием. Накануне он ходил на вокзал, узнал точный час прихода северного поезда: 8,05. Утром чистил костюм, купил пару новых манжет, букет ландышей. Денежные дела его как будто поправлялись. Перед обедом он сидел в кафе с мрачным бритым господином, который предлагал ему несомненно выгодную комбинацию. Его ум, привыкший к цифрам, был теперь заполнен одним числом, как бы десятичной дробью: восемь, запятая, ноль, пять. Это был тот процент счастья, который покамест выдавала судьба. А завтра... Он жмурился и шумно вздыхал, представляя себе, как завтра, спозаранку, пойдет на вокзал, как будет ждать на платформе, как хлынет поезд...

Он исчёз после обеда; танцоры, взволнованные, как женщины, предстоящим торжеством, последовали: вышли под ручку закупать мелкие яства.

Одна Клара осталась дома: у нее болела голова, ныли тонкие кости полных ног; это вышло некстати — ведь нынче был ее праздник. «Мне сегодня двадцать шесть лет, — думала она, — и завтра уезжает Ганин. Он нехороший человек, обманывает женщин, способен на преступление... Он может спокойно глядеть мне в глаза, хотя знает, что я видела, как он собирался украсть деньги. И все же он весь — чудесный, я буквально целый день думаю о нем. И никакой нет надежды...»

Она посмотрела на себя в зеркало: лицо было бледнее обыкновенного; на лбу, под низкой каштановой прядью, появилась легкая сыпь; под глазами были желтовато-серые тени. Лоснистое черное платье, которое она надевала изо дня в день, ей надоело нестерпимо; на темно-прозрачном чулке, по шву, очень заметно чернела штопка; покривился каблучок.

Около пяти Подтягин и Ганин вернулись. Клара услышала их шаги и выглянула. Подтягин, бледный как смерть, в распахнутом пальто, держа в руке воротник и галстук, молча прошел в свою комнату и запер дверь на ключ.

— Что случилось? — шепотом спросила Клара.

Ганин цокнул языком:

— Паспорт потерял, а потом был припадок. Тут, перед самым домом. Я едва дотащил его. Лифт не действует — беда. Мы по всему городу рыскали.

— Я к нему пойду, — сказала Клара, — надо же его успокоить.

Подтягин не сразу ее впустил. Когда он наконец отпер, Клара ахнула, увидя его мутное, расстроенное лицо.

— Слыхали? — сказал он с печальной усмешкой. — Этакий я старый идиот. Ведь все уже было готово, — и нате вам... Хватился...

— Где же это вы уронили, Антон Сергеич?..

— Именно: уронил. Поэтическая вольность... Запропастить паспорт. Облако в штанах, нечего сказать. Идиотина.

— Может быть, подберет кто-нибудь, — сочувственно протянула Клара.

— Какое там... Это, значит, судьба. Судьбы не миновать. Не уехать мне отсюда. Так на роду было написано...

Он тяжело сел.

— Плохо мне, Клара... На улице так задохнулся, что думал: конец. Ах ты, Боже мой, прямо теперь не знаю, что дальше делать. Разве вот — в ящик сыграть...

13

А Ганин, вернувшись к себе, принялся укладываться. Он вытащил из-под постели два пыльных кожаных чемодана — один в клетчатом чехле, другой голый, смугло-желтоватый, с бледными следами наклеек — и все содержимое вывалил на пол. Затем он вынул из тряской, скрипучей темноты шкафа черный костюм, тощую пачку белья, пару тяжелых бурых сапог с медными кнопками. Из ночного столика он извлек разнородные штучки, когда-то брошенные туда: серые комочки грязных носовых платков, тонкие бритвенные ножи с подтеками ржавчины вокруг просверленных дырочек, старые газеты, видовые открытки, желтые, как лошадиные зубы, четки, рваный шелковый носок, потерявший свою пару.

Ганин скинул пиджак и, опустившись на корточки среди этого грустного пыльного хлама, стал разбираться в нем, прикидывать, что взять, что уничтожить.

Раньше всего он уложил костюм и чистое белье, потом браунинг и старые, сильно потертые в паху галифэ.

Раздумывая, что должно пойти дальше, он заметил черный бумажник, который упал под стул, когда он опоражнивал чемодан. Он поднял его, открыл было, с улыбкой думая о том, что в нем лежит, — но, сказав себе, что нужно поскорее уложиться, сунул бумажник в задний карман штанов и стал быстро и неразборчиво бросать в открытые чемоданы: комья грязного белья, русские книжки, Бог весть откуда забредшие к нему, и все те мелкие, чем-то милые предметы, к которым глаза и пальцы так привыкают и которые нужны только для того, чтобы человек, вечно обреченный на новоселье, чувствовал себя хотя бы немного дома, выкладывая в сотый раз из чемодана легкую, ласковую, человечную труху.

Уложившись, Ганин запер оба чемодана, поставил их рядышком, набил мусорную корзину трупами газет, осмотрел все углы опустевшей комнаты и пошел к хозяйке расплачиваться.

Лидия Николаевна, сидя очень прямо в кресле, читала, когда он вошел. Ее такса мягко сползла с постели и забилась в маленькой истерике преданности у ног Ганина.

Лидия Николаевна, поняв, что он уже теперь непременно уедет, опечалилась. Она любила большую спокойную фигуру Ганина, да и вообще очень привыкала к жильцам, и было что-то подобное смерти в их неизбежных отъездах.

Ганин заплатил за последнюю неделю, поцеловал легкую, как блеклый лист, руку.

Идя назад по коридору, он вспомнил, что сегодня танцоры звали его на вечеринку, и решил пока не уходить: комнату в гостинице всегда можно нанять, хоть за полночь.

«А завтра приезжает Машенька, — воскликнул он про себя, обведя блаженными, слегка испуганными глазами потолок, стены, пол. — Завтра же я увезу ее», — подумал он с тем же глубоким мысленным трепетом, с тем же роскошным вздохом всего существа.

Быстрым движением он вынул черный бумажник, в котором хранил пять писем; он получил их, когда уже был в Крыму. И теперь он мгновенно целиком вспомнил ту крымскую зиму: норд-ост, вздымающий горькую пыль на ялтинской набережной, волну, бьющую через парапет на панель, растерянно-наглых матросов, потом немцев в железных грибах шлемов, потом веселые трехцветные нашивки, — дни ожиданья, тревожную передышку, — худенькую, веснушчатую проститутку со стрижеными волосами и греческим профилем, гуляющую по набережной, норд-ост, рассыпающий ноты оркестра в городском саду, и — наконец — поход, стоянки в татарских деревушках, где в крохотных цирюльнях день-деньской как ни в чем не бывало блестит бритва, взбухает мылом щека, меж тем как на улице, в пыли, мальчишки хлещут по своим волчкам, как тысячу лет тому назад, — и дикую ночную тревогу, когда не знаешь, откуда стрельба и кто бежит вприпрыжку через лужи луны, между косыми черными тенями домишек.

Ганин вынул из пачки первое письмо — один плотный, удлиненный листок с рисунком в левом углу: молодой человек в лазурном фраке, держа за спиной букет бледных цветов, целует руку даме, такой же нежной, как и он, с завитками вдоль щек, в розовом, высоко подпоясанном платье.

Ему переслали это первое письмо из Петербурга в Ялту; оно написано было спустя два года с лишком после той счастливейшей осени.

«Лева, вот я уже в Полтаве целую неделю, скука адская. Не знаю, увижу ли я вас еще когда-нибудь, но мне так хочется, чтобы вы все-таки не забывали меня».

Почерк был мелкий, кругленький, словно бегущий на цыпочках. Под «ш» и над «т» были для отличия черточки; конечная буква бросала вправо стремительный хвостик; только у буквы «я» в конце слов трогательно загибался хвостик вниз и влево, как будто Машенька в последний миг брала слово назад; точки были очень крупные, решительные, зато запятых было мало.

«Подумать только, что неделю я смотрю на снег, белый, холодный снег. Холодно, жутко, тоскливо. И вдруг, как птица, прорежет ум мысль, что где-то, там, далеко-далеко, люди живут совершенно другой, иной жизнью. Они не прозябают, как я, в глуши маленького заброшенного хуторка...

Нет, это так, уже очень тоскливо здесь. Лева, напишите мне что-либо. Хотя бы самые пустяки».

Ганин вспомнил, как получил это письмо, как пошел в этот далекий январский вечер по крутой каменистой тропе, мимо татарских частоколов, увенчанных там и сям конскими черепами, и как сидел над ручьем, тонкими струями омывающим белые гладкие камни, и глядел сквозь тончайшие, бесчисленные, удивительно отчетливые сучки голой яблони на розовато-млеющее небо, где блестел, как прозрачный обрезок ногтя, юный месяц, и рядом с ним, у нижнего рога, дрожала светлая капля — первая звезда.

Он написал ей в ту же ночь — об этой звезде, о кипарисах в садах, об осле, ревущем утром за домом, в татарском дворе. Он писал ласково, мечтательно, припомнил мокрые сережки на скользком мостике беседки, где они встретились.

В эти годы письма шли долго: только в июле пришел ответ.

«Большое спасибо за хорошее, милое, „южное" письмо. Зачем вы пишете, что все-таки помните меня? И не забудете? Нет? Как хорошо!

Сейчас такой хороший, свежий, послегрозовой день. Помните, как в Воскресенске? Хотелось бы вам опять побродить по знакомым местам? Мне — ужасно. Как хорошо было бродить под дождем в осеннем парке. Почему тогда не было грустно в худую погоду?

Пока брошу писать, пойду пройдусь.

Вчера так и не удалось окончить письмо. Как нехорошо это с моей стороны. Правда? Ну простите, милый Лева, я правда больше не буду».

Ганин опустил руку с письмом, задумался, легко улыбаясь. Как он помнил эту вот веселую ужимку ее, низкий грудной смешок, когда она просила прощенья... Этот переход от пасмурного вздоха к горячей живости взгляда.

«Долго мучила неизвестность, где вы и как вы,— писала она в том же письме. — Теперь не надо прерывать эту маленькую ниточку, которая натянулась между нами. Я хочу написать, спросить очень много, и мысли путаются. Я много горя видела и пережила за это время. Пишите, пишите, ради Бога, почаще и побольше. А пока всего, всего хорошего. Хотелось бы проститься сердечнее, но, может быть, за это долгое время я разучилась. А может быть, и другое что удерживает?»

Целые дни после получения письма он полон был дрожащего счастья. Ему непонятно было, как он мог расстаться с Машенькой. Он только помнил их первую осень, — все остальное казалось таким неважным, бледным — эти мученья, размолвки. Его тяготила томная темнота, условный лоск ночного моря, бархатная тишь узких кипарисовых аллей, блеск луны на лопастях магнолий.

Долг удерживал его в Ялте,— готовилась военная борьба,— но минутами он решал все бросить, поехать искать Машеньку по малороссийским хуторкам.

И было что-то трогательно-чудесное — как в капустнице, перелетающей через траншею, — в этом странствии писем через страшную Россию. Его ответ на второе письмо очень запоздал, и Машенька никак не могла понять, что случилось,— так была она уверена, что для писем их нет обычных в то время преград.

«Вам, конечно, странно, что я пишу вам, несмотря на ваше молчанье, — но я не думаю, не хочу думать, что и теперь вы не ответите мне. Вы не потому не ответили, что не хотели, а просто потому, что... ну не могли, не успели, что ли... Скажите, Лева, ведь смешно вам теперь вспоминать ваши слова, что любовь ко мне — ваша жизнь и если не будет любви — не будет и жизни... Да... Как все проходит, как меняется. Хотели бы вы вернуть все, что было? Мне сегодня как-то слишком тоскливо...

> Но сегодня весна, и сегодня мимозы
> Предлагают на каждом шагу.
> Я несу тебе их, они хрупки, как грёзы...

Хорошенькое стихотворение, но не помню ни начала, ни конца, и чье оно, тоже не помню. Теперь буду ждать вашего письма. Я не знаю, как попрощаться с вами. Быть может, я поцеловала вас. Да, должно быть...»

И через две-три недели пришло четвертое письмо:
«Лева, я рада, что получила. Оно такое милое, милое... Да, нельзя забыть того, что мы любили друг друга, так много и светло. Вы пишете, что за миг отдали бы грядущую жизнь,— но лучше встретиться и проверить себя.

Лева, если все-таки приедете, то позвоните с вокзала на земскую телефонную станцию и попросите номер 34. Возможно, что вам ответят по-немецки: это у нас стоит германский лазарет. Вы попросите позвать меня.

Вчера была в городе, немного „кутила“, много музыки, огня и света развеселило. Очень смешной господин с желтой бородкой за мной ухаживал и называл „королевой бала“. Сегодня же так скучно, скучно. Обидно, что дни уходят, и так бесцельно, глупо, — а ведь это самые хорошие, лучшие годы. Я, кажется, скоро превращусь в „ханжу“. Нет, этого не должно быть.

> Сброшу с себя я оковы любви
> И постараюсь забыться,
> Налейте полнее бокалы вина,
> Дайте вином мне упиться.

Вот мило-то!

Ответьте мне сейчас, как получите мое письмо. Приедете ли сюда повидаться со мной? Нельзя? Ну, что же делать... А может быть? Какую глупость я написала; приехать только для того, чтобы повидать меня. Какое самомнение! Не так ли?

Прочитала сейчас в старом журнале хорошенькое стихотворение „Ты моя маленькая, бледная жемчужина“ Краповицкого. Мне очень нравится. Напишите мне все, все. Целую вас. Вот еще прочла,— Подтягина:

> Над опушкою полная блещет луна,
> Погляди, как речная сияет волна“.

«Милый Подтягин, — улыбнулся Ганин. — Вот странно... Господи, как это странно... Если бы мне сказали тогда, что я именно с ним встречусь...»

Улыбаясь и покачивая головой, он развернул последнее письмо. Получил он его накануне отъезда на фронт. Был холодный, январский рассвет, и на пароходе его мутило от ячменного кофе.

«Лева, милый, радость моя, как ждала, как хотела я этого письма. Было больно и обидно писать и в то же время сдерживать самое себя в письмах.

116

Неужели я жила эти три года без тебя и было чем жить и для чего жить?

Я люблю тебя. Если ты возвратишься, я замучаю тебя поцелуями. Помнишь:

> Расскажите, что мальчика Леву
> Я целую как только могу,
> Что австрийскую каску из Львова
> Я в подарок ему берегу.
> А отцу напишите отдельно...

Боже мой, где оно — все это далекое, светлое, милое... Я чувствую, так же как и ты, что мы еще увидимся, — но когда, когда?

Я люблю тебя. Приезжай. Твое письмо так обрадовало меня, что я до сих пор не могу прийти в себя от счастья...»

— Счастье, — повторил тихо Ганин, складывая все пять писем в ровную пачку. — Да, вот это — счастье. Через двенадцать часов мы встретимся.

Он замер, занятый тихими и дивными мыслями. Он не сомневался в том, что Машенька и теперь его любит. Ее пять писем лежали у него на ладони. За окном было совсем темно. Блестели кнопки чемоданов. Стоял легкий пустынный запах пыли.

Он сидел все в том же положении, когда за дверью раздались голоса, и вдруг, с разбегу, не постучавшись, ворвался в комнату Алферов.

— Ах, извините, — сказал он без особого смущенья. — Я почему-то думал, что вы уже уехали.

Ганин туманно глядел на его желтую бородку, играя пальцами по сложенным письмам. В дверях показалась хозяйка.

— Лидия Николаевна, — продолжал Алферов, дергая шеей и развязно переходя через комнату. — Вот эту музыку нужно отставить — чтобы дверь в мою комнату открыть.

Он попробовал сдвинуть шкаф, крякнул и беспомощно попятился.

— Давайте я это сделаю,— весело предложил Ганин и, засунув черный бумажник в карман, встал, подошел к шкафу, плюнул себе в руки.

14

Гремели черные поезда, потрясая окна дома; волнуемые горы дыма, движеньем призрачных плеч, сбрасывающих ношу, поднимались с размаху, скрывая ночное засиневшее небо; гладким металлическим пожаром горели крыши под луной; и гулкая черная тень пробуждалась под железным мостом, когда по нему гремел черный поезд, продольно сквозя частоколом света. Рокочущий гул, широкий дым проходили, казалось, насквозь через дом, дрожавший между бездной, где поблескивали, проведенные лунным ногтем, рельсы, и той городской улицей, которую низко переступал плоский мост, ожидающий снова очередной гром вагонов. Дом был как призрак, сквозь который можно просунуть руку, пошевелить пальцами.

Стоя у окна в камере танцоров, Ганин поглядел на улицу: смутно блестел асфальт, черные люди, приплюснутые сверху, шагали туда и сюда, теряясь в тенях и снова мелькая в косом отсвете витрин. В супротивном доме, за одним незавешенным окном, в светлом янтарном провале виднелись стеклянные искры, золоченые рамы. Потом черная нарядная тень задернула шторы.

Ганин обернулся. Колин протягивал ему рюмку, в которой дрожала водка.

В комнате был бледноватый, загробный свет, оттого что затейливые танцоры обернули лампу в лиловый лоскуток шелка. Посередине, на столе, фиолетовым лоском отливали бутылки, блестело масло в открытых сардинных коробочках, был разложен шоколад в серебряных бумажках, мозаика колбасных долек, гладкие пирожки с мясом.

У стола сидели: Подтягин, бледный и угрюмый, с бисером пота на тяжелом лбу; Алферов, в новеньком переливчатом галстуке; Клара, в неизменном своем черном платье, томная, раскрасневшаяся от дешевого апельсинного ликера.

Горноцветов без пиджака, в нечистой шелковой рубашке с открытым воротом, сидел на краю постели, настраивал гитару, Бог весть откуда добытую. Колин все время двигался, разливал водку, ликер, бледное рейнское вино, и толстые бедра его смешно виляли, меж тем как оставался почти недвижным при ходьбе его худенький корпус, стянутый синим пиджачком.

— Что же вы ничего не пьете? — задал он, надув губы, обычный укоризненный вопрос и поднял на Ганина свои нежные глаза.

— Нет, отчего же? — сказал Ганин, садясь на подоконник и беря из дрожавшей руки танцора легкую холодную рюмку. Опрокинув ее в рот, он обвел взглядом сидевших вокруг стола. Все молчали. Даже Алферов был слишком взволнован тем, что вот, через восемь-девять часов, приедет его жена, — чтобы болтать, по своему обыкновению.

— Гитара настроена, — сказал Горноцветов, повернув винтик грифа и ущипнув струну. Он заиграл, потом потушил ладонью гнусавый звон.

— Что же вы, господа, не поете? В честь Клары. Пожалуйста. Как цветок душистый...

Он заиграл опять, перекинув ногу на ногу и опустив боком темную голову.

Алферов, осклабясь на Клару и с притворной удалью подняв рюмку, откинулся на своем стуле, — причем чуть не упал, так как это был вертящийся табурет без спинки, — и запел было фальшивым, нарочитым тенорком, но никто не вторил ему.

Горноцветов пощипал струны и умолк. Всем стало неловко.

— Эх, песенники... — уныло крякнул Подтягин, облокачиваясь на стол и покачивая подпертой головой. Ему было нехорошо: мысль о потерянном паспорте мешалась с чувством тяжелой духоты в груди.

— Вина мне нельзя пить, вот что, — добавил он угрюмо.

— Я говорила вам, — тихо сказала Клара, — вы, Антон Сергеич, как малый младенец.

— Что же это никто не ест и не пьет... — завилял боками Колин, семеня вокруг стола. Он стал наливать пустые рюмки. Все молчали. Вечеринка, по-видимому, не удалась.

Ганин, который до тех пор все сидел на подоконнике, с легкой задумчивой усмешкой в углах темных губ глядя на лиловатый блеск стола, на странно освещенные лица, вдруг спрыгнул на пол и ясно рассмеялся.

— Лейте, не жалейте, Колин, — сказал он, подходя к столу. — Вот Алферову пополнее. Завтра жизнь меняется. Завтра меня здесь не будет. Ну-ко-ся, залпом. Не глядите на меня, Клара, как раненая лань. Плесните ей ликеру. Антон Сергеич, вы тоже — веселее; нечего паспорт поминать. Другой будет, еще лучше старого. Скажите нам стихи, что ли. Ах, кстати...

— Можно мне вот эту пустую бутылку? — вдруг сказал Алферов, и похотливый огонек заиграл в его радостных, взволнованных глазах.

— Кстати, — повторил Ганин, подойдя сзади к старику и опустив руку к нему на мягкое плечо. — Я одни ваши стихи помню, Антон Сергеич. Опушка... Луна... Так, кажется?..

Подтягин обернул к нему лицо, неторопливо улыбнулся:

— Из календаря вычитали? Меня очень любили в календарях печатать. На исподе, над дежурным меню.

— Господа, господа, что он хочет делать! — закричал Колин, указывая на Алферова, который, распахнув окно, вдруг поднял бутылку, метя в синюю ночь.

— Пускай,— рассмеялся Ганин,— пускай бесится...

Алферовская бородка блестела, вздулся кадык, редкие волосы на темени шевелились от ночного ветерка. Широко размахнувшись, он замер, потом торжественно поставил бутылку на пол.

Танцоры залились хохотом.

Алферов сел рядом с Горноцветовым, отнял у него гитару, стал пробовать играть. Он очень быстро пьянел.

— Кларочка такая серьезная, — с трудом говорил Подтягин. — Мне эти барышни когда-то проникновенные письма писали. А она теперь на меня и глядеть не хочет.

— Вы не пейте больше. Пожалуйста, — сказала Клара и подумала, что еще никогда в жизни ей не было так грустно, как сейчас.

Подтягин с усилием усмехнулся, потрепал Ганина по рукаву:

— А вот — будущий спаситель России. Расскажите что-нибудь, Левушка. Где шатались, как воевали?

— Нужно ли? — добродушно поморщился Ганин.

— Ну, а все-таки. Мне что-то, знаете, тяжело. Когда вы из России выехали?

— Когда? Эй, Колин. Вот этого липкого. Нет, не мне, — Алферову. Так. Смешайте.

15

Лидия Николаевна уже была в постели. Она испуганно отказалась от приглашения танцоров и теперь дремала чутким, старушечьим сном, сквозь который огромными шкафами, полными дрожащей посуды, проходил грохот поездов. Изредка сон ее прерывался, и тогда ей смутно слышны были голоса в номере шестом. Мельком ей приснился Ганин, и во сне она все не могла понять, кто он, откуда. Его облик и наяву был окружен таинственностью. И немудрено: никому не рассказывал он о своей жизни, о странствиях и приключениях последних лет, — да и сам он вспоминал о бегстве своем из России как бы сквозь сон — подобный морскому, чуть сверкающему туману.

Быть может, Машенька ему еще писала в те дни — в начале девятнадцатого года, — когда он дрался на севере Крыма, но этих писем он не получил. Пошатнулся и пал Перекоп. Ганин, контуженный в голову, был привезен в Симферополь, и через неделю, больной и равнодушный, отрезанный от своей части, отступившей к Феодосии, попал поневоле в безумный и сонный поток гражданской эвакуации. В полях, на склонах инкерманских высот, где некогда мелькали в дыму игрушечных пушек алые мундиры солдат королевы Виктории, уже цвела пустынно и прелестно крымская весна. Молочно-белое шоссе шло, плавно вздымаясь и опускаясь, откинутый верх автомобиля трещал, подпрыгивая на выбоинах, — и чувство быстроты с чувством весны, простора, бледно-оливковых холмов, вдруг слилось в нежную радость, при которой забывалось, что это легкое шоссе ведет прочь из России.

Он приехал в Севастополь еще полный этой радости и, оставив чемодан в белокаменной гостинице Киста, где суета была необыкновенная, — спустился, пьяный от туманного солнца и мутной боли в голове, мимо бледных колонн дорического портика, по широким гранитным пластам ступеней, к Графской пристани и долго, без мысли об изгнанье, глядел на голубой, млеющий блеск моря, а потом поднялся снова на площадь, где стоит серый Нахимов в долгом морском сюртуке, с подзорной трубкой, и, добредя по пыльной, белой улице до самого Четвертого бастиона, осматривал серо-голубую Панораму, где настоящие старинные орудия, мешки, нарочито рассыпанные осколки и настоящий, как бы цирковой, песок за круговой балюстрадой переходили в мягкую, сизую, слегка душноватую картину, окружавшую площадку для зрителей и дразнившую глаз своей неуловимой границей.

Так и остался Севастополь у него в памяти — весенний, пыльный, охваченный какой-то неживой сонной тревогой.

Ночью, уже с палубы, он глядел, как по небу, над бухтой, надуваются и снова спадают пустые белые рукава прожекторов, и черная вода гладко лоснилась под луной, и подальше, в ночном тумане, стоял весь в огоньках иностранный крейсер, покоясь на золотистых текучих столбах своего же отражения.

Судно, на которое он попал, было греческое, грязное; на палубе спали вповалку смуглые нищие беглецы из Евпатории, куда утром заходил пароход. Ганин устроился в кают-компании, где тяжело качалась лампа и стояли на длинном столе какие-то тюки, как гигантские бледные луковицы.

А потом пошли чудеснейшие, грустные морские дни; двумя скользящими белыми крылами вскипавшая навстречу пена все обнимала, обнимала нос парохода, разрезавший ее, и на светлых скатах морских волн мягко мелькали зеленые тени людей, облокотившихся у борта.

Скрежетала ржавая рулевая цепь, две чайки плавали вокруг трубы, и влажные клювы их, попадая в луч, вспыхивали, точно алмазные.

Рядом заплакал толстоголовый греческий ребенок, и его мать стала в сердцах плевать на него, чтобы как-нибудь его успокоить. И вылезал на палубу кочегар, весь черный, с глазами, подведенными угольной пылью, с поддельным рубином на указательном пальце.

Вот такие мелочи, — не тоску по оставленной родине, — запомнил Ганин, словно жили одни только его глаза, а душа притаилась.

На второй день, оранжевым вечером, показался темный Стамбул и медленно пропал в сумраке ночи, опередившей судно. На заре Ганин поднялся на капитанский мостик: матово-черный берег Скутари медлительно синел. Отражение луны суживалось и бледнело. Лиловая синева неба переходила на востоке в червонную красноту, и, мягко светлея, Стамбул стал выплывать из сумерек. Вдоль берега заблестела шелковистая полоса ряби; черная шлюпка и черная феска беззвучно проплыли мимо. Теперь восток белел, и ветерок подул, соленой щекоткой прошел по лицу. На берегу где-то заиграли зорю, промахнули над пароходом две чайки, черные как вороны, и с плеском легкого дождя, сетью мгновенных колец прыгнула стая рыб. И потом пристал ялик; тень под ним на воде выпускала и втягивала щупальцы. Но только когда Ганин вышел на берег и увидел у пристани синего турка, спавшего на огромной груде апельсинов,— только тогда он ощутил пронзительно и ясно, как далеко от него теплая громада родины и та Машенька, которую он полюбил навсегда.

И все это теперь развернулось, переливчато сверкнуло в памяти и снова свернулось в теплый комок, когда Подтягин, растерянно, через силу, спросил:

— Давно ли вы покинули Россию?

— Шесть лет,— ответил он коротко, а потом, сидя в углу под томно-фиолетовым светом, обливавшим скатерть отодвинутого стола и улыбавшиеся лица Колина и Горноцветова, которые молча и быстро танцовали посреди комнаты, Ганин думал: «Какое счастье. Это будет завтра, нет, сегодня, ведь уже за полночь. Машенька не могла измениться за эти годы, все так же горят и посмеиваются татарские глаза». Он увезет ее подальше, будет работать без устали для нее. Завтра приезжает вся его юность, его Россия.

Колин, подбоченясь и встряхивая откинутой слегка головой, то скользя, то притаптывая каблуками и взмахивая носовым платком, вился вокруг Горноцветова, который, присев, ловко и лихо выкидывал ноги, все шибче, и наконец закружился на согнутой ноге. Алферов, охмелевший вконец, благодушно покачивался, Клара тревожно вглядывалась в потное, серое лицо Подтягина, который сидел как-то боком на постели и время от времени судорожно поводил головой.

— Вам нехорошо, Антон Сергеич,— зашептала она.— Вам нужно лечь, уже второй час...

...О, как это будет просто: завтра, — нет, сегодня, — он увидит ее: только бы совсем надрызгался Алферов. Всего шесть часов осталось. Сейчас она спит в вагоне, промахивают в темноте телеграфные столбы, сосны, взбегающие скаты... Как стучат эти скачущие юноши. Скоро ли они кончат плясать... Да, удивительно просто... В действиях судьбы есть иногда нечто гениальное...

— Да, я, пожалуй, пойду прилягу, — глухо сказал Подтягин и, тяжело вздохнув, встал.

— Куда же вы, идеал мужчины? Стойте... Побудьте еще моментик, — радостно забормотал Алферов.

— Пейте и молчите, — обернулся к нему Ганин и быстро подошел к Подтягину. — Обопритесь на меня, Антон Сергеевич.

Старик мутно глянул на него, сделал движение рукой, как будто целился на муху, и вдруг с легким клекотом зашатался, повалился вперед.

Ганин и Клара успели поддержать его, танцоры заметались вокруг. Алферов, еле ворочая вязким языком, заблябал с пьяным равнодушием: «Смотрите, смотрите, это он умирает».

— Не вертитесь зря, Горноцветов, — спокойно говорил Ганин. — Держите его голову, Колин, — вот здесь... подоприте. Нет, это моя рука, — повыше. Да не глазейте на меня. Повыше, говорю вам. Откройте дверь, Клара.

Втроем они понесли старика в его комнату. Алферов, пошатываясь, вышел было за ними, потом вяло махнул рукой и сел у стола. Дрожащей рукой налив себе водки, он вытащил из жилетного кармана никелевые часы и положил их перед собой на стол.

— Три, четыре, пять, шесть, семь, восемь, — повел он пальцем по римским цифрам и замер, боком повернув голову и одним глазом следя за секундной стрелкой.

В коридоре тонко и взволнованно затявкала такса. Алферов поморщился:

— Паршивый пес... Раздавить бы его.

Погодя немного он вынул из другого кармана химический карандашик и намазал лиловую черточку по стеклу над цифрой восемь.

«Едет, едет, едет...» — думал он в такт тиканью.

Он пошарил глазами по столу, выбрал шоколадную конфету и тотчас же выплюнул ее. Коричневый комок шлепнулся об стену.

— Три, четыре, пять, семь,— опять засчитал Алферов и с блаженной мутной улыбкой подмигнул циферблату.

16

За окном ночь утихла. По широкой улице уже шагал, постукивая палкой, сгорбленный старик в черной пелерине и, кряхтя, нагибался, когда острие палки выбивало окурок. Изредка проносился автомобиль, и еще реже, устало цокая подковами, протряхивал ночной извозчик. Пьяный господин в котелке ожидал на углу трамвая, хотя трамвай вот уж два часа как не ходил. Несколько проституток разгуливали взад и вперед, позевывая и болтая с подозрительными господами в поднятых воротниках пальто. Одна из них окликнула Колина и Горноцветова, которые чуть не бегом пронеслись мимо, но тотчас же отвернулась, профессиональным взглядом окинув их бледные, женственные лица.

Танцоры взялись привести к Подтягину знакомого русского доктора и действительно через полтора часа явились обратно в сопровождении заспанного господина с бритым, неподвижным лицом. Он пробыл полчаса и, несколько раз издав сосущий звук, как будто у него была дырка в зубе, ушел.

Теперь в неосвещенной комнате было очень тихо. Стояла та особая, тяжелая, глуховатая тишина, которая бывает, когда несколько человек молча сидят вокруг больного. Уже начинало светать, воздух в комнате как будто медленно линял, — и профиль Ганина, пристально глядевшего на кровать, казался высеченным из бледно-голубого камня; у изножья, в кресле, смутно посиневшем в волне рассвета, сидела Клара и смотрела туда же, ни на миг не отводя едва блестевших глаз. Поодаль, на маленьком диванчике, рядышком уселись Горноцветов и Колин, — и лица их были как два бледных пятна.

Доктор уже спускался по лестнице за черной фигуркой госпожи Дорн, которая, тихо бренча связкой ключей, просила прощенья за то, что лифт испорчен. Добравшись до низу, она отперла тяжелую дверь, и доктор, на ходу приподняв шляпу, вышел в синеватый туман рассвета.

Старушка тщательно заперла дверь и, кутаясь в черную вязаную шаль, пошла наверх. Свет на лестнице горел желтовато и холодно. Тихо побренькивая ключами, она дошла до площадки. Свет на лестнице потух.

В прихожей она встретила Ганина, который, осторожно прикрывая дверь, выходил из комнаты Подтягина.

— Доктор обещал утром вернуться, — прошептала старушка. — Как ему сейчас, — легче?

Ганин пожал плечом:

— Не знаю. Кажется, нет. Его дыхание... звук такой... страшно слушать.

Лидия Николаевна вздохнула и пугливо вошла в комнату. Клара и оба танцора одинаковым движеньем обратили к ней бледно блеснувшие глаза и опять тихо уставились на постель. Ветерок толкнул раму полуоткрытого окна.

А Ганин прошел на носках по коридору и вернулся в номер, где давеча была пирушка. Как он и предполагал, Алферов все еще сидел у стола. Его лицо опухло и отливало серым лоском от смеси рассвета и театрально убранной лампы; он клевал носом, изредка отрыгивался; на часовом стеклышке перед ним блестела капля водки, и в ней расплылся лиловатый след химического карандаша. Оставалось около четырех часов.

Ганин сел подле него и долго глядел на его пьяную дремоту, хмуря густые брови и подпирая кулаком висок, отчего слегка оттягивалась кожа и глаз становился раскосым.

Алферов вдруг дернулся и медленно повернул к нему лицо.

— Не пора ли вам ложиться, дорогой Алексей Иванович, — отчетливо сказал Ганин.

— Нет, — с трудом выговорил Алферов и, подумав, словно решал трудную задачу, повторил: — Нет...

Ганин выключил ненужный свет, вынул портсигар, закурил. От холода бледной зари, от табачного дуновенья Алферов как будто слегка потрезвел.

Он помял ладонью лоб, огляделся и довольно твердой рукой потянулся за бутылкой.

На полпути его рука остановилась, он закачал головой, потом с вялой улыбкой обратился к Ганину:

— Не надо больше... этого. Машенька приезжает.

Погодя он дернул Ганина за руку:

— Э... вы... как вас зовут... Леб Лебович... слышите... Машенька.

Ганин выпустил дым, пристально глянул Алферову в лицо, — все вобрал сразу: полуоткрытый, мокрый рот, бородку цвета навозца, мигающие водянистые глаза...

— Леб Лебович, вы только послушайте, — качнулся Алферов, хватая его за плечо. — Вот я сейчас вдрызг, вдребезги, на положении дров... Сами, черти, напоили... Нет, — совсем не то... Я вам о девочке рассказывал...

— Вам надо выспаться, Алексей Иванович.

— Девочка, говорю, была. Нет, я не о жене... вы не думайте... жена моя чи-истая... А вот я сколько лет без жены... Так вот, недавно, — нет, давно... не помню когда... девочка меня повела к себе... На лису похожая... Гадость такая, — а все-таки сладко... А сейчас Машенька приедет... Вы понимаете, что это значит, — вы понимаете или нет? Я вот — вдрызг, — не помню, что такое перпе... перпед... перпендикуляр, — а сейчас будет Машенька... Отчего это так вышло? А? Я вас спрашиваю! Эй ты, большевик... Объясни-ка, можешь?

Ганин легко оттолкнул его руку. Алферов, покачивая головой, наклонился над столом, локоть его пополз, морща скатерть, опрокидывая рюмки. Рюмки, блюдце, часы поползли на пол...

— Спать, — сказал Ганин и сильным рывком поднял его на ноги.

Алферов не сопротивлялся, но так качало его, что Ганин с трудом направлял его шаги.

Очутившись в своей комнате, он широко и сонно ухмыльнулся, медленно повалился на постель. Но внезапно ужас прошел у него по лицу.

— Будильник... — забормотал он, приподнявшись, — Леб, — там, на столе, будильник... На половину восьмого поставь...

— Ладно, — сказал Ганин и стал поворачивать стрелку. Поставил ее на десять часов, подумал и поставил на одиннадцать.

Когда он опять посмотрел на Алферова, тот уже крепко спал, навзничь раскинувшись и странно выбросив одну руку.

Так в русских деревнях спят шатуны-пьяные. Весь день сонно сверкал зной, проплывали высокие возы, осыпая проселочную дорогу сухими травинками, — а бродяга буйствовал, приставал к гулявшим дачницам, бил в гулкую грудь, называя себя сынком генеральским, и, наконец, шлепнув картузом оземь, ложился поперек дороги, да так и лежал, пока мужик не слезет с воза. Мужик оттаскивал его в сторонку и ехал дальше; и шатун, откинув бледное лицо, лежал, как мертвец, на краю канавы, — и зеленые громады возов, колыхаясь и благоухая, плыли селом, сквозь пятнистые тени млеющих лип.

Ганин, беззвучно поставив на стол будильник, долго стоял и смотрел на спящего. Постояв, потренькав монетами в кармане штанов, он повернулся и тихо вышел.

В темной ванной комнатке, рядом с кухней, сложены были в углу под рогожей брикеты. В узком окошке стекло было разбито, на стенах выступали желтые подтеки, над черной облупившейся ванной криво сгибался металлический хлыст душа. Ганин разделся донага и в продолжение нескольких минут расправлял руки и ноги — крепкие, белые, в синих жилках. Мышцы хрустели и переливались. Грудь дышала ровно и глубоко. Он отвернул кран душа и постоял под ледяным веерным потоком, от которого сладко замирало в животе.

Одевшись, весь подернутый огненной щекоткой, он, стараясь не шуметь, вытащил в прихожую свои чемоданы, поглядел на часы. Было без десяти шесть.

Он бросил пальто и шляпу на чемоданы и тихо вошел в номер Подтягина.

Танцоры спали рядышком, на диванчике, прислонившись друг к другу. Клара и Лидия Николаевна нагибались над стариком. Глаза у него были закрыты, лицо, цвета высохшей глины, изредка искажалось выражением муки. Было почти светло. Поезда с заспанным грохотом пробирались сквозь дом.

Когда Ганин приблизился к изголовью, Подтягин открыл глаза. На мгновенье в бездне, куда он всё падал, его сердце нашло шаткую опору. Ему захотелось сказать многое, — что в Париж он уже не попадет, что родины он и подавно не увидит, что вся жизнь его была нелепа и бесплодна и что он не ведает, почему он жил, почему умирает. Перевалив голову набок и окинув Ганина растерянным взглядом, он пробормотал: «Вот... без паспорта», — и судорожная улыбка прошла по его губам. Он снова зажмурился, и снова бездна засосала его, боль клином впилась в сердце, — и воздух казался несказанным, недостижимым блаженством.

Ганин, сильной белой рукой сжав грядку кровати, глядел старику в лицо, и снова ему вспомнились те дрожащие теневые двойники русских случайных статистов, тени, проданные за десять марок штука и Бог весть где бегущие теперь в белом блеске экрана. Он подумал о том, что все-таки Подтягин кое-что оставил, хотя бы два бледных стиха, зацветших для него, Ганина, теплым и бессмертным бытием:

так становятся бессмертными дешевенькие духи или вывески на милой нам улице. Жизнь на мгновенье представилась ему во всей волнующейся красе ее отчаянья и счастья, — и все стало великим и очень таинственным — прошлое его, лицо Подтягина, облитое бледным светом, нежное отраженье оконной рамы на синей стене, — и эти две женщины в темных платьях, неподвижно стоящие рядом.

И Клара с изумленьем заметила, что Ганин улыбается, — и его улыбку понять не могла.

Улыбаясь, он тронул руку Подтягина, чуть шевелившуюся на простыне, и, выпрямившись, обернулся к госпоже Дорн и Кларе.

— Я уезжаю, — сказал он тихо. — Вряд ли мы опять встретимся. Передайте мой привет танцорам.

— Я провожу вас, — сказала Клара так же тихо и добавила: — Танцоры спят на диванчике.

И Ганин вышел из комнаты. В прихожей он взял чемоданы, перекинул макинтош через плечо, и Клара открыла ему дверь.

— Благодарствуйте, — сказал он, боком выходя на площадку. — Всего вам доброго.

На мгновенье он остановился. Еще накануне он мельком подумал о том, что хорошо бы разъяснить Кларе, что никаких денег он не собирался красть, а рассматривал старые фотографии, но теперь он не мог вспомнить, о чем хотел сказать. И, поклонившись, он стал не торопясь спускаться по лестнице. Клара, держась за скобку двери, глядела ему вслед. Он нес чемоданы как ведра, и его крепкие шаги будили в ступенях отзвуки, подобные бою медленного сердца. Когда он исчез за поворотом перил, она еще долго слушала этот ровный, удалявшийся стук. Наконец она закрыла дверь, постояла в прихожей. Повторила вслух: «Тан-

цоры спят на диванчике», — и вдруг бурно и тихо раз-
рыдалась, указательным пальцем водя по стене.

17

Тяжелые, толстые стрелки на огромном цифер-
блате, белевшем наискось от вывески часовщика,
показывали 36 минут седьмого. В легкой синеве неба, еще не потеплевшей после ночи, розовело одно
тонкое облачко, и было что-то не по-земному изящ-
ное в его удлиненном очерке. Шаги несчастных прохожих особенно чисто звучали в пустынном воздухе, и вдали телесный отлив дрожал на трамвайных
рельсах. Повозка, нагруженная огромными связка-
ми фиалок, прикрытая наполовину полосатым грубым сукном, тихо катила вдоль панели: торговец
помогал ее тащить большому рыжему псу, который,
высунув язык, весь подавался вперед, напрягал все
свои сухие, человеку преданные, мышцы.

С черных веток чуть зеленевших деревьев спар-
хивали с воздушным шорохом воробьи и садились
на узкий выступ высокой кирпичной стены.

Лавки еще спали за решетками, дома освещены были только сверху, но нельзя было представить себе, что
это закат, а не раннее утро. Из-за того, что тени ложились в другую сторону, создавались странные сочетания, неожиданные для глаза, хорошо привыкшего к вечерним теням, но редко видящего рассветные.

Все казалось не так поставленным, непрочным,
перевернутым, как в зеркале. И так же, как солнце
постепенно поднималось выше и тени расходились
по своим обычным местам, — точно так же, при этом
трезвом свете, та жизнь воспоминаний, которой жил

Ганин, становилась тем, чем она вправду была, — далеким прошлым.

Он оглянулся и в конце улицы увидел освещенный угол дома, где он только что жил минувшим и куда он не вернется больше никогда. И в этом уходе целого дома из его жизни была прекрасная таинственность.

Солнце поднималось все выше, равномерно озарялся город, и улица оживала, теряла свое странное теневое очарование. Ганин шел посреди мостовой, слегка раскачивая в руках плотные чемоданы, и думал о том, что давно не чувствовал себя таким здоровым, сильным, готовым на всякую борьбу. И то, что он все замечал с какой-то свежей любовью — и тележки, что катили на базар, и тонкие, еще сморщенные листики, и разноцветные рекламы, которые человек в фартуке клеил по окату будки, — это и было тайным поворотом, пробужденьем его.

Он остановился в маленьком сквере около вокзала и сел на ту же скамейку, где еще так недавно вспоминал тиф, усадьбу, предчувствие Машеньки. Через час она приедет, ее муж спит мертвым сном, и он, Ганин, собирается ее встретить.

Почему-то он вспомнил вдруг, как пошел проститься с Людмилой, как выходил из ее комнаты.

А за садиком строился дом. Он видел желтый, деревянный переплет — скелет крыши, — кое-где уже заполненный черепицей.

Работа, несмотря на ранний час, уже шла. На легком переплете в утреннем небе синели фигуры рабочих. Один двигался по самому хребту, легко и вольно, как будто собирался улететь.

Золотом отливал на солнце деревянный переплет, и на нем двое других рабочих передавали третьему ломти черепицы.

Они лежали навзничь, на одной линии, как на лестнице, и нижний поднимал наверх через голову красный ломоть, похожий на большую книгу, и средний брал черепицу и тем же движеньем, отклонившись совсем назад и выбросив руки, передавал ее верхнему рабочему. Эта ленивая, ровная передача действовала успокоительно, этот желтый блеск свежего дерева был живее самой живой мечты о минувшем. Ганин глядел на легкое небо, на сквозную крышу — и уже чувствовал с беспощадной ясностью, что роман его с Машенькой кончился навсегда. Он длился всего четыре дня, — эти четыре дня были, быть может, счастливейшей порой его жизни. Но теперь он до конца исчерпал свое воспоминанье, до конца насытился им, и образ Машеньки остался вместе с умирающим старым поэтом там, в доме теней, который сам уже стал воспоминаньем.

И, кроме этого образа, другой Машеньки нет, и быть не может.

Он дождался той минуты, когда по железному мосту медленно прокатил шедший с севера экспресс. Прокатил, скрылся за фасадом вокзала.

Тогда он поднял свои чемоданы, крикнул таксомотор и велел ему ехать на другой вокзал, в конце города. Он выбрал поезд, уходивший через полчаса на юго-запад Германии, заплатил за билет четверть своего состояния и с приятным волненьем подумал о том, как без всяких виз проберется через границу, — а там Франция, Прованс, а дальше — море.

И когда поезд тронулся, он задремал, уткнувшись лицом в складки макинтоша, висевшего с крюка над деревянной лавкой.

Подвиг

Роман

Посвящаю моей жене

I

Эдельвейс, дед Мартына, был, как это ни смешно, швейцарец, — рослый швейцарец с пушистыми усами, воспитывавший в шестидесятых годах детей петербургского помещика Индрикова и женившийся на младшей его дочери. Мартын сперва полагал, что именно в честь деда назван бархатно-белый альпийский цветок, баловень гербариев. Вовсе отказаться от этого он и позже не мог. Деда он помнил ясно, но только в одном виде, в одном положении: старик, весь в белом, толстый, светлоусый, в панамской шляпе, в пикейном жилете, богатом брелоками (из которых самый занимательный — кинжал с ноготок), сидит на скамье перед домом, в подвижной тени липы. На этой скамье дед и умер, держа на ладони любимые золотые часы, с крышкой как золотое зеркальце. Апоплексия застала его на этом своевременном жесте, и стрелка, по семейному преданию, остановилась вместе с его сердцем. Затем дедушка Эдельвейс годами сохранялся в грузном кожаном альбоме; в его время снимали со вкусом, с расстановкой, это была операция нешуточная, пациент должен был замереть надолго, — еще не пришло, вместе с моментальной фотографией, разрешение на улыбку. Сложностью светописи объяснялись

139

увесистость и крепость бравых дедушкиных поз на бледноватых, но очень добротных фотографиях, — дедушка в молодости, с ружьем, с убитым вальдшнепом у ног, дедушка на кобыле Дэзи, дедушка на полосатой верандовой лавке, с черной таксой, не хотевшей сидеть смирно, а потому получившейся с тремя хвостами. И только в тысяча девятьсот восемнадцатом году дедушка Эдельвейс исчез окончательно, ибо сгорел альбом, сгорел стол, где альбом лежал, сгорела и вся усадьба, которую, по глупости, спалили целиком, вместо того чтобы поживиться обстановкой, мужички из ближней деревни.

Отец Мартына врачевал накожные болезни, был знаменит, — тоже, как и дед, бел и тучен, любил в свободное время удить бычков и обладал великолепной коллекцией кинжалов, сабель, а также длинных старинных пистолетов, из-за которых приверженцы более новых систем чуть его не расстреляли. Весной восемнадцатого года он отяжелел, распух, стал задыхаться и умер при неясных обстоятельствах. Его жена, Софья Дмитриевна, жила в то время с сыном под Ялтой: городок примерял то одну власть, то другую, и все привередничал.

Это была розовая, веснушчатая, моложавая женщина, с копной бледных волос, с приподнятыми бровями, густоватыми у переносицы, но почти незаметными поближе к вискам, и со щелками в удлиненных мочках нежных ушей, которые прежде она пронимала сережками. Еще недавно она сильно и ловко играла в теннис на площадке в парке, существовавшей с восьмидесятых годов, осенью много каталась на черном велосипеде «Энфильд» по аллеям, по шумно шуршащим коврам сухих листьев, или отмахивала пешком по упругой обочине весь длинный, с детства любимый путь между Ольховым и Воскресенским, поднимая и опуская, как заправский ходок, конец дорогой трости с коралловым набалдашником. В Петербурге она слыла англоманкой и славу эту любила, красноречиво говорила о бойскаутах, о Киплинге и находила совершенно особое удовольствие в частых посещениях Дрюса, где, уже на лестнице, перед большой рекламой (женщина, сочно намыливающая голову мальчишке), приветствовал вас замечательный запах мыла, лаванды, с примесью еще чего-то, говорившего о резиновых ваннах, футбольных мячах и круглых, тяжеленьких, туго спеленутых рождественских пудингах. И разумеется, первые книги Мартына были на английском языке: Софья Дмитриевна как чумы боялась «Задушевного Слова» и внушила сыну такое отвращение к титулованным смуглянкам Чарской, что и впоследствии Мартын побаивался всякой книги, написанной женщиной, чувствуя и в лучших из этих книг бессознательное стремление немолодой и, быть может, дебелой дамы нарядиться в смазливое имя и кошечкой свернуться на канапе. Софья Дмитриевна не терпела уменьшительных, следила за собой, чтобы их не употреблять, и сердилась, когда муж говаривал: «У мальчугана опять кашелек, посмотрим, нет ли температурки». Русская же литература для детей кишмя кишела сюсюкающими словами или же грешила другим — нравоучительством.

Если фамилия деда Мартына цвела в горах, то девичья фамилия бабки, волшебным происхождением разнясь от Волковых, Куницыных, Белкиных, относилась к русской сказочной фауне. Дивные звери рыскали некогда по нашей земле. Но русскую сказку Софья Дмитриевна находила аляповатой, злой и убогой, русскую песню — бессмысленной, русскую загадку — дурацкой и плохо верила в пушкинскую няню, говоря, что поэт ее сам выдумал вместе с ее побасками, спицами и тоской. Таким образом, Мартын в раннем детстве не узнал иного, что впоследствии сквозь самоцветную волну памяти могло бы прибавить к его жизни еще одно очарование, но очарований было и так вдосталь, и ему не приходилось жалеть, что не Ерусланом, а западным братом Еруслана было в детстве разбужено его воображение. Да и не все ли равно, откуда приходит нежный толчок, от которого трогается и катится душа, обреченная после сего никогда не прекращать движения.

II

Над маленькой, узкой кроватью, с белыми веревчатыми решетками по бокам и с иконкой в головах (в грубоватой прорези фольги — лаково-коричневый святой, а малиновый плюш на исподе подъеден не то молью, не то самим Мартыном), висела на светлой стене акварельная картина: густой лес и уходящая вглубь витая тропинка. Меж тем в одной из английских книжонок, которые мать читывала с ним, — и как медленно и таинственно она произносила слова, доходя до конца страницы, как таращила глаза, положив на нее маленькую белую руку в легких веснушках и спрашивая: «Что же, ты думаешь, случилось дальше?» — был рассказ именно о такой картине с тропинкой в лесу прямо над кроватью мальчика, который однажды, как был, в ночной рубашке, перебрался из постели в картину, на тропинку, уходящую в лес. Мартына волновала мысль, что мать может заметить сходство между акварелью на стене и картинкой в книжке: по его расчету, она, испугавшись, предотвратила бы ночное путешествие тем, что картину бы убрала, и потому всякий раз, когда он в постели молился перед сном (сначала коротенькая молитва по-английски — «Иисусе нежный и кроткий, услышь маленького ребенка», — а затем «Отче Наш» по-славянски, причем какого-то Якова мы оставляли должникам нашим), быстро лепеча и стараясь коленями встать на подушку — что мать считала недопустимым по соображениям аскетического порядка, — Мартын молился о том, чтобы она не заметила соблазнительной тропинки как раз над ним. Вспоминая в юности то время, он спрашивал себя, не случилось ли и впрямь так, что с изголовья кровати он однажды прыгнул в картину, и не было ли это началом того счастливого и мучительного путешествия, которым обернулась вся его жизнь. Он как будто помнил холодок земли, зеленые сумерки леса, излуки тропинки, пересеченной там и сям горбатым корнем, мелькание стволов, мимо которых он босиком бежал, и странный темный воздух, полный сказочных возможностей.

Бабушка Эдельвейс, рожденная Индрикова, ревностно занимаясь акварелью во дни молодости, вряд ли предвидела, когда мешала на фарфоровой палитре синенькую краску с желтенькой, что в этой рождающейся зелени будет когда-нибудь плутать ее внук. Волнение, которое Мартын узнал и которое с той поры, в различных проявлениях и сочетаниях, всегда уже сопутствовало его жизни, было как раз тем чувством, которое мать и хотела в нем развить, — хотя сама бы затруднилась подыскать этому чувству название, — знала только, что нужно каждый вечер питать Мартына тем, чем ее самое питала когда-то покойная гувернантка, старая, мудрая госпожа Брук, сын которой собирал орхидеи на Борнео, летал на аэростате над Сахарой, а погиб от взрыва котла в турецкой бане. Она читала, и Мартын слушал, стоя в кресле на коленях и облокотясь на стол, и было очень трудно кончить, увести его спать, он все просил еще и еще. Иногда она носила его по лестнице в спальню на спине, и это называлось «дровосек». Перед сном он получал из жестяной коробки, оклеенной голубой бумагой, английский бисквит. Сверху были замечательные сорта с сахарными нашлепками, поглубже — печенья имбирные, кокосовые, а в грустный вечер, когда он доходил до дна, приходилось довольствоваться третьеклассной породой — простой и пресной.

И все шло Мартыну впрок — и хрустящее английское печенье, и приключения Артуровых рыцарей, — та сладкая минута, когда юноша, племянник, быть может, сэра Тристрама, в первый раз надевает по частям блестящие выпуклые латы и едет на свой первый поединок; и какие-то далекие, круглые острова, на которые смотрит с берега девушка в развевающихся одеждах, держащая на кисти сокола в клобучке; и Синдбад, в красном платке, с золотым кольцом в ухе; и морской змий, зелеными шинами торчащий из воды до самого горизонта; и ребенок, нашедший место, где конец радуги уткнулся в землю; — и как отголосок всего этого, как чем-то родственный образ — чудесная модель длинного фанерно-коричневого вагона в окне общества спальных вагонов и великих международных экспрессов, — на Невском проспекте, в тусклый морозный день с легкой заметью, когда приходится носить черные вязаные рейтузы поверх чулок и штанишек.

III

Она любила его ревниво, дико, до какой-то душевной хрипоты, — и когда она с ним, после размолвки с мужем, поселилась отдельно и Мартын по воскресеньям посещал квартиру отца, где подолгу возился с пистолетами и кинжалами, меж тем как отец спокойно читал газету и, не поднимая головы, изредка отвечал: «Да, заряженный» или: «Да, отравленный», Софья Дмитриевна едва могла усидеть дома, мучась вздорной мыслью, что ее ленивый муж нет-нет да и предпримет что-нибудь — удержит сына при себе. Мартын же был с отцом очень ласков и учтив, стараясь по возможности смягчить наказание, ибо считал, что отец удален из дому за провинность, за то, что как-то на даче, летним вечером, сделал нечто такое с роялем, отчего тот издал совершенно потрясающий звук, словно ему наступили на хвост, — и на другой день отец уехал в Петербург и больше не возвращался. Это было как раз в год, когда убили в сарае австрийского герцога, — Мартын очень живо представил себе этот сарай, с хомутами по стене, и герцога в шляпе с плюмажем, отражающего шпагой человек пять заговорщиков в черных плащах, и огорчился, когда выяснилась ошибка. Удар по клавишам произошел без него, — он в комнате рядом чистил зубы густо пенящейся, сладкой на вкус пастой, которая была особенно привлекательна следующей надписью по-английски: «Улучшить пасту мы не могли, а потому улучшили тубочку», — и действительно отверстие было щелью, так что выжимаемая паста ложилась на щетку не червячком, а ленточкой.

Последний разговор с мужем Софья Дмитриевна вспомнила полностью, со всеми подробностями и оттенками, в тот день, когда пришло в Ялту известие о его смерти. Муж сидел у плетеного столика, осматривал кончики коротких, растопыренных пальцев, и она ему говорила, что так нельзя дальше, что они давно чужие друг другу, что она готова хоть завтра забрать сына и уехать. Муж лениво улыбался и хрипловатым, тихим голосом отвечал, что она права, увы, права, и говорил, что он уедет отсюда сам, да и в городе снимет отдельную квартиру. Его тихий голос, мирная полнота, а пуще всего — пилочка, которой он во всякое время терзал мягкие ногти, выводили ее из себя, — и ей казалось, что есть чудовищное в том спокойствии, с которым они оба рассуждают о разлуке, хотя бурные речи и слезы были бы, конечно, еще ужаснее. Погодя он поднялся и, пиля ногти, принялся ходить взад и вперед по комнате, и с мягкой улыбкой говорил о житейских мелочах будущей розной жизни (нелепую роль играла при этом карета), — и вдруг, ни с того ни с сего, проходя мимо открытого рояля, двинул со всей силы сжатым кулаком по клавишам, и это было словно в раскрывшуюся на миг дверь ворвался нестройный вопль; после чего он прежним тихим голосом продолжал прерванную фразу, а проходя опять мимо рояля, осторожно его прикрыл.

Смерть отца, которого он любил мало, потрясла Мартына именно потому, что он не любил его как следует, а кроме того, он не мог отделаться от мысли, что отец умер в немилости. Тогда-то Мартын впервые понял, что человеческая жизнь идет излучинами, и что вот, первый плес пройден, и что жизнь повернулась в ту минуту, когда мать позвала его из кипарисовой аллеи на веранду и сказала странным голосом: «Я получила письмо от Зиланова», — а потом продолжала по-английски: «Я хочу, чтоб ты был храбрым, очень храбрым, это о твоем отце, его больше нет». Мартын побледнел и растерянно улыбнулся, а затем долго блуждал по Воронцовскому парку, повторяя изредка детское прозвание, которое когда-то дал отцу, и стараясь представить себе, — и с какой-то теплой и томной убедительностью себе представляя, — что отец его рядом, спереди, позади, вот за этим кедром, вон на том покатом лугу, близко, далеко, повсюду.

Было жарко, хотя недавно прошел бурный дождь. Над лаковой мушмулой жужжали мясные мухи. В бассейне плавал злой черный лебедь, поводя пунцовым, словно накрашенным клювом. С миндальных деревец облетели лепестки и лежали, бледные, на темной земле мокрой дорожки, напоминая миндали в прянике. Невдалеке от огромных ливанских кедров росла одна-единственная березка с тем особым наклоном листвы (словно расчесывала волосы, спустила пряди с одной стороны, да так и застыла), какой бывает только у берез. Проплыла бабочка-парусник, вытянув и сложив свои ласточковые хвосты. Сверкающий воздух, тени кипарисов — старых, с рыжинкой, с мелкими шишками, спрятанными за пазухой, — зеркально-черная вода бассейна, где вокруг лебедя расходились круги, сияющая синева, где вздымался, широко опоясанный каракулевой хвоей, зубчатый Ай-Петри, — все было насыщено мучительным блаженством, и Мартыну казалось, что в распределении этих теней и блеска тайным образом участвует его отец.

«Если бы тебе было не пятнадцать, а двадцать лет, — вечером того дня говорила Софья Дмитриевна, — если бы гимназию ты уже кончил и если бы меня уже не было на свете, ты бы, конечно, мог, ты, пожалуй, был бы обязан...» Она задумалась посреди слов, представив себе какую-то степь, каких-то всадников в папахах и стараясь издали узнать среди них Мартына. Но он, слава Богу, стоял рядом, в открытой рубашке, под гребенку остриженный, коричневый от солнца, со светлыми, незагоревшими лучиками у глаз. «А ехать в Петербург...» — вопросительно произнесла она, и на неизвестной станции разорвался снаряд, паровоз встал на дыбы... «Вероятно, это все когда-нибудь кончится, — сказала она спустя минуту. — Пока же надо придумать что-нибудь». — «Я пойду выкупаюсь, — примирительно вставил Мартын. — Там Коля, Лида, все». — «Конечно, пойди, — сказала Софья Дмитриевна. — В общем, революция пройдет, и будет странно вспоминать, и ты очень поправился в Крыму. И в ялтинской гимназии как-нибудь доучишься. Посмотри, как там хорошо освещено, правда?»

Ночью оба, и мать и сын, не могли уснуть и думали о смерти. Софья Дмитриевна, стараясь думать тихо, то есть не всхлипывать и не вздыхать (дверь в комнату сына была полуоткрыта), опять вспоминала, подробно и щепетильно, все то, что привело к разрыву с мужем, и, проверяя каждое мгновение, она ясно видела, что тогда-то и тогда-то нельзя было ей поступить иначе, и все-таки таилась где-то ошибка, и все-таки, если бы они не расстались, он не умер бы так, один, в пустой комнате, задыхающийся, беспомощный, вспоминающий, быть может, последний год их счастья (не ахти какого счастья) и последнюю заграничную поездку, Биарриц, прогулку на Круа-де-Мугер, галерейки Байонны. Была некая сила, в которую она крепко верила, столь же похожая на Бога, сколь похожи на никогда не виденного человека его дом, его вещи, его теплица и пасека, далекий голос его, случайно услышанный ночью в поле. Она стеснялась эту силу назвать именем Божиим, как есть Петры и Иваны, которые не могут без чувства фальши произнести «Петя», «Ваня», меж тем как есть другие, которые, передавая вам длинный разговор, раз двадцать просмакуют свое имя и отчество, или еще хуже — прозвище. Эта сила не вязалась с церковью, никаких грехов не отпускала и не карала, — но просто было иногда стыдно перед деревом, облаком, собакой, стыдно перед воздухом, так же бережно и свято несущим дурное слово, как и доброе. И теперь, думая о неприятном, нелюбимом муже и о его смерти, Софья Дмитриевна хотя и повторяла слова молитв, родных ей с детства, на самом же деле напрягала все силы, чтобы, подкрепившись двумя-тремя хорошими воспоминаниями, — сквозь туман, сквозь большие пространства, сквозь все то, что непонятно, — поцеловать мужа в лоб. С Мартыном она никогда прямо не говорила о вещах этого порядка, но всегда чувствовала, что все другое, о чем они говорят, создает для Мартына, через ее голос и любовь, такое же ощущение Бога, как то, что живет в ней самой. Мартын, лежавший в соседней комнате и нарочито храпевший, чтобы мать не думала, что он бодрствует, тоже мучительно вспоминал, тоже пытался осмыслить смерть и уловить в темноте комнаты посмертную нежность.

Он думал об отце всей силой души, производил даже некоторые опыты, говорил себе: если вот сейчас скрипнет половица или что-то стукнет, значит, он меня слышит и отвечает... Делалось страшно ждать стука, было душно и тягостно, шумело море, тонко пели комары. А то вдруг он с совершенной ясностью видел полное лицо отца, его пенснэ, светлые волосы бобриком, круглый родимый прыщ у ноздри и блестящее, из двух золотых змеек, кольцо вокруг узла галстука, — а когда он наконец уснул, то увидел, что сидит в классе, не знает урока, и Лида, почесывая ногу, говорит ему, что грузины не едят мороженого.

IV

Ни Лиде, ни ее брату он не сообщил о смерти отца, — потому не сообщил, что вряд ли бы удалось выговорить это естественно, а сказать с чувством было бы непристойно. Сызмала мать учила его, что выражать вслух на людях глубокое переживание, которое тотчас на вольном воздухе выветривается, линяет и странным образом делается схожим с подобным же переживанием другого, — не только вульгарно, но и грех против чувства. Она не терпела надгробных лент с серебряными посвящениями «Юному Герою» или «Нашей Незабвенной Дочурке» и порицала тех чинных, но чувствительных людей, которые, потеряв близкого, считают возможным публично исходить слезами, однако в другое время, в день удач, распираемые счастьем, никогда не позволят себе расхохотаться в лицо прохожим. Однажды, когда Мартыну было лет восемь, он попытался наголо остричь мохнатую дворовую собачку и нечаянно порезал ей ухо. Стесняясь почему-то объяснить, что он, отхватив лишние лохмы, собирался выкрасить ее под тигра, Мартын встретил негодование матери стоическим молчанием. Она велела ему спустить штаны и лечь ничком. В полном молчании он сделал это, и в полном же молчании она его отстегала желтым стеком из бычьей жилы; после чего он подтянул штаны, и она помогла ему пристегнуть их к лифчику, так как он это делал криво. Мартын ушел в парк и только там дал себе волю, тихо извыл душу, заедая слезы черникой, а Софья Дмитриевна тем временем разливалась у себя в спальне и вечером едва не заплакала вновь, когда Мартын, очень веселый и пухлый, сидел в ванне, подталкивая целлулоидового лебедя, а потом встал, чтобы дать себе намылить спину, и она увидела на нежных частях ярко-розовые полосы. Экзекуция такого рода произведена была всего раз, и конечно Софья Дмитриевна никогда не замахивалась на него по всякому пустяковому поводу, как это делают француженки и немки.

Рано научившись сдерживать слезы и не показывать чувств, Мартын в гимназии поражал учителей своей бесчувственностью. Сам же он вскоре открыл в себе черту, которую следовало особенно ревниво скрывать, и в пятнадцать лет, в Крыму, это служило причиной некоторого мучения. Мартын заметил, что иногда он так боится показаться немужественным, прослыть трусом, что с ним происходит как раз то, что произошло бы с трусом, кровь отливает от лица, в ногах дрожь, туго бьется сердце. Признавшись себе, что подлинного, врожденного хладнокровия у него нет, он все же твердо решил всегда поступать так, как поступил бы на его месте человек отважный. При этом самолюбие было у него развито чрезвычайно. Коля, Лидии брат, был одних с ним лет, но худосочен и мал ростом. Мартын чувствовал, что без особого труда положил бы его на лопатки. Однако его так нервила возможность случайного поражения и с такой отвратительной яркостью он его себе представлял, что ни разу не попробовал вступить с Колей, с однолетком, в борьбу, но зато охотно принимал вызов Владимира Иваныча, двадцатилетнего корнета с мускулами как булыжники, через полгода убитого под Мелитополем, который жестоко мял его, ломал и после изнурительной возни придавливал его наконец, красного и ослабленного, к траве. А то случилось раз, что Мартын возвращался домой из Адреиза, где жила Лидина семья, ночью, летней крымской ночью, местами иссиня-черной от кипарисов, местами же бледной как мел от неживой белизны татарских стен против луны, и вдруг на повороте узкой кремнистой дороги, ведшей на шоссе, выросла перед ним фигура человека и густой голос спросил: «Кто идет?» Мартын с досадой отметил, что сердце забилось часто. «Э, да это — Умерахмет», — грозно сказал человек и слегка придвинулся сквозь рваную черную тень, скользнувшую по его лицу. «Нет, — сказал Мартын. — Пропустите, пожалуйста». — «А я говорю, что Умерахмет», — тихо, но еще грознее, повторил тот, и тут Мартын заметил при вспышке луны, что у него в руке крупный револьвер. «А ну-ка, становись к стенке», — проговорил человек, сменив угрозу на примирительную деловитость. Бледную руку с черным револьвером поглотила набежавшая тень, но точка блеска осталась на том же месте. Мартыну представлялись две возможности, — первая: добиться разъяснения, вторая: шарахнуться в темноту и бежать. «Мне кажется, вы меня принимаете за другого», — неловко выговорил он и назвал себя. «К стенке, к стенке», — дискантом крикнул человек. «Тут никакой стенки нет», — сказал Мартын. «Я подожду, пока будет», — загадочно заметил человек и, хрустнув камушками, не то опустился на корточки, не то присел, — в темноте было не разглядеть. Мартын все стоял, чувствуя как бы легкий зуд по всей левой стороне груди, куда, должно быть, метил невидимый теперь ствол. «Если двинешься, убью», — совсем тихо сказал человек и еще что-то добавил, неразборчивое. Мартын постоял, постоял, мучительно пытаясь придумать, что сделал бы на его месте безоружный смельчак, ничего не придумал и вдруг спросил: «Не хотите ли папиросу, у меня есть?» Он не знал, почему это вырвалось, ему сразу стало стыдно, особенно потому, что его предложение осталось без ответа. И тогда Мартын решил, что единственное, чем он может искупить стыдное слово, это прямо пойти на человека, повалить его, буде нужно, но пройти. Он подумал о завтрашнем пикнике, о залитых ровным рыже-золотым загаром, словно лаком, Лидиных ногах, представил себе, что, может быть, отец ждет его в эту ночь, может быть, делает кое-какие приготовления к встрече, и почувствовал к нему странную неприязнь, за которую впоследствии долго себя корил. Шумело и через одинаковые промежутки бухало море, заводным звонким стрепетом подгоняли друг друга кузнечики, а этот болван в темноте... Мартын заметил, что прикрывает ладонью сердце, и, в последний раз назвав себя трусом, резко двинулся вперед. И ничего не случилось.

Он споткнулся о ногу человека, и тот ее не убрал. Сгорбясь, опустив голову, человек сидел, тихо похрапывая, и сытно, густо несло от него винищем.

Благополучно добравшись до дому, выспавшись и выйдя утром на увитый глициниями балкон, Мартын пожалел, что не обезоружил пьяного шатуна: отнятым револьвером он бы мог загадочно похвастать. Он остался собой недоволен, оказавшись, по собственному мнению, не совсем на высоте при встрече с давно желанной опасностью. Сколько раз на большой дороге своей мечты он, в бауте и сапогах с раструбами, останавливал то дилижанс, то грузный дормез, то всадника, и дукаты купцов раздавал нищим. В бытность свою капитаном на пиратском корвете он, стоя спиной к грот-мачте, один отбивал напор бунтующего экипажа. Его посылали в дебри Африки разыскивать Ливингстона, и, найдя его наконец — в диком лесу, в безымянной области, — он к нему подходил с учтивым поклоном, щеголяя сдержанностью. Он бежал с каторги через тропические топи, он шел к полюсу мимо удивленных, торчком стоявших пингвинов, он на взмыленном коне, с шашкой наголо, первым врывался в мятежную Москву. И уже Мартын ловил себя на том, что задним числом прихорашивает нелепое и довольно плоское ночное происшествие, столь же похожее на подлинную жизнь, которой он жил в мечтах, сколь похож бессвязный сон на цельную и полновесную действительность. И как иногда бывает, что, рассказывая виденный сон, мы невольно кое-что сглаживаем, округляем, подкрашиваем, чтобы поднять его хотя бы до уровня нелепости реальной, возможной, точно так же Мартын, репетируя рассказ о ночной встрече (который, однако, оглашать он не собирался), делал встречного более трезвым, револьвер его более действенным и собственные слова — более остроумными.

V

И в следующие дни, перекидываясь с Колей футбольным мячом или выискивая с Лидой в прибрежном галечнике мелкие морские курьезы (круглый камушек в цветном пояске, маленькую, зернисто-рыжую от ржавчины подкову, отшлифованные морем бледно-зеленые осколки бутылочного стекла, напоминавшие ему раннее детство, пляж в Биаррице), Мартын дивился ночному происшествию, сомневался, было ли оно, и все прочнее продвигал его в ту область, где пускало корни и начинало жить чудесной и самостоятельной жизнью все, что он выбирал из мира на потребу души. Нарастала, закипала пеной и кругло опрокидывалась волна, стелилась, взбегая по гальке, и, не удержавшись, соскальзывала назад при глухом бормотании разбуженных камушков, и не успевала втянуться, как уже новая, с тем же круглым, веселым плеском, опрокидывалась и прозрачным пластом вытягивалась до предела, положенного ей. Коля подальше зашвыривал найденную дощечку, и фокстерьер Лэди, поднимая враз передние лапы, прыгал по воде и напряженно пускался вплавь. Его подхватывала очередная волна, мощно несла и затем в полной сохранности выкладывала на берег, и фокстерьер, уронив перед собой отобранную у моря дощечку, круто отряхивался. Лида, — купавшаяся только по утрам, спозаранку, вместе с матерью и Софьей Дмитриевной, — отходила на лево, к скалам (прозванным ею «Айвазовскими»), пока купались мальчики: Коля плавал по-татарски, кувырком, а Мартын гордился быстрым и правильным кролем, которому его научил англичанин-гувернер в последнее лето на севере. Ни тот, ни другой мальчик, впрочем, далеко не уплывал, — и одной из самых сладостных и жутких грез Мартына была темная ночь в пустом, бурном море, после крушения корабля, — ни зги не видать, и он один, поддерживающий над водой креолку, с которой накануне танцевал танго на палубе. После купания было удивительно приятно нагишом лечь на раскаленные камни и смотреть, запрокинув голову, на черные кинжалы кипарисов, глубоко вдвинутые в небо. Коля, сын ялтинского доктора, проживший всю жизнь в Крыму, принимал эти кипарисы, и восторженное небо, и дивно-синее, в ослепительных чешуйках, море как нечто должное, обиходное, и было трудно завлечь его в любимые Мартыновы игры и превратить его в мужа креолки, случайно выброшенного на тот же необитаемый остров.

Вечером поднимались узкими кипарисовыми коридорами в Адреиз, и большая нелепая дача со многими лесенками, переходами, галереями, так забавно построенная, что порой никак нельзя было установить, в каком этаже находишься, ибо, поднявшись по каким-нибудь крутым ступеням, ты вдруг оказывался не в мезонине, а на террасе сада, — уже была пронизана желтым керосиновым светом, и с главной веранды слышались голоса, звон посуды. Лида переходила в лагерь взрослых, Коля, нажравшись, сразу заваливался спать; Мартын сидел в темноте на нижних ступеньках и, поедая из ладони черешни, прислушивался к веселым освещенным голосам, к хохоту Владимира Иваныча, к Лидиной уютной болтовне, к спору между ее отцом и художником Данилевским, говорливым заикой. Гостей вообще бывало много — смешливые барышни в ярких платках, офицеры из Ялты и панические пожилые соседи, уходившие скопом в горы при зимнем нашествии красных. Было всегда неясно, кто кого привел, кто с кем дружен, но хлебосольство Лидиной матери, неприметной женщины в горжетке и в очках, не знало предела. Так появился однажды и Аркадий Петрович Зарянский, долговязый, мертвенно-бледный человек, имевший какое-то смутное отношение к сцене, один из тех несуразных людей, которые разъезжают по фронтам с мелодекламацией, устраивают спектакли накануне разгрома городка, бегут покупать погоны и никак не могут добежать, и возвращаются, радостно запыхавшись, с чудесно добытым цилиндром для последнего действия «Мечты Любви». Он был лысоват, с прекрасным, напористым профилем, но, повернувшись прямо, оказывался менее благообразным: под болотцами глаз набухали мешочки, и не хватало одного резца. Человек же он был мягкий, добродушный, чувствительный и, когда по ночам все выходили гулять, пел бархатным баритоном «Ты помнишь ли — у моря мы сидели...» или рассказывал в темноте армянский анекдот, и кто-нибудь в темноте смеялся. В первый раз встретив его, Мартын с изумлением и даже с некоторым ужасом признал в нем забулдыгу, приглашавшего его стать к стенке, но Зарянский, по-видимому, ничего не помнил, так что осталось неясным, кто такой Умерахмет. Пьяницей был Аркадий Петрович отменным и бушевал во хмелю, — но револьвер, который однажды снова возник — во время пикника на Яйле, в стрекотливую ночь, пропитанную лунным светом и мускат-люнелем, — оказался с пустым барабаном. Зарянский еще долго вскрикивал, грозил, бормотал, говоря о какой-то своей роковой любви, его покрыли шинелью, и он уснул. Лида сидела близко к костру и, подперев ладонями лицо, блестящими, пляшущими, румяно-карими от огня глазами глядела на вырывавшиеся искры. Погодя Мартын встал, разминая ноги, и, взойдя по черному муравчатому скату, подошел к краю обрыва. Сразу под ногами была широкая темная бездна, а за ней — как будто близкое, как будто приподнятое море с цареградской стезей посредине, лунной стезей, суживающейся к горизонту. Слева, во мраке, в таинственной глубине, дрожащими алмазными огнями играла Ялта. Когда же Мартын оборачивался, то видел поодаль огненное беспокойное гнездо костра, силуэты людей вокруг, чью-то руку, бросавшую сук. Стрекотали кузнечики, по временам несло сладкой хвойной гарью, — и над черной Яйлой, над шелковым морем, огромное, всепоглощающее, сизое от звезд небо было головокружительно, и Мартын вдруг опять ощутил то, что уже ощущал не раз в детстве, — невыносимый подъем всех чувств, что-то очаровательное и требовательное, присутствие такого, для чего только и стоит жить.

VI

Эта искристая стезя в море так же заманивала, как некогда тропинка в написанном лесу, — а собранные в кучу огни Ялты среди широкой черноты неведомого состава и свойства напоминали опять же кое-что, виденное в детстве: девятилетний Мартын, в одной рубашке, с похолодевшими пятками, стоял на коленках у вагонного окна; южный экспресс шел по Франции. Софья Дмитриевна, уложив сына, сидела с мужем в вагоне-ресторане, горничная мертвым сном спала на верхней койке; в узком отделении было темно, только просвечивал синий задвижной колпак лампы; качалась его кисть, потрескивало в стенках. Выйдя из-под простыни, добравшись по одеялу до окна, наполовину срезанного концом верхней койки, и подняв кожаную сторку, — для чего пришлось отстегнуть ее с кнопки, а тогда она гладко поехала вверх, — Мартын зяб, ощущал ломоту в коленках, но не мог оторваться от окна, за которым косогорами бежала ночь. И тогда-то он вдруг увидел то, что теперь вспомнил на Яйле, — горсть огней вдалеке, в подоле мрака, между двух черных холмов: огни то скрывались, то показывались опять, и потом заиграли совсем в другой стороне, и вдруг исчезли, словно их кто-то накрыл черным платком. Вскоре поезд затормозил и остановился во мраке. Стали доноситься странно бесплотные вагонные звуки, чей-то бубнящий голос, чей-то кашель, потом прошел по коридору голос матери, и, сообразив, что родители возвращаются из вагона-ресторана и по дороге в смежное отделение могут к нему заглянуть, Мартын проворно метнулся в постель. Погодя поезд двинулся, но вскоре стал окончательно, издав длинный, тихо свистящий вздох облегчения, причем по темному купэ медленно прошли бледные полосы света. Мартын снова пополз к стеклу, и был за окном освещенный дебаркадер, и с глухим стуком человек катил мимо железную тачку, а на ней был ящик с таинственной надписью «Fragile»[*]. Мошки и одна большущая бабочка кружились вокруг газового фонаря; смутно шаркали по платформе, переговариваясь на ходу о неизвестном, какие-то люди; и затем поезд лязгнул буферами и поплыл, — прошли и ушли фонари, появился и тоже прошел ярко озаренный снутри стеклянный домик с рядом рычагов, — качнуло, поезд перебрал рельсы, и все потемнело за окном, — опять бегущая ночь. И снова, откуда ни возьмись, уже не между двух холмов, а как-то гораздо ближе и осязательнее, повысыпали знакомые огни, и паровоз так томительно, так заунывно свистнул, что казалось, и ему жаль расстаться с ними. Тут сильно хлопнуло что-то, и проскочил встречный поезд, проскочил, и как будто его и не было вовсе, — опять бежала волнистая чернота, и медленно редели неуловимые огни.

Когда они навсегда закатились, Мартын укрепил сторку и лег, а проснулся очень рано, и ему показалось, что поезд идет плавнее, развязнее, словно приноровился к быстрому бегу. И когда он сторку отстегнул, то почувствовал мгновенное головокружение, ибо в другую сторону, чем накануне, бежала земля, и ранний пепельно-бледный свет ясного неба тоже был неожиданный, и совершенно были внове террасы олив по склонам.

Со станции поехали в Биарриц в наемном ландо, пыльной дорогой, окаймленной пыльной ежевикой, и так как ежевику Мартын видел впервые, а станция почему-то звалась Негритянкой, он был полон вопросов. В пятнадцать лет он сравнивал крымское море с морем в Биаррице: да, бискайские вол-

---

[*] «Хрупкое» *(фр.)*.

ны были выше, прибой сильнее, — и толстый бе-
ньер-баск в черном, всегда мокром трико («гибель-
ная профессия», — говорил отец) брал Мартына за
руку, вел его в мелкую воду, затем оба поворачивались спиной к прибою, и с грохотом налетала сзади
огромная волна, потопляя и опрокидывая весь мир.
На первой, зеркальной полосе пляжа буролицая женщина с седыми завитками на подбородке встречала
выкупавшихся, накидывала им на плечи мохнатые
простыни, а дальше, в пахнувшей смолой кабинке,
служитель помогал сдернуть липкий костюм и при-
носил шайку горячей воды, почти кипятка, куда полагалось погрузить ноги. Затем, одевшись, сидели
на пляже, — мать в большой белой шляпе, под белым нарядным зонтиком, отец тоже под зонтиком,
но мужским, изабеллового цвета; Мартын же, в за-
вороченных до паха штанишках, полосатой фуфайке
и загорелой соломенной шляпе с английской надписью на ленте вокруг тульи (Его Величества «Не-
победимый»), строил из песка крепость, окруженную
рвами. Проходил вафельник в берете, со скрежетом
вертел рукояткой красного жестяного бочонка с то-
варом, и большие, гнутые куски вафли, смешанные
с летучим песком и морской солью, остались одним
из живейших воспоминаний той поры. А за пля-
жем, на каменной променаде, заливаемой в непого-
ду волной, бойкая, немолодая, нарумяненная цве-
точница продевала гвоздику в петлицу отцовского
белого пиджака, и отец при этом смешно и добродушно смотрел на процедуру продевания, выпятив
нижнюю губу и прижав наморщенный подбородок
к отвороту. Было жалко покинуть в конце сентяб-
ря веселое море и белую виллу с корявой смоков-
ницей в саду, все не хотевшей дать хоть один зре-

лый плод. На обратном пути остановились месяца на полтора в Берлине, где по асфальтовым мостовым с треском прокатывали мальчишки на роликах, — а иногда даже взрослый с портфелем под мышкой. И были изумительные игрушечные магазины (локомотивы, туннели, виадуки), и теннис за городом, на Курфюрстендаме, и звездная ночь «Винтергартена», и поездка в сосновые леса Шарлоттенбурга свежим и ясным днем в белом электрическом таксомоторе. На границе Мартын спохватился, что забыл в вагоне вставочку со стеклышком, в котором, ежели приложить глаз, вспыхивал перламутрово-синий пейзаж, а во время обеда на вокзале (рябчики с брусникой) проводник ее принес, и отец дал ему рубль. В Вержболове было снежно, морозно, на тендере вздымалась целая гора дров, багровый русский паровоз был снабжен расчистным веером, обильный белый пар, клубясь, выливался из огромной трубы с широким развалом. Норд-Экспресс, обрусев в Вержболове, сохранил коричневую облицовку, но стал по-новому степенным, широкобоким, жарко отопленным, и не сразу давал полный ход, а долго раскачивался после остановки. В голубом коридоре было очень приятно примоститься на откидном сиденье у окна, и мимоходом погладил Мартына по голове толстый зобатый проводник в шоколадном мундире. За окном тянулись белые поля, кое-где над снегом торчали ветлы; у шлагбаума стояла женщина в валенках, с зеленым флагом в руке; мужик, соскочив с дровней, закрывал рукавицами глаза пятившейся лошаденке. А ночью было нечто особенное: мимо черного зеркального стекла пролетали тысячи искр огненным стрельчатым росчерком.

Вот с того года Мартын страстно полюбил поезда, путешествия, дальние огни, и раздирающие вопли паровозов в темноте ночи, и яркие паноптикумы мгновенных полустанков, с людьми, которых не увидишь больше никогда. Медленный отвал, скрежет рулевой цепи, нутряная дрожь канадского грузового парохода, на котором он с матерью весной девятнадцатого года покинул Крым, ненастное море и косо хлещущий дождь — не столь располагали к дорожному волнению, как экспресс, и только очень постепенно Мартын проникся этим новым очарованием. В макинтоше, в черно-белом шарфе вокруг шеи, всюду сопровождаемая, пока его не одолело море, бледным мужем, растрепанная молодая дама, дуя на волосы, щекотавшие ей лицо, расхаживала по палубе, и в ее фигуре, в летающем шарфе Мартын почуял все то драгоценное, дорожное, чем некогда его пленяли клетчатая кепка и замшевые перчатки, надеваемые отцом в вагоне, или крокодиловой кожи сумка на ремешке через плечо у девочки-француженки, с которой было так весело рыскать по длинному коридору экспресса, вправленному в летучий ландшафт. Одна только эта молодая дама выглядела примерной путешественницей, — не то что остальные люди, которых согласился взять на борт, чтобы не возвращаться порожняком, капитан этого легкомысленно зафрахтованного судна, не нашедшего в одичалом Крыму товара. Несмотря на обилие багажа, безобразного, спешно собранного, с веревками вместо ремней, было почему-то впечатление, что все эти люди уезжают налегке, случайно; формула дальних странствий не могла вместить их растерянность и уныние, — они словно бежали от смертельной опасности. Мартына как-то мало тревожило, что оно так и есть, что вон тот спекулянт с пепельным лицом и с каратами в нательном поясе, останься он на берегу, был бы и впрямь убит первым же красноармейцем, лакомым до алмазных потрохов. И берег России, отступивший в дождевую муть так сдержанно, так просто, без единого знака, который бы намекал на сверхъестественную продолжительность разлуки, Мартын проводил почти равнодушным взглядом, и только когда все исчезло в тумане, он вдруг с жадностью вспомнил Адреиз, кипарисы, добродушный дом, жители которого отвечали на удивленные вопросы неусидчивых соседей: «Да где ж нам жить, как не в Крыму?» И воспоминание о Лиде окрашено было иначе, чем тогдашние, действительные их отношения: он вспоминал, как однажды, когда она жаловалась на комариный укус и чесала покрасневшее сквозь загар место на икре, он хотел показать ей, как нужно сделать ногтем крест на вздутии от укуса, а она его ударила по кисти, ни с того ни с сего. И прощальное посещение он вспомнил, — когда они оба не знали, о чем говорить, и почему-то всё говорили о Коле, ушедшем в Ялту за покупками, и какое это было облегчение, когда он наконец пришел. Длинное, нежное лицо Лиды, в котором было что-то ланье, теперь являлось Мартыну с некоторой назойливостью. И, лежа на кушетке под тикающими часами в каюте капитана, с которым он очень подружился, или в благоговейном молчании разделяя вахту первого помощника, оспой выщербленного канадца, говорившего редко и с особенным жеванным произношением, но обдавшего сердце Мартына таинственным холодком, когда он однажды ему сообщил, что старые моряки на покое все равно никогда не садятся, внуки сидят, а дед ходит, море остается в ногах, — привыкая ко всему этому морскому новоселью, к маслянистым запахам, к качке, к разнообразным и странным сортам хлеба, из которых один был вроде просфоры, Мартын все уверял себя, что он пустился в странствие с горя, отпевает несчастную любовь, но что, глядя на его спокойное, уже обветренное лицо, никто не угадает его переживаний. Возникали таинственные, замечательные люди: был канадец, зафрахтовавший судно, угрюмый пуританин, чей макинтош висел в капитанской, безнадежно испорченной уборной, маяча прямо над доской; был второй помощник, по фамилии Паткин, еврей родом из Одессы, смутно вспоминавший сквозь американскую речь очертания русских слов; а среди матросов был один Сильвио, американский испанец, ходивший всегда босиком и носивший при себе кинжал. Капитан однажды появился с ободранной рукой, говорил сперва, что это сделала кошка, но затем Мартыну по дружбе поведал, что рассадил ее о зубы Сильвио, которого ударил за пьянство на борту. Так Мартын приобщался к морю. Сложность, архитектурность корабля, все эти ступени, и закоулки, и откидные дверцы вскоре выдали ему свои тайны, и потом уже было трудно найти закоулок, еще незнакомый. Меж тем дама в полосатом шарфе, как будто разделяя Мартынову любознательность, мелькала в самых неожиданных местах, всегда растрепанная, всегда смотрящая вдаль, и уже на второй день ее муж слег, мотался на клеенчатой лавке в кают-компании, без воротничка, а на другой лавке лежала Софья Дмитриевна, с долькой лимона в губах. По временам и Мартын чувствовал сосущую пустоту под ложечкой и какую-то общую неустойчивость, — дама же была неугомонна, и Мартын уже наметил ее объектом для спасения в случае беды. Но несмотря на бурное море, корабль благополучно достиг константинопольского рейда на холодном, молочно-пасмурном рассвете, и появился вдруг на палубе мокрый турок, и Паткин, считавший, что карантин должен быть обоюдный, кричал на него: «Я тебя утону!» — и даже грозил револьвером. Через день двинулись дальше, в Мраморное море, и ничего от Босфора в памяти у Мартына не осталось, кроме трех-четырех минаретов, похожих в тумане на фабричные трубы, да голоса дамы в макинтоше, которая сама с собой говорила вслух, глядя на пасмурный берег; прислушавшись, Мартын различил слово «аметистовый», но решил, что ошибся.

VIII

После Константинополя небо прояснилось, хотя море осталось «очень чоппи», как выражался Паткин. Софья Дмитриевна дерзнула выбраться на палубу, но тотчас вернулась в кают-компанию, говоря, что ничего нет в мире отвратительнее этого рабского падения и восхождения всех внутренностей по мере восхождения и падения корабельного носа. Муж дамы стонал, спрашивал Бога, когда это кончится, и поспешно, дрожащими руками, хватал тазок. Мартын, которого мать держала за кисть, чувствовал, что ежели он сейчас не уйдет, то стошнит и его. В это время вошла, мотнув шарфом, дама, обратилась к мужу с сочувственным вопросом, и

166

муж, молча, не открывая глаз, сделал разрезательный жест ладонью по кадыку, и тогда она задала тот же вопрос Софье Дмитриевне, которая страдальчески улыбнулась. «И вы тоже, кажется, сдали,— сказала дама, строго взглянув на Мартына, и, качнувшись, перебросив через плечо конец шарфа, вышла. Мартын последовал за ней, и ему полегчало, когда пахнул в лицо свежий ветер и открылось ярко-синее, в барашках, море. Она сидела на скрученных канатах и писала в маленькой сафьяновой книжке. Про нее на днях кто-то из пассажиров сказал, что «бабец невреден», и Мартын, вспыхнув, обернулся, но, среди нескольких унылых пожилых господ в поднятых воротниках, не разобрал нахала. И теперь, глядя на ее красные губы, которые она все облизывала, быстро виляя карандашиком по странице, он смешался, не знал, о чем говорить, и чувствовал на губах соленый вкус. Она писала и как будто не замечала его. Меж тем чистое, круглое лицо Мартына, его неполных семнадцать лет, известная ладность всего его очерка и движений — что встречается часто у русских, но сходит почему-то за «что-то английское», — вот этот самый Мартын в желтом мохнатом пальто с пояском произвел на даму некоторое впечатление.

Ей было двадцать пять лет, ее звали Аллой, она писала стихи,— три вещи, которые, казалось бы, не могут не сделать женщины пленительной. Ее любимыми поэтами были Поль Жеральди и Виктор Гофман; ее же собственные стихи, такие звучные, такие пряные, всегда обращались к мужчине на «вы» и сверкали красными, как кровь, рубинами. Одно из них недавно пользовалось чрезвычайным успехом в петербургском свете. Начиналось оно так:

На пурпуре шелков, под пологом ампирным,
Он всю меня ласкал, впиваясь ртом вампирным,
А завтра мы умрем, сгоревшие дотла,
Смешаются с песком красивые тела.

Дамы списывали его друг у дружки, его заучивали наизусть и декламировали, а один гардемарин даже написал на него музыку. Выйдя замуж в восемнадцать лет, она два года с лишним оставалась мужу верна, но мир кругом был насыщен рубиновым угаром греха, бритые, напористые мужчины назначали собственное самоубийство на семь часов вечера в четверг, на полночь в сочельник, на три часа утра под окнами,— эти даты путались, трудно было повсюду поспеть. По ней томился один из великих князей; в продолжение месяца докучал ей телефонными звонками Распутин. И она иногда говорила, что ее жизнь — только легкий дым папиросы «Режи», надушенной амброй.

Всего этого Мартын совершенно не понял. Стихами ее он был несколько озадачен. Когда он сказал, что Константинополь вовсе не аметистовый, Алла возразила, что он лишен поэтического воображения, и, по приезде в Афины, подарила ему «Песни Билитис», дешевое издание, иллюстрированное фигурами голых подростков, и читала ему вслух, выразительно произнося французские слова, под вечер, на Акрополе, на самом, так сказать, подходящем месте. В ее разговоре Мартыну главным образом нравилась влажная манера произносить букву «р», словно была не одна буква, а целая галерея, да еще с отражением в воде. И вместо всяких французских Билитис, петербургских белых, гитарных ночей, грешных сонетов в пять дактилических строф, он ухитрился найти в этой даме с трудно усваиваемым именем совсем другое, совсем другое. Знакомство, незаметно начавшееся на пароходе, продолжалось в Греции, на берегу моря, в одной из белых фалерских гостиниц. Софье Дмитриевне с сыном достался прескверный крохотный номер, — единственное окно выходило в пыльный двор, и там, на рассвете, со всякими мучительными приготовлениями, с предварительным похлопыванием крыл и другими звуками, хрипло и бодро начинал кричать молодой алектор. Мартын спал на твердой синей кушетке, кровать же Софьи Дмитриевны была узкая, шаткая, с ухабистым матрацем. Из насекомых жила в комнате только одна блоха, зато очень ловкая, прожорливая и совершенно неуловимая. Алла, которой посчастливилось устроиться в отличном номере с двумя кроватями, предложила взять Софью Дмитриевну к себе, а мужа перекинуть к Мартыну. Софья Дмитриевна, сказав несколько раз кряду: да что вы, да что вы, — охотно согласилась, и в тот же день состоялось перемещение. Черносвитов, большой, долговязый, мрачный, заполнил собой всю комнатку; его кровь, по-видимому, сразу отравила блоху, ибо она больше не появлялась; его вещи, — принадлежности для бритья, зеркальце с трещиной поперек, одеколон, кисточка, которую он всегда забывал сполоснуть и которая стояла весь день, проклеенная серой, остывшей пеной, на подоконнике; на столе, на стуле, — удручали Мартына, и особенно было тяжко по вечерам, когда, ложась спать, он принужден был очищать свою, Мартынову, кушетку от каких-то галстуков и нательных сеток. Раздеваясь, Черносвитов вяло почесывался, во все нёбо зевал; затем, поставив громадную, босую ногу на край стула и запустив пятерню в волосы, замирал в этой неудобной позе, — после чего медленно приходил опять в движение, заводил часы, ложился, долго, с кряхтением, уминал телом матрац. Через некоторое время, уже в темноте, раздавался его голос, всегда одна и та же фраза: «Главное, молодой человек, прошу вас не портить воздух». Бреясь по утрам, он неизменно говорил: «Мазь для лица „Прыщемор“. В вашем возрасте необходимо». Одеваясь, выбирая из носков предпочтительно те, в коих дырка приходилась не на пятку, а на большой палец, — залог невидимости, — он восклицал: «Эх, были когда-то и мы рысаками», и посвистывал сквозь зубы. Все это было очень однообразно и не смешно. Мартын вежливо улыбался.

Некоторым утешением, однако, служило сознание риска. В любую ночь могло случиться, что в предательском сне он отчетливо назовет полногласное имя, в любую ночь доведенный до крайности муж мог подкрасться с наточенной бритвой. Черносвитов, впрочем, употреблял безопасную бритву: с этим снарядиком он обращался так же неряшливо, как с кисточкой, и в пепельнице всегда лежал ржавый клинок с окаменевшей каемкой пены, черноватой от волосков. Его мрачность, его плоские поговорки мнились Мартыну доказательством глубокой, но сдержанной ревности. На весь день уезжая по делам в Афины, он не мог не подозревать, что его жена проводит время наедине с тем добродушным, спокойным, но видавшим виды молодым человеком, каким воображал себя Мартын.

IX

Было очень тепло, очень пыльно. В кофейнях подавали крохотную чашку со сладкой черной бурдой в придачу к огромному стакану ледяной воды. На заборах вдоль пляжа трепались афиши с именем русской певицы. Электрический поезд, шедший в Афины, наполнял праздный голубой день легким гулом, и все стихало опять. Сонные домишки Афин напоминали баварский городок. Желтые горы вдали были чудесны. На Акрополе, среди мраморного мусора, дрожали на ветру бледные маки. Прямо среди улицы, как будто невзначай, начинались рельсы, стояли вагоны дачных поездов. В садах зрели апельсины. На пустыре великолепно росло несколько колонн; одна из них упала и сломалась в трех местах. Все это желтое, мраморное, разбитое уже переходило в ведение природы. Та же судьба ожидала в будущем новую до поры до времени гостиницу, где жил Мартын.

И, стоя с Аллой на взморье, он с холодком восторга говорил себе, что находится в далеком, прекрасном краю, — какая приправа к влюбленности, какое блаженство стоять на ветру рядом со смеющейся растрепанной женщиной: яркую юбку то швырял, то прижимал ей к коленям ветер, наполнявший когда-то парус Улисса. Однажды, блуждая с Мартыном по неровным пескам, она оступилась, Мартын ее поддержал, она поглядела через плечо на высоко поднятую каблуком вверх подошву, пошла, оступилась снова, и он, наконец решившись, впился в ее полураскрытые губы и во время этого долгого, не очень ловкого объятия едва не потерял равновесия, она тоже пошатнулась, высвободилась и со смехом сказала, что он целуется слишком мокро, надо подучиться. Мартын ощущал в ногах возмутительную дрожь, сердце колотилось, он злился на себя за это волнение, напоминавшее минуту после школьной потасовки, когда товарищи восклицали: «Фу, как ты побледнел!». Но первый в его жизни поцелуй — зажмуренный, глубокий, с каким-то тонким трепыханием на дне, происхождение которого он не сразу понял, был так хорош, так щедро отвечал на предчувствия, что недовольство собой вскоре развеялось, и пустынный ветреный день прошел в повторениях и улучшениях поцелуя, а вечером Мартын был совершенно разбит, словно таскал бревна. Когда же Алла в сопровождении мужа вошла в столовую, где он и мать уже чистили апельсины, села за соседний столик, проворно развернула конус салфетки и, с легким взлетом рук, уронила ее к себе на колени, после чего придвинулась со стулом, — Мартын медленно запунцовел и долго не решался встретиться с нею глазами, а когда наконец встретился, то в ее взгляде не нашел ответного смущения.

Жадное, необузданное воображение Мартына не могло бы ладить с целомудрием. Мартын не совсем был чист. Мысли, кои зовутся «дурными», донимали его в течение последних двух-трех лет, и он им не очень противился. Вначале они жили отдельно от его ранней влюбчивости. Когда, в памятную петербургскую зиму, он, после домашнего спектакля, накрашенный, с подведенными бровями, в белой косоворотке, заперся в чулане вдвоем с однолеткой-кузиной, тоже накрашенной, в платочке до бровей, и смотрел на нее, жал ей сырые ладошки, Мартын живо чувствовал романтичность своего поведения, но возбужден им не был. Майн-Ридов герой, Морис Джеральд, остановив коня бок о бок с конем Луизы, обнял белокурую креолку за гибкий стан, и автор от себя восклицал: «Что может сравниться с таким лобзанием?» Подобные вещи уже куда больше волновали Мартына. И вообще — все несколько отдаленное, заповедное, достаточно расплывчатое, чтобы дать мечте работу по выяснению подробностей, — будь то портрет леди Гамильтон или бормотание пучеглазого однокашника о развратных домах, — особенно поражало его воображение. Теперь же туман редел, видимость улучшалась. Слишком поглощенный этим, он пренебрегал подлинными словами Аллы: «Я останусь для тебя сказкой. Я безумно чувственная. Ты меня никогда не забудешь, как, знаешь, забывают какой-нибудь прочитанный старый роман. И не надо, не надо рассказывать обо мне твоим будущим любовницам».

Софья же Дмитриевна была довольна и недовольна зараз. Когда ей кто-нибудь из знакомых ужимчиво докладывал: «А мы сегодня гуляли и видели, видели... шел с поэтессой под ручку, да-да, очень нежно... Совсем погиб ваш мальчик», — Софья Дмитриевна отвечала, что все это вполне натурально, такой уж возраст. Она гордилась ранним проявлением у Мартына мужественных страстей, однако скрыть от себя не могла, что Алла хоть милая, приветливая женщина, да уж слишком «скорая», как выражаются англичане, и, прощая сыну его ослепление, она не прощала Алле ее привлекательной вульгарности. К счастью, пребывание в Греции подходило к концу, — на днях должен был прийти из Швейцарии от Генриха Эдельвейса, двоюродного брата мужа, ответ на очень откровенное, с трудом написанное письмо — о смерти мужа, об иссякании средств. В свое время Генрих Эдельвейс посещал их в России, был с нею и с мужем дружен, любил племянника и всегда слыл честным и широким человеком. «Ты не помнишь, Мартын, когда последний раз у нас был дядя Генрих? Во всяком случае, до, — правда?» Это «до», всегда лишенное существительного, значило до размолвки, до разлуки с мужем, и Мартын тоже говорил: «до» или «после», ничего не уточняя. «Кажется, после», — ответил он, припомнив, как дядя Генрих явился на дачу, долго сидел у Софьи Дмитриевны и потом вышел с красными глазами, так как отличался слезоточивым нравом и плакал даже в кинематографе. «Конечно, какая я дура», — быстро сказала Софья Дмитриевна, вдруг восстановив его приезд, разговор о муже, увещевания, что надо помириться. «И ты его хорошо помнишь, правда? Он тебе всякий раз привозил что-нибудь». — «Последний раз комнатный телефон», — сказал Мартын и поморщился: телефон проводить было неинтересно, а когда его кто-то наконец провел из детской к матери в спальню, он действовал плохо, а через день и вовсе сдал, после чего был заброшен — вместе с другими, прежними, дядиными подарками, как, например, «Швейцарский Робинзон», прескучный после Робинзона настоящего, или маленькие товарные вагоны из жести, вызвавшие тайные слезы разочарования, так как Мартын любил только пассажирские. «Чего ты морщишься?» — спросила Софья Дмитриевна. Он объяснил, и она рассмеялась, сказала: «Правда, правда» — и задумалась о детстве Мартына, о вещах невозвратимых, неизъяснимых, в этой думе была щемящая прелесть, — и как все проходит, — Боже мой, — усы растут, ногти чистые, этот сиреневый галстучек, эта женщина... «Эта женщина очень, конечно, милая, — сказала Софья Дмитриевна, — но ты не думаешь, что она чуть-чуть слишком разбитная? Нельзя так терять голову. Скажи мне, — впрочем, нет, я не хочу

174

ничего спрашивать... Только вот, говорят, что она в Петербурге была страшная flirt*. И неужели тебе нравятся ее стихи? Этот дамский демонизм? Она так аффектированно читает. Неужели у вас дошло — ну, я не знаю, — до пожимания рук, что ли?» Мартын загадочно улыбнулся. «Наверно, ничего между вами и нет, — лукаво сказала Софья Дмитриевна, любуясь играющими, тоже лукавыми глазами сына. — Я уверена, что ничего нет. Ты еще не дорос». Мартын рассмеялся, она привлекла его и сочно, жадно поцеловала в щеку. Все это происходило у садового столика, на площадке перед гостиницей, рано утром, — и день обещал быть восхитительным, безоблачное небо было еще подернуто дымкой, как бывает покрыта листом папиросной бумаги необыкновенно яркая, глянцевитая картина на заглавной странице дорогого издания сказок. Мартын осторожно этот полупрозрачный лист отворачивал, и вот, по белым ступеням лестницы, чуть играя низкими бедрами, в ярко-синей юбке, по которой шло правильное волнистое колебание, по мере того как с рассчитанною неторопливостью то одна нога, то другая, вытянув лаковый носок, ступала вниз, — мерно раскачивая парчовой сумкой и уже улыбаясь, спускалась, на прямой пробор причесанная, ясноглазая, тонкошеяя женщина с крупными, черными серьгами, которые колебались тоже. Он встречал ее, целовал ей руку, отступал, и она, смеясь и музыкально картавя, здоровалась с Софьей Дмитриевной, которая сидела в плетеном кресле и курила толстую английскую папиросу, первую после утреннего кофе. «Вы так красиво спали, Алла Петровна, что я не хотела

---

* Кокетка *(англ.)*.

вас будить», — говорила Софья Дмитриевна, держа на отлете длинный эмалевый мундштук и почему-то посматривая искоса на Мартына, который уже сидел на балюстраде и качал ногами. Алла, захлебываясь, принималась рассказывать, какие она видела ночью сны, — замечательные мраморные сны с древнегреческими жрецами, в способности сниться которых Софья Дмитриевна сильно сомневалась. И сыро блестел свежеполитый гравий.

Любопытство Мартына росло. Блуждания по пляжу, поцелуи, которые всякий мог подсмотреть, начинали казаться слишком растянутым предисловием; зато и желанная суть вызывала беспокойство: некоторые подробности Мартын представить себе не мог и боялся своей неопытности. Незабвенный день, когда Алла сказала, что она не деревянная, что так к ней прикасаться нельзя и что после обеда, когда муж будет прочно в городе, а Софья Дмитриевна закейфует у себя в комнате, она зайдет к Мартыну в номер, чтобы показать ему чьи-то стихи, этот день был как раз тот, который открылся разговором о дяде Генрихе и комнатном телефоне. Когда, уже в Швейцарии, дядя Генрих подарил Мартыну на рождение черную статуэтку (футболист, ведущий мяч), Мартын не мог понять, почему в то самое мгновение, как дядя поставил на стол эту ненужную вещь, ему представилось с потрясающей яркостью далекое, нежное фалерское утро и Алла, сходящая по лестнице. Сразу после обеда он пошел к себе и принялся ждать. Мыльную кисточку Черносвитова он спрятал за зеркало, — она почему-то мешала. Со двора доносился звон ведер, плеск воды, гортанная речь. На окне мягко набухала желтая занавеска, и солнечное пятно ширилось на полу.

Мухи описывали не круги, а какие-то параллелепипеды и трапеции вокруг штанги лампы, изредка на нее садясь. Мартын волновался нестерпимо. Он снял пиджак и воротник, лег навзничь на кушетку, слушал, как бухает сердце. Когда раздались быстрые шаги и стук в дверь, у него что-то сорвалось под ложечкой. «Видишь, целая пачка», — сказала Алла воровским шепотом, но Мартыну было не до стихов. «Какой дикий, Боже мой, какой дикий», — глухо приговаривала она, незаметно ему помогая. Мартын торопился, настигал счастье, настиг, и она, покрывая ему рот ладонью, бормотала: «Тише, тише... соседи...»

«Это, по крайней мере, вещица, которая останется у тебя навсегда, — ясным голосом сказал дядя Генрих и слегка откинулся, откровенно любуясь статуэткой. — В семнадцать лет человек уже должен думать об украшении своего будущего кабинета, и раз ты любишь английские игры...» — «Прелесть», — сказал Мартын, не желая дядю обидеть, и потрогал неподвижный шар у носка футболиста.

Дом был деревянный, кругом росли густые ели, туман скрывал горы; жаркая желтая Греция осталась действительно очень далеко. Но как живо еще было ощущение того гордого, праздничного дня: у меня есть любовница! Какой заговорщический вид был потом вечером у синей кушетки! Ложась спать, Черносвитов все так же скреб лопатки, принимал усталые позы, потом скрипел в темноте, просил не тяжелить воздуха, наконец храпел, посвистывая носом, и Мартын думал: ах, если бы он знал... И вот однажды, когда мужу полагалось быть в городе, а в его и Мартыновой комнате, на кушетке, Алла уже поправляла платье, успев «заглянуть в рай», как она выражалась, меж тем как Мартын, вспотевший и растрепанный, искал запонку, оброненную в том же раю, — вдруг, сильно толкнув дверь, вошел Черносвитов и сказал: «Ишь ты где, матушка. Я, конечно, забыл захватить с собой письмо Спиридонова. Хорошенькое было бы дело». Алла провела ладонью по смятой юбке и спросила, наморщив лоб: «А он уже дал свою подпись?» — «Этот старый скот Бернштейн все воду возит, — сказал Черносвитов, роясь в чемодане. — Если они желают задерживать деньги, то пусть сами, скоты, выкручиваются». — «Главное, — сказала Алла, — не забудь об отсрочке. Ну что, нашел?» — «На катере к чортовой матери, — бормотал Черносвитов, перебирая какие-то конверты. — Оно должно быть. Не могло же оно запропаститься, в самом деле». — «Если оно пропало, тогда вообще все пошло прахом», — сказала она недовольно. «Тянут, тянут, — бормотал Черносвитов, — вот и возись с ними. Опупеть можно. Я буду очень рад, если Спиридонов откажется». — «Да ты не волнуйся так, найдется», — сказала Алла, но, видимо, и сама была встревожена. «Есть, слава Тебе, Господи!» — воскликнул Черносвитов и скользнул глазами по найденному листку, причем от внимания челюсть у него отвисла. «Не забудь сказать об отсрочке», — напомнила ему Алла. «Добже», — сказал Черносвитов и поспешно вышел.

Этот деловой разговор привел Мартына в некоторое недоумение. Ни муж, ни жена не притворялись, — они действительно совершенно забыли о его присутствии, погрузившись в свои заботы. Алла, однако, сразу вернулась к прежнему настроению, посмеялась, что в Греции такие скверные дверные задвижки — сами выскакивают, — а на тревожный вопрос

Мартына пожала плечами: «Ах, я уверяю тебя, он ничего не заметил». Ночью Мартын долго не мог уснуть и все с тем же недоумением прислушивался к самодовольному храпу. Когда, через три дня, он с матерью отплывал в Марсель, Черносвитовы приехали провожать в Пирей: они стояли на пристани, держась под руку, и Алла улыбалась и махала мимозовой веткой. Накануне, впрочем, она всплакнула.

X

На нее, на эту заглавную картинку, оказавшуюся после снятия полупрозрачного листка грубоватой, подчеркнуто яркой, Мартын снова опустил дымку, сквозь которую краски приобретали таинственную прелесть.

И на большом трансатлантическом пароходе, где все было чисто, отшлифованно, просторно, где был магазин туалетных вещей, и выставка картин, и аптека, и парикмахерская, и где по вечерам танцовали на палубе тустэп и фокстрот, — он с восторженной грустью думал о той милой женщине, о ее нежной, слегка впалой груди и ясных глазах, и о том, как непрочно похрустывала она в его объятиях, приговаривая: «Ай, сломаешь». Меж тем близка была Африка, на горизонте с севера появилась лиловая черта Сицилии, а затем пароход скользнул между Корсикой и Сардинией, и все эти узоры знойной суши, которая была где-то кругом, где-то близко, но проходила невидимкой, пленяли Мартына своим бесплотным присутствием. А по пути из Марселя в Швейцарию он как будто узнал любимые ночные огни на холмах, — и хотя это не был уже train de luxe*, а простой курьерский поезд, тряский, темный, грязный от угольной пыли, волшебство было тут как тут: эти огни и вопли во мраке... По дороге, в автомобиле, между Лозанной и дядиным домом, расположенным повыше в горах, Мартын, сидя рядом с шофером, изредка с улыбкой поворачивался к матери и дяде, которые оба были в больших автомобильных очках и одинаково держали на животах руки. Генрих Эдельвейс остался холост, носил толстые усы, и некоторые его интонации да манера возиться с зубочисткой или ковырялкой для ногтей напоминали Мартыну отца. При встрече с Софьей Дмитриевной на вокзале в Лозанне дядя Генрих разрыдался, рукой прикрыл лицо, но погодя, в ресторане, успокоился и на своем пышноватом французском языке заговорил о России, о своих прежних поездках туда. «Как хорошо, — сказал он Софье Дмитриевне, — как хорошо, что твои родители не дожили до этой страшной революции. Я помню превосходно старую княгиню, ее белые волосы... Как она любила бедного, бедного Сержа», — и при воспоминании о двоюродном брате у Генриха Эдельвейса опять налились глаза голубой слезой. «Да, моя мать его любила, это правда, — сказала Софья Дмитриевна, — но она вообще всех и все любила. А ты мне скажи, как ты находишь Мартына», — быстро продолжала она, пытаясь отвлечь Генриха от печальных тем, принимавших в его пушистых устах оттенок нестерпимой сентиментальности. «Похож, похож, — закивал Генрих. — Тот же большой лоб, прекрасные зубы...» — «Но правда он возмужал? — поспешно перебила Софья Дмитриевна. — И знаешь,

_____

* Поезд высшего класса (фр.).

180

у него уже были увлечения, страсти». Дядя Генрих перешел на политические темы. «Эта революция, — спросил он риторически, — как долго она может длиться? Да, этого никто не знает. Бедная и прекрасная Россия гибнет. Может быть, твердая рука диктатора положит конец эксцессам. Но многие прекрасные вещи, ваши земли, ваши опустошенные земли, ваш деревенский дом, сожженный сволочью, — всему этому следует сказать прощай». — «Сколько сто́ят лыжи?» — спросил Мартын. «Не знаю, — со вздохом ответил дядя Генрих. — Я никогда не развлекался этим английским спортом. И у тебя английский акцент. Это дурно. Мы переменим все это». — «Он многое перезабыл, — вступилась за сына Софья Дмитриевна. — Последние годы Mlle Planche уже не давала уроков». — «Умерла, — с чувством сказал дядя Генрих. — Еще одна смерть». — «Да нет, — улыбнулась Софья Дмитриевна. — Откуда ты взял? Она вышла замуж за финна и спокойно живет в Выборге». — «Во всяком случае, все это очень грустно, — сказал дядя Генрих. — Я так желал, чтобы когда-нибудь Серж с вами приехал сюда. Но никогда не имеешь того, о чем мечтаешь, и Бог один знает судьбу людей. Если вы утолили голод и наверное больше ничего не хотите, можем отправиться в путь».

Дорога была светлая, излучистая; справа поднималась скалистая стена с цветущими колючими кустами в трещинах, слева был обрыв, долина, где серповидной пеной, уступами, бежала вода; затем появились черные ели, они стояли тесным строем то на одном склоне, то на другом; окрест, незаметно передвигаясь, высились зеленоватые, в снеговых проплешинах, горы, из-за плеч этих гор смотрели другие, посерее, а совсем вдалеке поднимались горы лиловатой гуашевой белизны, и эти были совершенно неподвижны, и небо над ними словно выцвело по сравнению с ярко-синими просветами между верхушками черных елей, под которыми катился автомобиль. Вдруг, с непривычным еще чувством, Мартын вспомнил густую еловую опушку русского парка сквозь синее ромбовидное стекло на веранде, — а когда, разминая слегка звенящие ноги, с прозрачным гудом в голове, он вышел из автомобиля, его поразил запах земли и тающего снега, шероховатый свежий запах, и еловая красота дядиного дома. Стоял он особняком в полуверсте от деревни, и с верхнего балкона был один из тех дивных видов, которые прямо пугают своим воздушным совершенством, а в чистенькой уборной, где пахло смолой, густо синело в оконце опять это весеннее дачное небо, и кругом, в саду с голыми черными клумбами и цветущими яблонями в глубине, в еловом бору, сразу за садом, и на мягкой дороге, ведущей в деревню, была прохладная, веселая, что-то знающая тишина, и голова слегка кружилась, не то от этой тишины, не то от запахов, не то от новой, блаженной косности после трехчасовой езды.

В этом доме Мартын прожил до поздней осени. Предполагалось, что зимой он поступит в Женевский университет; однако, после живой переписки с друзьями в Англии, Софья Дмитриевна определила его в Кембридж. Дядя Генрих не сразу с этим примирился, — он англичан недолюбливал, холодный коварный народ. Зато мысль об издержках, которых потребует знаменитый университет, не только его не огорчала, а, напротив, была соблазнительна. Любя экономить по мелочам, в левой руке зажимая грош, он правой охотно выписывал крупные чеки, —

особенно когда расход являлся почетным. Иногда он трогательно играл самодура, хряпал ладонью по столу, раздувал ус и кричал: «Если я это делаю, то потому, что мне приятно!» И Софья Дмитриевна со вздохом натягивала на кисть новые часики-браслет из Женевы, а Генрих, размякнув, лез в карман, вытягивал объемистый платок с голубой каемкой, встряхивал его и, скрывая набежавшие слезы, трубил раз, трубил два, затем приглаживал усы — вправо и влево.

С наступлением лета погнали крестами меченных овец еще выше в горы. Неизвестно откуда, с какой стороны, начинал доноситься журчащий металлический звон, плыл, обволакивал, вызывал у слушателя странную щекотку во рту, и вот, в облаке пыли, серой, курчавой густыней, лились, мягко толкаясь, овечьи спины в переменчивой и подвижной тесноте, и влажный, полый, услаждающий все чувства звон колокольцев все рос, наливался, так таинственно, словно звучала самая пыль, клубящаяся над овцами; порою одна выбивалась из стада, пробегала трусцой, и лохматая собака молча ее оттесняла в стадо, и сзади шел, мягко ступая, пастух, — и звон колокольцев чуть менялся в тембре, становился опять глуше, тише, но долго еще стоял в воздухе, вместе с летучей пылью. «Ах, как славно», — шептал про себя Мартын, дослушав звон до конца, и продолжал путь, любимую свою прогулку, начинавшуюся деревенской дорогой и тропинками в еловой глуши. Бор внезапно редел, появлялись крутые сочные луга, каменистая стежка спускалась между живых изгородей; иногда навстречу поднималась корова с мокрой розовой мордой, останавливалась, похлестывая хвостом, и, качнув головой вбок, проходила, и следом за ней шла проворная старушка с дубинкой и кидала на Мартына недоброжелательный взгляд. А ниже, за тополями и кленами, белела большая гостиница, хозяин которой был в отдаленном родстве с Эдельвейсом.

За это лето Мартын еще больше окреп, увеличился размах плеч, и голос приобрел ровный и низкий звук. Меж тем на душе у него было сумбурно, и чувство, не совсем понятное, возбуждали такие вещи, как дачная прохлада в комнатах, столь отчетливая после наружной жары, толстый шмель, с обиженным жудом стучащий по потолку, еловые лапы на синеве неба или крепкий коричневый боровик, найденный на опушке. Будущая поездка в Англию волновала и радовала его. Воспоминание об Алле Черносвитовой достигло окончательного совершенства, и он себе говорил, что недостаточно ценил фалерское счастье. Жажда, которую та, утоляя, только обострила, так мучила его в эти горные летние дни, что по ночам он долго не мог забыться, представляя себе, среди многих приключений, всех тех женщин, которые ждут его в светающих городах, и, случалось, повторял вслух какое-нибудь женское имя — Изабелла, Нина, Маргарита, — еще холодное, нежилое имя, пустой гулкий дом, куда медлит вселиться хозяйка, — и гадал, какое из этих имен станет вдруг живым, столь живым и естественным, что уже никогда нельзя будет произнести его так таинственно, как сейчас. А по утрам приходила из деревни пособлять старой горничной племянница ее Мария, семнадцатилетняя девочка, очень тихая и миловидная, с темно-розовыми щеками и туго закрученными вокруг головы желтыми косами. Бывало так, что Мартын в саду, а она вдруг распахивает верхнее окошко и, отряхнув тряпку, замирает, глядя, быть может, на овальные тени облаков, скользящие по склонам гор; затем проводит тылом руки по виску и медленно отворачивается. Мартын поднимался в комнаты, определял по сквознякам, где происходит уборка, и среди блеска мокрых половиц Мария, задумавшись, стояла на коленях: он видел ее со спины, ее черные шерстяные чулки и зеленое, в горошинку, платье. Она никогда не смотрела на Мартына, только раз — и это было событие, — проходя мимо с пустым ведром, неопределенно и нежно улыбнулась, однако не ему, а цыплятам. Он упорно давал себе обет заговорить с ней, да потихоньку обнять, но однажды, после ее ухода, Софья Дмитриевна потянула носом, поморщилась и поспешно открыла все окна, — и Мартын проникся к Марии досадливым отвращением и только очень постепенно, по мере ее следующих далеких появлений — в раскрывшемся окне или в просвете листвы близ колодца, — опять начал поддаваться очарованию, но уже боялся приблизиться. Так что-то счастливое, томное его издалека заманивало, но было обращено не к нему. Как-то раз, забравшись высоко в горы, он сел с ногами на большой лобатый камень, и снизу, вьющейся тропой, прошло стадо, музыкально и грустно булькая, а затем двое, оборванный, веселый мужчина и девушка, которая, все посмеиваясь, вязала на ходу чулок. Они прошли, не взглянув на Мартына, словно был он бесплотен, и он долго следил за ними: мужчина, не меняя шага, перекинул руку через плечо спутницы, и по ее затылку видно было, что она все вяжет, вяжет, неторопливо спускаясь в другую долину. А не то около теннисной площадки перед гостиницей появлялись, крича, белеясь платьями и отмахиваясь ракетами от оводов, барышни с голыми руками, но, как только они начинали играть — какая топорность, какая беспомощность, — тем более что сам Мартын играл превосходно, разбивал в лоск любого молодого аргентинца из гостиницы, ибо сызмала усвоил лад, необходимый для наслаждения природой шара, согласованность всех членов, так что каждый удар по белому мячу, начинаясь с дугового налета, еще длится после звучной вспышки ракетных струн, проходя по мышцам руки до самого плеча, как бы замыкая плавный круг, из которого так же плавно родится следующий. В жаркий августовский день возник на площадке профессиональный игрок, Боб Китсон из Ниццы, и предложил Мартыну партию. Знакомая глупая дрожь — отместка слишком живого воображения. Все же Мартын начал хорошо, то прихлопывая мяч на излет у самой сетки, то с задней черты мощно лупя в отдаленнейший угол. Кругом стояли и смотрели, — это было приятно. Горело лицо, и до безумия хотелось пить. Подавая, обрушиваясь на мяч и сразу превращая наклон тела в быстрый пробег к сетке, Мартын собирался взять решительную игру. Но профессионал, долговязый, хладнокровный юноша в очках, игравший точно с ленцой, вдруг проснулся и пятью молниевидными ударами сравнял положение. Мартын почувствовал усталость и беспокойство. Солнце — в глаза. Вылезает из-под пояса рубашка. Если Китсон возьмет этот пункт — все кончено. Тот, из неудобного угла, дал свечку, и Мартын, отбегая кэк-уоком, приготовился мяч убить. Пока он низвергал ракету, ему мгновенно померещился проигрыш, злорадство обычных его партнеров. Увы, мяч тупо плюхнул в сетку. «Не повезло», — бодро сказал Китсон, и Мартын ослабился, героически преодолевая досаду.

XII *

Возвращаясь домой, он переигрывал в уме все удары, обращал поражение в победу и качал головой: трудно, трудно изловить счастье. Скрытые листвой, журчали ручьи, с мокрых мест на дороге вспархивали голубые бабочки, в кустах возились птицы, — все было до грусти солнечно и беспечно. Вечером, после обеда, сидели, как всегда, в гостиной, дверь была широко открыта на террасу, и, так как испортилось электричество, горели в канделябрах свечи: изредка пламя их наклонялось, и тогда из-под всех кресел вытягивались черные тени. Мартын, копая в носу, читал томик Мопассана со старомодными иллюстрациями: Бель-Ами, усатый, в стоячем воротничке, обнажающий с ловкостью камеристки стыдливую, широкобедрую женщину. Дядя Генрих, отложив газету и подбоченясь, смотрел на карты, которые раскладывала на ломберном столе Софья Дмитриевна. В окна и в дверь напирала с террасы теплая, черная ночь. Подняв голову, Мартын вдруг настораживался, словно был какой-то смутный призыв в этой гармонии ночи и свеч. «Последний раз он у меня вышел в России, — проговорила Софья Дмитриевна. — Он вообще выходит очень редко». Расставя пальцы, она собрала рассыпанные по столу карты и принялась их вновь тасовать. Дядя Генрих вздохнул.

---

* В романе нарушена нумерация глав — глава XI отсутствует.

Наскуча книгой, Мартын потянулся и вышел на террасу. Было очень темно, пахло сыростью и ночными цветами. Сорвалась звезда, и, конечно, как это обычно бывает, — не совсем в поле зрения, а сбоку, так что глаз уловил лишь трепет, мгновенную, беззвучную перемену в небе. Очертания гор были неразборчивы, и в складках мрака дрожало там и сям по два, по три огонька. «Путешествие», — вполголоса произнес Мартын, и долго повторял это слово, пока из него не выжал всякий смысл, и тогда он отложил длинную, пушистую словесную шкурку, и глядь — через минуту слово было опять живое. «Звезда. Туман. Бархат, бархат», — отчетливо произносил он и все удивлялся, как непрочно смысл держится в слове. И в какую даль этот человек забрался, какие уже перевидал страны, и что он делает тут, ночью, в горах, — и отчего все в мире так странно, так волнительно. «Волнительно», — повторил громко Мартын и остался словом доволен. Опять покатилась звезда. Он уставился глазами в небо, как некогда, когда в коляске, темной лесной дорогой, возвращались восвояси из имения соседа, и совсем маленький, размаянный, готовый вот-вот уснуть, Мартын откидывал голову, смотрел на небесную реку между древесных клубьев, по которой тихо плыл. Он подумал: где еще в жизни будет так — как тогда, как сейчас — смотреть на ночное небо, — на какой пристани, на какой станции, на каких площадях? Чувство богатого одиночества, которое он часто испытывал среди толпы, блаженное чувство, когда себе говоришь: «Вот, никто из этих людей, занятых своим делом, не знает, кто я, откуда, о чем сейчас думаю», — это чувство было необходимо для полного счастья, и Мартын с замиранием, с восторгом себе представлял, как — совершенно один, в чужом городе, в Лондоне, скажем, — будет бродить ночью по неизвестным улицам. Он видел черные кэбы, хлюпающие в тумане, полицейского в черном блестящем плаще, огни на Темзе, — и другие образы из английских книг. Оставив багаж на вокзале, он шел мимо бесчисленных освещенных Дрюсов и, волнуясь, искал Изабеллу, Нину, Маргариту, кого-нибудь, чьим именем назвать эту ночь. А она, — за кого она его примет? За художника, за моряка, за джентльмена-взломщика? От денег она откажется, будет нежна, поутру не захочет отпустить. Но как улицы туманны, как многолюдны, как трудно найти... И хотя многое выглядело иначе, хотя кэбы уже повымерли, кое-что он все же узнал, когда осенним вечером вышел налегке с вокзала Виктории, узнал темный, маслянистый воздух, мокрый плащ полицейского, отблески, шлепающие звуки. На вокзале он отлично вымылся под душем в веселенькой чистой каморке, вытерся теплым, мохнатым полотенцем, которое принес краснощекий служитель, надел чистое белье, лучший костюм, оставил оба чемодана на хранении и теперь был горд, что так толково устроился. Он едва чувствовал дорожную усталость: была только звонкость, волнение. Громадные автобусы яростно и тяжело разбрызгивали озера на асфальте; световые рекламы взбегали и рассыпались по фронтонам багровых домов. Он встречал, обгонял женщин, оборачивался, — но чем красивее было лицо, тем труднее было решиться. Светлых, привлекательных кафе, как в Афинах или в Лозанне, тут не было, а в баре, где он выпил стакан пива, оказались одни мужчины, воспаленные, лупоглазые, с красными жилками на белках. Мало-помалу им овладевало смутное раздражение: русская семья, у которой по письменному сговору он должен был на неделю остановиться, вот сейчас ждет его, беспокоится. Он подумал, не сесть ли спокойно в таксомотор, не отказаться ли от этой ночи. Но тут же ему стало стыдно его недоверчивости к ней, — как напряженно он о ней мечтал нынче на рассвете, глядя в окно поезда на равнины, на розовое холодное небо, на черный силуэт ветряной мельницы. «Малодушие и предательство», — тихо сказал Мартын. Он заметил, что во второй раз проходит той же улицей, узнал ее по витрине, полной жемчужных ожерелий. Он стал и мельком проверил давнее свое отвращение к жемчугам: устричные геморроиды, круглявые, с нездоровым отливом. Рядом с ним остановилась женщина под зонтиком. Мартын искоса посмотрел: худенькая, черный костюм, сияющая булавка в шляпе. Она повернула лицо, улыбнулась и, выпучив губы, издала маленький звук вроде удлиненного «у». Мартын увидел, как в ее глазах бегут огни, переливы, блеск дождя, и хриплым шепотом пожелал ей доброго вечера.

Как только они оказались в темноте таксомотора, он обнял ее, шалея от ощущения ее гибкой худобы. Она закрывалась руками и хохотала. Потом, в номере, когда он неловко вынул бумажник, она сказала: «Нет, нет, если хотите, завтра поведете меня обедать в шикарное место». Она спросила, кто он, не француз ли, и стала по его просьбе гадать: бельгиец? датчанин? голландец? И не поверила, когда он сказал: русский. Далее он намекнул ей, что зарабатывает [на] жизнь карточной игрой на больших пароходах, поведал ей о своих странствиях, кое-что расцветил, кое-что прибавил и, описывая никогда им не виданный Неаполь, глядел с любовью на ее голые детские плечи, на стриженую русую голову, и был совершенно счастлив. Рано утром, пока он мирно спал, она быстро оделась и ушла, выкрав из его бумажника десять фунтов. «Утро после дебоша», — с улыбкой подумал Мартын, захлопнув бумажник, который поднял с полу. Он облился из кувшина, устроив потоп, и все улыбался, вспоминая прелестную ночь. Было немного жалко, что она так глупо ушла, что больше никогда он ее не встретит. А звали ее Бэсс. Когда же он вышел из гостиницы и пошел по утренним просторным улицам, то ему хотелось прыгать и петь от счастья, и, чтобы как-нибудь облегчить душу, он взобрался на лесенку, прислоненную к фонарю, из-за чего имел долгое и смешное объяснение с пожилым прохожим, грозившим снизу тростью.

XIII

Второй нагоняй он получил от Зилановой, Ольги Павловны. Накануне она прождала его до позднего вечера и, так как полагала почему-то, что Мартын и моложе и беспомощнее, чем оказался на самом деле, разволновалась, не знала, что предпринять. Он объяснил, что вчера хватился адреса, а нашел его только сегодня в мало посещаемом карманчике, и что ночевал в гостинице у вокзала. Ольга Павловна захотела узнать, почему он не позвонил по телефону и как называется гостиница. Мартын придумал хорошее, незаурядное название: Гуд-Найт Отель, — и объяснил, что искал в телефонной книжке номер, но не нашел. «Эх, вы», — недовольно сказала Зиланова и вдруг улыбнулась изумительно прекрасной улыбкой, совершенно преобразившей ее дряблое, унылое лицо. Мартын помнил эту улыбку еще по Петербургу, и так как он был тогда дитя, а говоря с чужими детьми, женщины обычно улыбаются, его память сохранила Зиланову с сияющим лицом, и он напервых был озадачен, найдя ее такой старой и хмурой.

Ее муж, известный общественный деятель, был временно в отъезде, и Мартына поместили в его кабинете. Кабинет и столовая находились в первом этаже, гостиная во втором, спальни в третьем. Из таких узкофасадных домов, друг от друга неотличимых и с одинаковым расположением комнат по вертикали, состояла вся эта тихая, неторговая улица, оживленная красной почтовой тумбищей на углу. Позади правого ряда домов были палисадники, где летом цвели рододендроны, а за левым рядом желтел и облетал сквер с большими ильмами и с муравчатой площадкой для тенниса.

Старшая дочь Зиланова, Нелли, недавно вышла замуж за русского офицера, попавшего в Англию из немецкого плена. Младшая, Соня, кончала в Лондоне среднюю школу, куда неожиданно перешла из пятого класса Стоюнинской гимназии. Существовала еще сестра Зилановой, Елена Павловна, и ее дочка Ирина, несчастное безобразное существо — полуидиотка.

Неделя, которую Мартын, примериваясь к Англии, прожил в этом доме, показалась ему довольно тягостной. День-деньской он был среди чужих, его не отпускали ни на шаг. Соня донимала его тем, что высмеивала его гардероб, сорочки с крахмальными манжетами и твердоватой грудью, любимые ярко-лиловые носки, оранжевые башмаки с шишковатыми носами, купленные в Афинах. «Это американские», — с нарочитым спокойствием сказал Мартын. «Американцы их специально делают, чтобы продавать неграм да русским», — бойко возразила Соня. Далее оказалось, что Мартын не привез халата, и когда он по утрам шел в ванную, гордо закутанный в простыню, Соня говорила, что это ей напоминает ее двоюродных братьев и товарищей их, лицеистов, которые, гостя на даче, спали нагишом, ходили по утрам в простынях и гадили в саду. Кончилось тем, что Мартын накупил в Лондоне столько вещей, что десяти фунтов не хватило, и пришлось писать дяде, а это было особенно неприятно ввиду туманных объяснений, которых потребовало исчезновение других десяти фунтов. Да, тяжелая, неудачная неделя. Ведь и английское произношение, которым Мартын тихо гордился, тоже послужило поводом для изысканно насмешливых поправок. Так, совершенно неожиданно, Мартын попал в неучи, в недоросли, в маменькины сынки. Он считал, что это несправедливо, что он в тысячу раз больше перечувствовал и испытал, чем барышня в шестнадцать лет. И с некоторым злорадством он расколошматил на теннисе каких-то ее молодых людей, а вечером накануне отъезда превосходно танцовал под гавайский плач граммофона тустэп, которому научился еще в Средиземном море.

В Кембридже он и подавно почувствовал себя иностранцем. Встречаясь с англичанами-студентами, он, дивясь, отмечал свое несомненное русское нутро. От полуанглийского детства у него остались только такие вещи, которые у коренных англичан, его сверстников, читавших в детстве те же книги, затуманились, уложились в должную перспективу, — а жизнь Мартына в одном месте круто повернула, пошла по другому пути, и тем самым обстановка и навыки детства получили для него привкус некоторой сказочности, и какая-нибудь книга, любимая в те дни, оставалась посейчас в его памяти прелестнее и ярче, чем та же книга в памяти сверстников-англичан. Он помнил и говорил словечки, которые десять лет назад были в ходу среди английских школьников, а ныне считались либо вульгарными, либо до смешного старомодными. Синим пламенем пылающий плам-пудинг подавался в Петербурге не только на Рождество, как в Англии, а в любой день, и, по мнению многих, у повара Эдельвейсов он выходил лучше, чем покупные. В футбол петербуржцы играли на твердой земле, а не на дерне, и штрафной удар обозначался неизвестным в Англии словом «пендель». Цвета полосатой курточки, купленной когда-то у Дрюса, Мартын бы теперь не смел носить, так как они отвечали спортивной форме определенного училища, воспитанником которого он никогда не состоял. И вообще все это английское, довольно в сущности случайное, процеживалось сквозь настоящее, русское, принимало особые русские оттенки.

XIV

На заднем плане первых кембриджских ощущений все время почему-то присутствовала великолепная осень, которую он только что видел в Швейцарии. По утрам нежный туман заволакивал Альпы. Гроздь рябины лежала посреди дороги, где колеи были подернуты слюдяным ледком. Ярко-желтая листва берез скудела с каждым днем, несмотря на безветрие, и с задумчивым весельем глядело сквозь нее бирюзовое небо. Рыжели пышные папоротники; плыли по воздуху радужные паутинки, которые дядя Генрих называл волосами Богородицы. Иногда Мартын поднимал голову, думая, что слышит далекое, далекое курлыкание журавлей, — но их не было. Он много бродил, чего-то искал, ездил на скверном велосипеде одного из работников по шелестящим тропинкам, а Софья Дмитриевна, сидя на скамейке под кленом, задумчиво прокалывала острием трости сырые багровые листья на бурой земле. Такой разнообразной и дикой красоты не было в Англии, природа казалась оранжерейной, ручной; в геометрических садах, под моросящим небом, она умирала без роскошных причуд, но по-своему были прекрасны розовато-серые стены, прямоугольные газоны, покрытые в редкие погожие утра бледным серебром инея, и выгнутый каменный мостик над узкой рекой, образовавший полный круг со своим совершенным отражением.

Ни скверная погода, ни ледяная стужа спальни, где традиция запрещала топить, не могли изменить мечтательную жизнерадостность Мартына. Одиночество веселило его. Свою рабочую комнату, жаркий камин, пыльную пианолу, безобидные литографии по стенам, низкие плетеные кресла и дешевые фарфоровые штучки на полочках, — все это он от души полюбил. Когда, поздно вечером, умирало священное пламя камина, он кочергой скучивал мелкие, еще тлеющие остатки, накладывал сверху щепок, наваливал гору угля, раздувал огонь фукающими мехами или, занавесив пасть очага просторным листом «Таймса», устраивал тягу: напряженный лист приобретал теплую прозрачность, и строки на нем, мешаясь с просвечивающими строками на исподе, казались диковинными знаками тарабарского языка. Затем, когда гул и бушевание огня усиливались, на газетном листе появлялось рыжее, темнеющее пятно и вдруг прорывалось, вспыхивал весь лист, тяга мгновенно его всасывала, он улетал в трубу, — и поздний прохожий, магистр в черном плаще, видел сквозь сумрак готической ночи, как из трубы вырывается в звездную высь огневласая ведьма, и на другой день Мартын платил денежный штраф.

Будучи одарен живым и общительным нравом, Мартын оставался один недолго. Довольно скоро он подружился с нижним жильцом, Дарвином, да познакомился кое с кем на футбольном поле, в клубе, в общей столовой. Он заметил, что всякий считает должным говорить с ним о России, выяснить, что он думает о революции, об интервенции, о Ленине и Троцком, а иные, побывавшие в России, хвалили русское хлебосольство или спрашивали, не знает ли он случайно Иванова из Москвы. Мартыну такие разговоры претили; небрежно взяв со стола том Пушкина, он начинал переводить вслух стихи: «Люблю я пышное природы увяданье, в багрец и золото одетые леса». Это возбуждало недоумение, — и только один Дарвин, большой, сонный англичанин в канареечно-желтом джампере, развалясь в кресле, сопя трубкой и глядя в потолок, одобрительно кивал.

Этот Дарвин, зачастив вечерами к Мартыну, подробно осветил, ему в назидание, некоторые строгие, исконные правила: не полагается студенту ходить по улицам в шляпе и в пальто, как бы холодно ни было; нельзя ни здороваться за руку, ни желать доброго утра, а следует всякого знакомого, будь он сам Томпсон, объявивший войну атому, приветствовать широкой улыбкой и развязным междометием. Нехорошо кататься по реке в обыкновенной гребной лодке, — для этого есть роброи, пироги и другие виды шлюпок. Никогда не нужно повторять старые университетские остроты, которыми сразу увлекаются новички. «Но помните, — мудро добавил Дарвин, — и в соблюдении этих традиций не следует заходить слишком далеко, и иногда, чтобы огорошить снобов, бывает полезно выйти на улицу в котелке, с зонтиком под мышкой». У Мартына создалось впечатление, что Дарвин уже давно, несколько лет, в университете, и он пожалел его, как жалел всякого домоседа. Дарвин его поражал своей сонностью, медлительностью движений, какой-то комфортабельностью всего существа. Стремясь в нем возбудить зависть, Мартын нахрапом ему рассказал о своих странствиях, бессознательно прибавив кое-что из присочиненного в угоду Бэсс и едва заметив, как вымысел утвердился. Эти преувеличения были, впрочем, невинного свойства: два-три пикника на крымской Яйле превратились в постоянное бродяжничество по степям, с палкой и котомкой, Алла Черносвитова — в таинственную спутницу поездок на яхте, прогулки с ней — в долгое пребывание на одном из греческих островов, а лиловая черта Сицилии — в сады и виллы. Дарвин одобрительно кивал, глядя в потолок. Глаза у него были голубоватые, пустые, без всякого выражения; подошвы, которые он всегда казал, так как любил полулежачие позы, с высоко и удобно пристроенными ногами, были снабжены сложной системой резиновых нашлепок. Все в нем, начиная от этих прочно подкованных ног и кончая костистым носом, было добротно, велико и невозмутимо.

XV

Раза три в месяц Мартына призывал тот профессор, который следил за посещением лекций, навещал в случае нездоровья, давал разрешение на поездки в Лондон и делал замечания по поводу штрафов, навлекаемых приходом домой за полночь или неношением по вечерам академического плаща. Это был сухонький старичок, с вывернутыми ступнями и острым взглядом, латинист, переводчик Горация, большой любитель устриц. «Вы сделали успехи в языке, — как-то сказал он Мартыну. — Это хорошо. Много ли у вас уже набралось знакомых?» — «О, да», — ответил Мартын. «А с Дарвином, например, вы подружились?» — «О, да», — повторил Мартын. «Я рад. Это великолепный экземпляр. Три года в окопах, Франция и Месопотамия, крест Виктории, и ни одного ушиба, ни нравственного, ни физического. Литературная удача могла бы вскружить ему голову, но и этого не случилось».

Кроме того, что Дарвин, прервав университетское учение, ушел восемнадцати лет на войну, а недавно выпустил книгу рассказов, от которых знатоки без ума, Мартын услышал, что он первоклассный боксер, что детство он провел на Мадере и на Гавайских островах и что его отец — известный адмирал. Собственный маленький опыт показался Мартыну ничтожным, жалким, он устыдился некоторых своих россказней. Когда вечером к нему ввалился Дарвин, было и смешно, и неловко. Он принялся исподволь выуживать про войну, про книгу, — и Дарвин отшучивался и говорил, что лучшая книга, им написанная, это маленькое пособие для студентов, которое называлось так: «Полное описание шестидесяти семи способов проникнуть в колледж Троицы после закрытия ворот, с подробным планом стен и решеток, первое и последнее издание, множество раз проверенное ни разу не попавшимся автором». Но Мартын настаивал на своем, на важном, на книге рассказов, от которых знатоки без ума, и наконец Дарвин сказал: «Ладно, я дам. Пойдем ко мне в логово».

Свое логово он обставил сам по собственному вкусу: были там какие-то сверхъестественно удобные кожаные кресла, в которых тело таяло, углубляясь в податливую бездну, а на камине стояла большая фотография: разомлевшая, на боку лежащая сука и круглые наливные задки ее шестерых сосунков. Да и вообще студенческих комнат Мартын уже перевидал немало: были такие, как его, — милые, но жильцом не холенные, с чужими, хозяйскими, вещами, — была комната спортсмена с серебряными трофеями на камине и сломанным веслом на стене, была комната, заваленная книгами, засыпанная пеплом, была, наконец, комната, гаже которой трудно сыскать, — почти пустая, с ярко-желтыми обоями, комната, где всего одна картина, но зато Сезанн (эскиз углем, женообразная загогулина), да стоит раскрашенный деревянный епископ четырнадцатого века с протянутой культяпкой. Душевней всех была комната Дарвина, особенно если присмотреться, пошарить: чего стоило, например, собрание номеров газеты, которую Дарвин издавал в траншеях: газета была веселая, бодрая, полная смешных стихов, Бог знает, как и где набиралась, и в ней помещались ради красоты случайные клише, рекламы дамских корсетов, найденные в разгромленных типографиях.

«Вот, — сказал Дарвин, достав книгу. — Бери».

Книга оказалась замечательной; не рассказы, нет, скорее трактаты, — двадцать трактатов одинаковой длины; первый назывался «Штопор», и в нем содержались тысячи занятных вещей о штопорах, об их истории, красоте и добродетелях. Второй был о попугаях, третий об игральных картах, четвертый об адских машинах, пятый об отражениях в воде. А один был о поездах, и в нем Мартын нашел все, что любил, — телеграфные столбы, обрывающие взлет проводов, вагон-ресторан, эти бутылки минеральной воды, с любопытством глядящие в окно на пролетающие деревья, этих лакеев с сумасшедшими глазами, эту карликовую кухню, где потный повар в белом колпаке, шатаясь, панирует рыбу.

Если б когда-нибудь Мартын думал стать писателем и был бы мучим писательской алчностью (столь родственной боязни смерти), постоянной тревогой, которая нудит запечатлеть неповторимый пустяк,— быть может, страницы о мелочах, ему сокровенно знакомых, возбудили бы в нем зависть и желание написать еще лучше. Вместо этого он почувствовал такое теплое расположение к Дарвину, что даже стало щекотно в глазах. Когда же утром, идя на лекцию, он обогнал его на углу, то, не глядя ему в лицо, сказал, вполне корректно, что многое в книге ему понравилось, и молча пошел с ним рядом, подлаживаясь под его ленивый, но машистый шаг.

Аудитории рассеяны были по всему городу. Ежели одна лекция сразу следовала за другой и они читались в разных залах, то приходилось вскакивать на велосипед или поспешно топотать переулками, пересекать гулко-мощеные дворы. Чистыми голосами перекликались со всех башен куранты; по узким улицам несся грохот моторов, стрекотание колес, звонки. Во время лекций велосипеды сверкающим роем ластились к воротам, ожидая хозяев. На кафедру всходил лектор в черном плаще и со стуком клал на пюпитр квадратную шапку с кисточкой.

XVI

Поступая в университет, Мартын долго не мог избрать себе науку. Их было так много, и все — занимательные. Он медлил на их окраинах, всюду находя тот же волшебный источник живой воды. Его волновал какой-нибудь повисший над альпийской бездною мост, одушевленная сталь, божественная точность расчета. Он понимал того впечатлительного археолога, который, расчистив ход к еще неизвестным гробам и сокровищам, постучался в дверь, прежде чем войти, и, войдя, упал в обморок. Прекрасны свет и тишина лабораторий: как хороший ныряльщик скользит сквозь воду с открытыми глазами, так, не напрягая век, глядит физиолог на дно микроскопа, и медленно начинают багроветь его шея и лоб, — и он говорит, оторвавшись от трубки: «Все найдено». Человеческая мысль, летающая на трапециях звездной Вселенной, с протянутой под ней математикой, похожа была на акробата, работающего с сеткой, но вдруг замечающего, что сетки, в сущности, нет, — и Мартын завидовал тем, кто доходит до этого головокружения и новой выкладкой превозмогает страх. Предсказать элемент или создать теорию, открыть горный хребет или назвать нового зверя, — все было равно заманчиво. В науке исторической Мартыну нравилось то, что он мог

201

ясно вообразить, и потому он любил Карлайля. Плохо запоминая даты и пренебрегая обобщениями, он жадно выискивал живое, человеческое, принадлежащее к разряду тех изумительных подробностей, которыми грядущие поколения, пожалуй, пресытятся, глядя на старые, моросящие фильмы наших времен. Он живо себе представлял дрожащий белый день, простоту черной гильотины и неуклюжую возню на помосте, где палачи тискают голоплечего толстяка, меж тем как в толпе добродушный гражданин поднимает под локотки любопытную, но низкорослую гражданку. Наконец, были науки довольно смутные: правовые, государственные, экономические туманы; они устрашали его тем, что искра, которую он во всем любил, была в них слишком далеко запрятана. Не зная, на что решиться, что выбрать, Мартын постепенно отстранил все то, что могло бы слишком ревниво его завлечь. Оставалась еще словесность. Были и в ней для Мартына намеки на блаженство; как пронзала пустая беседа о погоде и спорте между Горацием и Меценатом или грусть старого Лира, произносящего жеманные имена дочерних левреток, лающих на него! Так же как в Новом Завете Мартын любил набрести на «зеленую траву», на «кубовый хитон», он в литературе искал не общего смысла, а неожиданных, озаренных прогалин, где можно было вытянуться до хруста в суставах и упоенно замереть. Читал он чрезвычайно много, но больше перечитывал, а в литературных разговорах бывали с ним несчастные случаи: он раз спутал, например, Плутарха с Петраркой и раз назвал Кальдерона шотландским поэтом. Расшевелить его удавалось не всякому писателю. Он оставался холоден, когда, по дядиному совету, читал Ламартина или когда сам дядя декламировал со всхлипом «Озеро», качая головой и удрученно приговаривая: «Comme c'est beau!*» Перспектива изучать многословные, водянистые произведения и влияние их на другие многословные, водянистые произведения была малопрельстительна. Так бы он, пожалуй, ничего не выбрал, если б все время что-то не шептало ему, что выбор его несвободен, что есть одно, чем он заниматься обязан. В великолепную швейцарскую осень он впервые почувствовал, что в конце концов он изгнанник, обречен жить вне родного дома. Это слово «изгнанник» было сладчайшим звуком: Мартын посмотрел на черную еловую ночь, ощутил на своих щеках Байронову бледность и увидел себя в плаще. Этот плащ он надел в Кембридже, даром что был он легонький, из прозрачноватой на свет материи, со многими сборками и с крылатыми полурукавами, которые закидывались за плечи. Блаженство духовного одиночества и дорожные волнения получили новую значительность. Мартын словно подобрал ключ ко всем тем смутным, диким и нежным чувствам, которые осаждали его.

Профессором русской словесности и истории был в ту пору небезызвестный Арчибальд Мун. В России он прожил довольно долго, всюду побывал, всех знал, все перевидел. Теперь: черноволосый, бледный, в пенснэ на тонком носу, он бесшумно проезжал на велосипеде с высоким рулем, сидя совсем прямо, а за обедом, в знаменитой столовой с дубовыми столами и огромными цветными окнами, вертел головой, как птица, и быстро, быстро крошил длинными пальцами хлеб. Говорили, единственное,

---

* Как это прекрасно! *(Фр.)*

что он в мире любит, это — Россия. Многие не понимали, почему он там не остался. На вопросы такого рода Мун неизменно отвечал: «Справьтесь у Робертсона — (это был востоковед), — почему он не остался в Вавилоне». Возражали вполне резонно, что Вавилона уже нет. Мун кивал, тихо и хитро улыбаясь. Он усматривал в октябрьском перевороте некий отчетливый конец. Охотно допуская, что со временем образуется в Советском Союзе, пройдя через первобытные фазы, известная культура, он вместе с тем утверждал, что Россия завершена и неповторима, — что ее можно взять, как прекрасную амфору, и поставить под стекло. Печной горшок, который там теперь обжигался, ничего общего с нею не имел. Гражданская война представлялась ему нелепой: одни бьются за призрак прошлого, другие за призрак будущего, — меж тем как Россию потихоньку украл Арчибальд Мун и запер у себя в кабинете. Ему нравилась ее завершенность. Она была расцвечена синевою вод и прозрачным пурпуром пушкинских стихов. Вот уже скоро два года, как он писал на английском языке ее историю, и надеялся всю ее уложить в один толстенький том. Эпиграф из Китса («Создание красоты — радость навеки»), тончайшая бумага, мягкий сафьяновый переплет. Задача была трудная: найти гармонию между эрудицией и тесной живописной прозой, дать совершенный образ одного округлого тысячелетия.

XVII

Арчибальд Мун поразил и очаровал Мартына. Его медленный русский язык, из которого он года-

ми терпения вытравил последний отзвук английской гортанности, был плавен, прост и выразителен.
Его знания отличались живостью, точностью и глу-
биной. Он вслух читал Мартыну таких русских поэтов, коих тот не знал даже и по имени. Придерживая страницу длинными, чуть дрожащими пальцами, Арчибальд Мун источал четырехстопные ямбы.
Комната была в полумраке, свет лампы выхватывал
только страницу да лицо Муна, с бледным лоском
на скулах, тремя тонкими бороздками на лбу и про-
зрачно-розовыми ушами. Дочитав, он сжимал уз-
кие губы, осторожно, как стрекозу, снимал пенснэ
и замшей вытирал стекла. Мартын сидел на краеш-
ке кресла, держа свою черную квадратную шапку
на коленях. «Ради Бога, снимите плащ, отложите
куда-нибудь эту шапку, — болезненно морщась, говорил Мун. — Неужели вам нравится мять эту кисточку? Отложите, отложите...» Он подталкивал к
Мартыну стеклянную папиросницу с гербом колледжа на серебряной крышке или вынимал из шкафа в стене бутылку виски, сифон, два стакана.
«А вот скажите, как называются тамошние телеги,
в которых развозят виноград?» — спрашивал он,
дергая головой, и, выяснив, что Мартын не знает:
«Можары, можары, сэр», — говорил он со смаком, —
и неизвестно, что доставляло ему больше удовольствия: то ли, что он знает Крым лучше Мартына,
или то, что ему удается произнести с русским экаю-
щим выговором словечко «сэр». Он радостно сообщал, что «хулиган» происходит от названия шайки
ирландских разбойников, а что остров «Голодай» не
от голода, а от имени англичанина Холидея, по-
строившего там завод. Когда однажды Мартын, говоря о каком-то невежественном журналисте (кото-

рому Мун ответил грозным письмом в «Таймс»), сказал, что «журналист, вероятно, сдрейфил», Мун поднял брови, справился в словаре и спросил Мартына, не живал ли он в Поволжье, — а когда, по другому случаю, Мартын употребил слово «угробить», Мун рассердился и крикнул, что такого слова по-русски нет и быть не может. «Я его слышал, его знают все», — робко проговорил Мартын, и его поддержала Соня, которая сидела на кушетке рядом с Ольгой Павловной и смотрела не без любопытства, как Мартын хозяйничает. «Русское словообразование, рождение новых слов, — сказал Мун, обернувшись вдруг к улыбающемуся Дарвину, — кончилось вместе с Россией, то есть два года тому назад. Все последующее — блатная музыка». — «Я по-русски не понимаю, переведите», — ответил Дарвин. «Да, мы все время сбиваемся, — сказала Зиланова. — Это нехорошо. Пожалуйста, господа, по-английски». Мартын меж тем приподнял металлический купол с горячих гренков и пирожков (которые слуга принес из колледжской кантины), проверил, то ли доставили, и придвинул блюдо поближе к пылающему камину. Кроме Дарвина и Муна, он пригласил русского студента, которого все называли просто по имени — Вадим, — и теперь не знал, ждать ли его или приступать к чаепитию. Это был первый раз, что Зиланова с дочерью приехала навестить его, и он все боялся насмешки со стороны Сони. Она была в темно-синем костюме и в крепких коричневых башмачках, длинный язычок которых, пройдя снутри, под шнуровкой, откидывался и, прикрывая шнуровку сверху, заканчивался кожаной бахромой; стриженые, жестковатые на вид, черные волосы ровной челкой находили на лоб; к ее тускло-темным, слегка раскосым глазам странно шли ямки на бледных щеках. Утром, когда Мартын встретил ее и Ольгу Павловну на вокзале, и потом, когда он показывал им старинные дворы, фонтан, аллеи исполинских голых деревьев, из которых с карканьем тяжело и неряшливо вымахивали вороны, Соня была молчалива, чем-то недовольна, говорила, что ей холодно. Глядя через каменные перила на рябую речку, на матово-зеленые берега и серые башни, она прищурилась и осведомилась у Мартына, собирается ли он ехать к Юденичу. Мартын удивленно ответил, что нет. «А вон то, розоватое, что это такое?» — «Это здание библиотеки», — объяснил Мартын и спустя несколько минут, идя рядом с Соней и ее матерью под аркадами, загадочно проговорил: «Одни бьются за призрак прошлого, другие — за призрак будущего». — «Вот именно, — подхватила Ольга Павловна. — Мне мешает по-настоящему воспринять Кембридж то, что наряду с этими чудными старыми зданиями масса автомобилей, велосипедов, спортивные магазины, всякие футболы». — «В футбол, — сказала Соня, — играли и во времена Шекспира. А мне вот не нравится, что говорят пошлости». — «Соня, пожалуйста. Сократись», — сказала Ольга Павловна. «Ах, я не про тебя», — ответила Соня со вздохом. Дальше шли молча. «Кажется, забусило», — проговорил Мартын, вытянув руку. «Вы бы еще сказали „пан Дождинский" или „князь Ливень"», — заметила Соня и на ходу переменила шаг, чтоб идти в ногу с матерью. Потом, за завтраком в лучшем городском ресторане, она повеселела. Ее рассмешили «обезьянья» фамилия приятеля Мартына и диалоги, которые Дарвин вел с необыкновенно уютным старичком лакеем. «Вы что изучаете?» — любезно спросила

Ольга Павловна. «Я? Ничего, — ответил Дарвин. — Мне просто показалось, что в этой рыбе на одну косточку больше, чем следует». — «Нет-нет, я спрашиваю, что вы изучаете из наук. Какие слушаете лекции». — «Простите, я вас не понял, — сказал Дарвин. — Но все равно ваш вопрос застает меня врасплох. Память у меня как-то не дотягивает от одной лекции до другой. Еще нынче утром я спрашивал себя, каким предметом я занимаюсь. Мнемоникой? Вряд ли». После обеда была опять прогулка, но куда более приятная, так как, во-первых, вышло солнце, а во-вторых, Дарвин всех повел в галерею, где имелось, по его словам, старинное, замечательно прыткое эхо, — топнешь, а оно, как мяч, стукнет в отдаленную стену. И Дарвин топнул, но никакого эха не выскочило, и он сказал, что, очевидно, его купил какой-нибудь американец для своего дома в Массачусетсе. Затем притекли к Мартыну в комнату, и вскоре явился Арчибальд Мун, и Соня тихо спросила у Дарвина, почему у профессора напудрен нос. Мун плавно заговорил, щеголяя чудесными сочными пословицами. Мартын находил, что Соня ведет себя нехорошо. Она сидела с каменным лицом, но вдруг невпопад смеялась, встретясь глазами с Дарвином, который, закинув ногу на ногу, уминал пальцем табак в трубке. «Что же это Вадим не идет?» — беспокойно сказал Мартын и потрогал полный бочок чайника. «Ну, уж наливайте», — сказала Соня, и Мартын завозился с чашками. Все умолкли и смотрели на него. Мун курил смугло-желтую папиросу из породы тех, которые в Англии зовутся русскими. «Часто пишет вам ваша матушка?» — спросила Зиланова. «Каждую неделю», — ответил Мартын. «Она, поди, скучает», — сказала Ольга Павловна и подула на чай. «А лимона, я как посмотрю, у вас и нет», — тонко заметил Мун — опять по-русски. Дарвин вполголоса попросил Соню перевести. Мун на него покосился и перешел на английскую речь: нарочито и злобно изображая средний кембриджский тон, он сказал, что был дождь, но теперь прояснилось, и, пожалуй, дождя больше не будет, упомянул о регате, обстоятельно рассказал всем известный анекдот о студенте, шкафе и кузине, — и Дарвин курил и кивал, приговаривая: «Очень хорошо, сэр, очень хорошо. Вот он, подлинный, трезвый британец в часы досуга».

XVIII

Раздался топот на лестнице, и, с размаху открыв дверь, вошел Вадим. Одновременно его велосипед, который он оставил в переулке, приладив опущенную педаль к краю панели, с дребезжанием упал, — этот звон все услышали, ибо второй этаж находился на пустяковой высоте. Руки у Вадима, маленькие, с обгрызанными ногтями, были красны от холода рулевых рогов. Лицо, покрытое необыкновенно нежным и ровным румянцем, выражало оторопелое смущение; он его скрывал, быстро дыша, словно запыхался, да потягивая носом, в котором всегда было сыро. Был он одет в мятые, бледно-серые фланелевые штаны, в прекрасно сшитый коричневый пиджак и носил всегда, во всякую погоду и во всякое время, старые бальные туфли. Продолжая посапывать и растерянно улыбаться, он со всеми поздоровался и подсел к Дарвину, которого очень любил и почему-то прозвал «мамкой». У Вадима была одна постоянная прибаутка, которую он Дарвину с трудом перевел: «Приятно зреть, когда большой медведь ведет под ручку маленькую сучку», — и на последних словах голос у него становился совсем тонким. Вообще же он говорил скоро, отрывисто, издавая при этом всякие добавочные звуки, шипел, трубил, пищал, как дитя, которому не хватает ни мыслей, ни слов, а молчать невмоготу. Когда же он бывал смущен, то становился еще отрывистее и нелепее, производя смешанное впечатление застенчивого тихони и чудачливого ребенка. Был он, впрочем, милый, привязчивый, привлекательный человек, падкий на смешное и способный живо чувствовать (однажды, гораздо позже, катаясь весенним вечером с Мартыном по реке, он, при случайном, смутном, почему-то миртовом дуновении — Бог весть откуда, — сказал: «Пахнет Крымом», что было совершенно верно). Англичане к нему так и льнули, а его колледжский наставник, толстый, астматический старик, специалист по моллюскам, с гортанной нежностью произносил его имя и снисходительно относился к его шелопайству. Как-то в темную ночь Мартын и Дарвин помогли Вадиму снять с чела табачной лавки вывеску, которая с тех пор красовалась у него в комнате. Он добыл и полицейский шлем, простым и остроумным способом: за полкроны, блеснувшие при луне, попросил добродушного полицейского пособить ему перебраться через стену и, оказавшись наверху, нагнулся и сдернул с него шлем. Он же был зачинщиком в случае с огненной колесницей, когда, празднуя годовщину порохового заговора, весь город плевался потешными огнями и на площади бушевал костер, а Вадим со товарищи запряглись в старое ландо, которое купили за два фунта, наполнили соломой и подожгли, — с этим ландо они мчались по улицам в мятели огня и чуть не спалили ратушу. Кроме всего, он был отличным сквернословом, — одним из тех, которые привяжутся к рифмочке и повторяют ее без конца, любят уютные матюжки, ласкательную физиологию и обрывки каких-то анонимных стихов, приписываемых Лермонтову. Образованием он не блистал, по-английски говорил очень смешно и симпатично, но едва понятно, и была у него одна страсть, — страсть ко флоту, к миноносцам, к батальной стройности линейных кораблей, и он мог часами играть в солдатики, паля горохом из серебряной пушки. Его прибаутки, бальные туфли, застенчивость и хулиганство, нежный профиль, обведенный на свет золотистым пушком, — все это, в сочетании с великолепием титула, действовало на Арчибальда Муна неотразимо, разымчиво, вроде шампанского с соленым миндалем, которым он некогда упивался, — одинокий бледный англичанин в запотевшем пенснэ, слушающий московских цыган. Но сейчас, сидя у камина с чашкой в руке, Мун грыз маслом пропитанный гренок, и Ольга Павловна рассказывала ему о газете, которую собирается выпускать в Париже ее муж. Мартын же с тревогой думал, что напрасно позвал Вадима, который молчал, стесняясь Сони, и все щелкал исподтишка в Дарвина изюминками, заимствованными у кекса. Соня приумолкла тоже и задумчиво смотрела на пианолу. Дарвин с развальцем подошел к камину, выбил золу из трубки и, став спиной к огню, принялся греться. «Мамка», — тихо сказал Вадим и засмеялся. Ольга Павловна с жаром говорила о делах, которые Муна нимало не трогали. За окном потемнело, где-то далеко кричали мальчишки-газетчики: «Пайпа, пайпа!»

XIX

Затем провожали Зилановых на вокзал. Арчибальд Мун попрощался на первом же углу и, нежно улыбнувшись Вадиму (который за его спиной обычно звал его заборным словцом с дополнением «на колесиках»), удалился, держась очень прямо. Некоторое время Вадим тихо ехал вдоль самой панели, положив руку на плечо к Дарвину, шедшему рядом, а потом суетливо простился и быстро отъехал, производя губами звуки испорченного гудка. Пришли на вокзал, Дарвин взял себе и Мартыну перронные билеты. Соня была усталая, раздраженная и все время щурилась. «Ну вот, — сказала Ольга Павловна. — Спасибо за гостеприимство, за угощение. Кланяйтесь матушке, когда будете писать».

Но Мартын поклона не передал, — такие вещи передаются редко. Вообще письма он писал с трудом: как рассказать, например, о сегодняшнем, довольно путаном, чем-то неудачном и неприятном дне? Он намарал строк десять, воспроизвел анекдот о студенте, шкафе и кузине, уверил мать, что совершенно здоров, хорошо питается и носит на теле фуфайку (что было неправдой). Ему вдруг представилось, как почтальон идет по снегу, снег похрустывает, остаются синие следы, — и он об этом написал так: «Письмо принесет почтальон. У нас идет дождь». Подумавши, он почтальона вычеркнул и оставил только дождь. Адрес он выписал крупно и тщательно, в десятый раз вспомнив при этом то, что ему сказал знакомый студент: «Судя по фамильи, я полагал, что вы американец». Он пожалел, что всякий раз забывал это втиснуть в письмо, неизменно уже запечатанное, — вскрывать же было лень. В углу конверта он нечаянно поставил кляксу и долго смотрел на нее сквозь ресницы, и наконец сделал из нее черную кошку, видимую со спины. Софья Дмитриевна этот конверт сохранила вместе с письмами. Она складывала их в пачку, когда кончался биместр, и обвязывала накрест ленточкой. Спустя несколько лет ей довелось их перечесть. Первый биместр был сравнительно богат письмами. Вот Мартын приехал в Кембридж, вот — первое упоминание о Дарвине, Вадиме, Арчибальде Муне, вот — письмо от девятого ноября, дня его именин: «В этот день, — писал Мартын, — гусь ступает на лед, а лиса меняет нору». А вот и письмо с вычеркнутой, но четкой строкой: «Письмо принесет почтальон», — и Софья Дмитриевна пронзительно вспомнила, как, бывало, она с Генрихом идет по искрящейся дороге, между елок, отягощенных пирогами снега, и вдруг — густой звон бубенцов, почтовые сани, письмо, — и поспешно снимаешь перчатки, чтобы вскрыть конверт. Она вспомнила, как в ту пору, и затем в продолжение почти года, безумно боялась, что Мартын, ничего ей не сказав, отправится воевать. Ее немного утешало, что там, в Кембридже, есть какой-то человек-ангел, который влияет на Мартына умиротворительно — прекрасный, здравомыслящий Арчибальд Мун. Но Мартын все-таки мог удрать. Полный покой она знала только тогда, когда сын бывал при ней, в Швейцарии, на каникулах. Письма, которые она спустя годы так мучительно перечитывала, были, несмотря на их вещественность, более призрачного свойства, нежели перерывы между ними. Эти перерывы память заполняла живым присутствием Мартына, — тут Рождество, там Пасха, а там уже — лето, — и в продолжение трех лет, до окончания Мартыном университета, ее жизнь шла как бы окнами, — да, помнится, помнится, — окнами. Вот — этот первый зимний праздник, лыжи, по ее совету купленные Генрихом, Мартын, надевающий лыжи... «Надо быть храброй, — тихо сказала самой себе Софья Дмитриевна, — надо быть храброй. Ведь бывают чудеса. Надо только верить и ждать. Если Генрих опять появится с этой черной повязкой на рукаве, я от него просто уйду». И дрожащими руками, улыбаясь и обливаясь слезами, она продолжала разворачивать письма.

То первое рождественское возвращение, которое его мать запомнила так живо, оказалось и для Мартына праздником. Ему мерещилось, что он вернулся в Россию, — было все так бело, — но, стесняясь своей чувствительности, он об этом матери тогда не поведал, чем лишил ее еще одного нестерпимого воспоминания. Лыжи ему понравились; на мгновение всплыл занесенный снегом Крестовский остров, но, правда, он тогда вставлял носки валенок в простые пульца, да еще держался за поводок, привязанный ко вздернутым концам легких детских лыж. Эти же были настоящие, солидные, из гибкой ясени, и сапоги тоже были настоящие, лыжные. Мартын, склонив одно колено, натянул запяточный ремень, отогнув тугой рычажок боковой пряжки. Морозный металл ужалил пальцы. Приладив и другую лыжу, он поднял со снегу перчатки, выпрямился, потопал, проверяя, прочно ли, и размашисто скользнул вперед.

Да, он опять попал в Россию. Вот эти великолепные ковры — из пушкинского стиха, который столь звучно читает Арчибальд Мун, упиваясь пеонами. Над отяжелевшими елками небо было чисто и ярко-лазурно. Иногда от перелета сойки срывался

214

с ветки ком снега и рассыпался в воздухе. Пройдя сквозь бор, Мартын вышел на открытое место, откуда летом спускался к гостинице. Вон она — далеко внизу, прямой розоватый дымок стоит над крышей. Чем она манит так, эта гостиница, отчего надо опять стремиться туда, где летом он нашел только несколько крикливых угловатых англичаночек? Но манила она несомненно, подавала тихий знак, солнце вспыхивало в окнах. Мартына даже пугала эта таинственная навязчивость, эта непонятная требовательность, бывшая у какой-нибудь подробности пейзажа. Надо спуститься, — нельзя пренебрегать такими посулами. Крепкий наст сладко засвистел под лыжами, Мартын несся по скату все быстрее, — и сколько раз потом, во сне, в студеной кембриджской комнате, он вот так несся и вдруг, в оглушительном взрыве снега, падал и просыпался. Все было как всегда. Из соседней комнаты доносилось тиканье часов. Мышка катала кусок сахару. По панели прошли чьи-то шаги и пропали. Он поворачивался на другой бок и мгновенно засыпал, — и утром, в полусне, слышал уже другие звуки: в соседней комнате возилась госпожа Ньюман, что-то переставляла, накладывала уголь, чиркала спичками, шуршала бумагой и потом уходила, а тишина медленно и сладко наливалась утренним гудом затопленного камина. «Ничего там особенного не оказалось, — подумал Мартын и потянулся к ночному столику за папиросами. — Все больше пожилые мужчины в свитэрах: вот какие бывают обманы. А сегодня суббота, покатим в Лондон. Что это Дарвину все письма от Сони? Надо бы из него выдавить. Хорошо бы сегодня пропустить лекцию Гржезинского. Вот идет, стерва, будить».

215

Госпожа Ньюман принесла чай. Была она старая, рыжая, с лисьими глазками. «Вы вчера вечером выходили без плаща, — проговорила она равнодушно. — Мне об этом придется доложить вашему наставнику». Она отдернула шторы, дала краткий, но точный отзыв о погоде и скользнула прочь.

Надев халат, Мартын спустился по скрипучей лестнице и постучался к Дарвину. Дарвин, уже побритый и вымытый, ел яичницу с бэконом. Толстый учебник Маршаля по политической экономии лежал, раскрытый, около тарелки. «Сегодня опять было письмо?» — строго спросил Мартын. «От моего портного», — ответил Дарвин, вкусно жуя. «У Сони неважный почерк», — заметил Мартын. «Отвратительный», — согласился Дарвин, хлебнув кофе. Мартын подошел сзади и, обеими руками взяв Дарвина за шею, стал давить. Шея была толстая и крепкая. «А бэкон прошел», — произнес Дарвин самодовольно натуженным голосом.

XX

Вечером оба покатили в Лондон. Дарвин ночевал в одной из тех очаровательных двухкомнатных квартир для холостяков, которые сдаются при клубах, — а клуб Дарвина был одним из лучших и степеннейших в Лондоне, с тучными кожаными креслами, с лоснистыми журналами на столах, с глухонемыми коврами. Мартыну же досталась на этот раз одна из верхних спален в квартире Зилановых, так как Нелли была в Ревеле, а ее муж шел на Петербург. Когда Мартын прибыл, никого не оказалось дома, кроме самого Зиланова, Михаила Пла-

216

тоновича, который писал у себя в кабинете. Был он коренастый крепыш, с татарскими чертами лица и с такими же темно-тусклыми глазами, как у Сони. Он всегда носил круглые пристяжные манжеты и манишку; манишка топорщилась, придавая его груди нечто голубиное. Принадлежал он к числу тех русских людей, которые, проснувшись, первым делом натягивают штаны с болтающимися подтяжками, моют по утрам только лицо, шею да руки — но зато отменно, — а еженедельную ванну рассматривают как событие, сопряженное с некоторым риском. На своем веку он немало покатался, страстно занимался общественностью, мыслил жизнь в виде чередования съездов в различных городах, чудом спасся от советской смерти и всегда ходил с разбухшим портфелем: когда же кто-нибудь задумчиво говорил: «Как мне быть с этими книжками? — дождь», — он молча, молниеносно и чрезвычайно ловко пеленал книжки в газетный лист, а порывшись в портфеле, вынимал и веревочку, мгновенно крест-накрест захватывал ею ладный пакет, на который незадачливый знакомый, переминаясь с ноги на ногу, смотрел с суеверным умилением. «Нате», — говорил Зиланов и, поспешно простившись, уезжал — в Орел, в Кострому, в Париж, — и всегда налегке, с тремя чистыми носовыми платками в портфеле, и, сидя в вагоне, совершенно слепой к живописным местам, мимо которых, с доверчивым старанием потрафить, несся курьерский поезд, углублялся в чтение брошюры, изредка делая пометки на полях. Дивясь его невнимательности к пейзажам, к удобствам, к чистоте, Мартын вместе с тем уважал Зиланова за его какую-то прущую суховатую смелость и всякий раз, когда видел его, почему-то вспоминал, что этот, по внешности малоспортивный человек, играющий, вероятно, только на бильярде, да еще, пожалуй, в рюхи, спасся от большевиков по водосточной трубе и когда-то дрался на дуэли с октябристом Тучковым.

«А, здравствуйте, — сказал Зиланов и протянул смуглую руку. — Присаживайтесь». Мартын сел. Михаил Платонович впился опять в полуисписанный лист, взялся за перо и, — потрепав им по воздуху над самой бумагой, прежде чем претворить эту дрожь в быстрый бег письма, — одновременно дал перу волю и сказал: «Они, вероятно, сейчас вернутся». Мартын притянул к себе с соседнего стула газету, — она оказалась русской, издаваемой в Париже. «Как занятия?» — спросил Зиланов, не поднимая глаз с ровно бегущего пера. «Ничего, хорошо, — сказал Мартын и отложил газету. — А давно они ушли?» Михаил Платонович ничего не ответил, — перо разгулялось вовсю. Зато минуты через две он опять заговорил, все еще не глядя на Мартына: «Баклуши бьете. Там ведь главное — спорт». Мартын усмехнулся. Михаил Платонович быстро потопал по строкам пресс-бюваром и сказал: «Софья Дмитриевна все просит у меня дополнительных сведений, но я ничего больше не знаю. Все, что я знал, я ей тогда написал в Крым». Мартын кашлянул. «Что вы?» — спросил Зиланов, усвоивший в Москве это дурное речение. «Я ничего», — ответил Мартын. «Это о смерти вашего отца, конечно, — сказал Зиланов и посмотрел тусклыми глазами на Мартына. — Ведь это я известил вас тогда». — «Да-да, я знаю», — поспешно закивал Мартын, всегда чувствовавший неловкость, когда чужие — с самыми лучшими намерениями — говорили ему об его отце. «Как сейчас помню последнюю встречу, — продолжал Зиланов. — Мы столкнулись на улице. Я тогда уже скрывался. Сперва не хотел подойти. Но у Сергея Робертовича был такой потрясающий вид. Помню, он очень беспокоился, как вы там живете в Крыму. А через денька три забегаю к нему, и нате вам — несут гроб». Мартын кивал, мучительно ища способа переменить разговор. Все это Михаил Платонович рассказывал ему в третий раз, и рассказ был в общем довольно бледный. Зиланов замолчал, перевернул лист, его перо подрожало и тронулось. Мартын от нечего делать опять потянулся к газете, но тут щелкнула парадная дверь, раздались в прихожей голоса, шаркание, ужасный кудахтающий смех Ирины.

XXI

Мартын вышел к ним и, как обычно при встрече с Соней, мгновенно почувствовал, что потемнел воздух вокруг него. Так было и в ее последний приезд в Кембридж (вместе с Михаилом Платоновичем, который мучил Мартына вопросами, сколько лет различным колледжам и сколько книг в библиотеке, — меж тем как Соня и Дарвин о чем-то тихо смеялись), так было и сейчас: странное отупение. Его голубой галстук, острые концы мягкого отложного воротничка, двубортный костюм, — все было как будто в порядке, однако Мартыну под непроницаемым взглядом Сони показалось, что одет он дурно, что волосы торчат на макушке, что плечи у него как у ломового извозчика, а лицо — глупо своей круглотой. Отвратительны были и крупные костяшки рук, которые за последнее время покраснели

219

и распухли — от голкиперства, от боксовой учебы. Прочное ощущение счастья, как-то связанное с силой в плечах, со свежей гладкостью щек или недавно запломбированным зубом, распадалось в присутствии Сони мгновенно. И особенно глупым казалось ему то, что, собственно говоря, брови у него кончаются на полпути, густоваты только у переносицы, а дальше, по направлению к вискам, удивленно редеют.

Сели ужинать. Наталья Павловна, такая же сырая женщина, как ее сестра, но еще реже улыбавшаяся, привычно и незаметно следила за тем, чтобы Ирина пристойно ела, не слишком ложилась на стол и не лизала ножа. Михаил Платонович явился чуть попозже, быстро и энергично заложил угол салфетки за воротник и, слегка привстав, цопнул через весь стол булочку, которую мгновенно разрезал и смазал маслом. Его жена читала письмо из Ревеля и, не отрываясь от чтения, говорила Мартыну: «Кушайте, пожалуйста». Слева от него корячилась большеротая Ирина, чесала под мышкой и мычала, объясняясь в любви холодной баранине; справа же сидела Соня: ее манера брать соль на кончик ножа, стриженые черные волосы с жестким лоском и ямка на бледной щеке чем-то несказанно его раздражали. После ужина позвонил по телефону Дарвин, предложил поехать танцовать, и Соня, поломавшись, согласилась. Мартын пошел переодеваться и уже натягивал шелковые носки, когда Соня сказала ему через дверь, что устала и никуда не поедет. Через полчаса приехал Дарвин, очень веселый, большой и нарядный, в цилиндре набекрень, с билетами на дорогой бал в кармане, и Мартын сообщил ему, что Соня раскисла и легла, — и Дарвин, выпив чашку остывшего чаю, почти естественно зевнул и сказал, что в этом мире все к лучшему. Мартын знал, что он приехал в Лондон с единственной целью повидать Соню, и когда Дарвин, насвистывая, в ненужном цилиндре и крылатке, стал удаляться по пустой темной улице, Мартыну сделалось очень обидно за него, и, тихо прикрыв входную дверь, он поплелся наверх спать. В коридоре выскочила к нему Соня, одетая в кимоно и совсем низенькая, оттого что была в ночных туфлях. «Ушел?» — спросила она. «Большое свинство», — вполголоса заметил Мартын, не останавливаясь. «Могли бы его задержать», — сказала она вдогонку и скороговоркой добавила: «А вот я возьму и позвоню ему и поеду плясать, вот что». Мартын ничего не ответил, захлопнул дверь, яростно вычистил зубы, раскрыл постель, словно хотел из нее кого-то выкинуть, и, поворотом пальцев прикончив свет лампы, накрылся с головой. Но и сквозь одеяло он услышал спустя некоторое время поспешные шаги Сони по коридору, стук ее двери, — не может быть, чтобы она действительно ходила вниз телефонировать, — однако он прислушался, и снова было затишье, и вдруг опять зазвучали ее шаги, и уже звук был другой — легкий, даже воздушный. Мартын не выдержал, высунулся в коридор и увидел, как Соня вприпрыжку спускается вниз по лестнице, в бальном платье цвета фламинго, с пушистым веером в руке и с чем-то блестящим вокруг черных волос. Дверь ее комнаты осталась открытой, света она не потушила, и там еще стояло облачко пудры, как дымок после выстрела, лежал наповал убитый чулок, и выпадали на ковер разноцветные внутренности шкафа.

Вместо радости за друга Мартын почувствовал живейшую досаду. Все было тихо. Только из спальни Зилановых исходил томительный храп. «Чорт ее побери», — пробормотал он и некоторое время рассуждал сам с собой, не отправиться ли ему тоже на бал, — ведь было три билета. Он увидел себя взлетающим по мягким ступеням, в смокинге, в шелковой рубашке с набористой грудью, как носили франты в тот год, в легких лаковых туфлях с плоскими бантами; вот — из раскрывшихся дверей пахнуло огнем музыки. Упругий и нежный нажим мягкой женской ноги, которая все поддается и все продолжает касаться тебя, душистые волосы у самых губ, щека, оставляющая на шелковом лацкане налет пудры, — все это извечное, нежное, банальное волновало Мартына чрезвычайно. Он любил танцовать с незнакомой дамой, любил пустой, целомудренный разговор, сквозь который прислушиваешься к тому чудному, невнятному, что происходит в тебе и в ней, что будет длиться еще два-три такта и, ничем не разрешившись, пропадет навеки, забудется совершенно. Но пока слияние еще не расторгнуто, намечается схема возможной любви, и в зачатке тут уже есть все — внезапное затишье в полутемной комнате, человек, дрожащей рукой прилаживающий к пепельнице только что закуренную, мешающую папиросу; медленно, как в кинематографе, закрывающиеся женские глаза; и блаженный сумрак; и в нем — точка света, блестящий дорожный лимузин, быстро несущийся сквозь дождливую ночь; и вдруг — белая терраса и солнечная рябь моря, — и Мартын, тихо говорящий увезенной им женщине: «Имя? Как твое имя?» На ее светлом платье играют лиственные тени, она встает, уходит; и крупье с хищным

222

лицом загребает лопаткой последнюю ставку Мартына, и остается только засунуть руки в пустые карманы смокинга, да медленно спуститься в сад, да наняться поутру портовым грузчиком, — и вот — она снова... на борту чужой яхты... сияет, смеется, бросает монеты в воду...

«Странная вещь, — сказал Дарвин, выходя как-то вместе с Мартыном из маленького кембриджского кинематографа, — странная вещь: ведь все это плохо, и вульгарно, и не очень вероятно, — а все-таки чем-то волнуют эти ветреные виды, роковая дама на яхте, оборванный мужлан, глотающий слезы...»

«Хорошо путешествовать, — проговорил Мартын. — Я хотел бы много путешествовать».

Этот обрывок разговора, случайно уцелевший от одного апрельского вечера, припомнился Мартыну, когда, в начале летних каникул, уже в Швейцарии, он получил письмо от Дарвина с Тенериффы. Тенериффа — Боже мой! — какое дивно зеленое слово! Дело было утром; сильно подурневшая и как-то распухшая Мария стояла в углу на коленях и выжимала половую тряпку в ведро; над горами, цепляясь за вершины, плыли большие белые облака, и порою несколько дымных волокон спускалось по дальнему скату, и там, на этих скатах, все время менялся свет, — приливы и отливы солнца. Мартын вышел в сад, где дядя Генрих в чудовищной соломенной шляпе разговаривал с деревенским аббатом. Когда аббат, маленький человек в очках, которые он все поправлял большим и пятым пальцем левой руки, низко поклонился и, шурша черной рясой, прошел вдоль сияющей белой стены и сел в таратайку, запряженную толстой, розоватой лошадью, сплошь в мелкой горчице, Мартын сказал: «Тут прекрасно, я обожаю эти места, но почему бы мне — ну хотя бы на месяц — не поехать куда-нибудь, — на Канарские острова, например?»

«Безумие, безумие, — ответил дядя Генрих с испугом, и его усы слегка затопорщились. — Твоя мать, которая так тебя ждала, которая так счастлива, что ты остаешься с ней до октября, — и вдруг — ты уезжаешь...»

«Мы бы могли все вместе», — сказал Мартын.

«Безумие, — повторил дядя Генрих. — Потом, когда ты кончишь учиться, я не возражаю. Я всегда считал, что молодой человек должен видеть мир. Помни, что твоя мать только теперь оправляется от потрясений. Нет, нет, нет».

Мартын пожал плечами и, засунув руки в карманы коротких штанов, побрел по тропинке, ведущей к водопаду. Он знал, что мать ждет его там, у грота, полузавешенного еловой хвоей, — так было условлено, — она выходила гулять очень рано и, не желая будить Мартына, оставляла для него записку: «У грота, в десять часов» или: «У ключа, по дороге в Сен-Клер»; но хотя он знал, что она ждет, Мартын вдруг переменил направление и, покинув тропу, пошел по вереску вверх.

XXII

Склон становился все круче, пекло солнце, мухи норовили сесть на губы и глаза. Дойдя до круглой березовой рощицы, он отдохнул, выкурил папиросу, туже подтянул завороченные под коленями чулки и, жуя березовый листок, стал подниматься дальше. Вереск был хрустящий и скользкий; иногда колючий кустик утесника цеплялся за ногу. Спереди, наверху, сверкало нагромождение скал, и между ними пролегал желоб, веерная трещина, полная мелких камушков, которые пришли в движение, как только он на них ступил. Этим путем нельзя было добраться до вершины, и Мартын пошел лезть прямо по скалам. Иногда корни или моховые ляпки, за которые он хватался, отрывались от скалы, и он лихорадочно искал под ногой опоры, или же, наоборот, что-то поддавалось под ногами, он повисал на руках, и приходилось мучительно подтягиваться вверх. Он уже почти достиг вершины, когда вдруг поскользнулся и начал съезжать, цепляясь за кустики жестких цветов, не удержался, почувствовал жгучую боль, оттого что коленом проскреб по скале, попытался обнять скользящую вверх крутизну, и вдруг что-то спасительное толкнуло его под подошвы. Он оказался на выступе скалы, на каменном карнизе, который справа суживался и сливался со скалой, а с левой стороны тянулся саженей на пять, заворачивал за угол, и что с ним было дальше — неизвестно. Карниз напоминал бутафорию кошмаров. Мартын стоял, плотно прижавшись к отвесной скале, по которой грудью проехался, и не смел отлепиться. С натугой посмотрев через плечо, он увидел чудовищный обрыв, сияющую, солнечную пропасть, и в глубине панику отставших елок, бегом догоняющих спустившийся бор, а еще ниже — крутые луга и крохотную, ярко-белую гостиницу. «Ах, вот ее назначение, — суеверно подумал Мартын. — Сорвусь, погибну, вот она и смотрит. Это... Это...» Одинаково ужасно было смотреть туда, в пропасть, и наверх, на отвесную скалу. Полка, шириной с книжную, под ногами и бугристое место на скале, куда вцепились пальцы, было все, что оставалось Мартыну от прочного мира, к которому он привык.

Он почувствовал слабость, мутность, тошный страх, — но вместе с тем странно-отчетливо видел себя как бы со стороны, в открытой фланелевой рубашке и коротких штанах, неуклюже прильнувшим к скале, отмечал чертополошинку, приставшую к чулку, и совсем черную бабочку, которая с завидной небрежностью пропорхнула тихим чертенком и стала подниматься вдоль скалы, — и хотя никого не было кругом, перед кем стоило бы пофорсить, Мартын стал насвистывать и, дав себе слово никак не отвечать на приглашения пропасти, принялся медленно переставлять ноги, подвигаясь влево. Ах, если бы видать, куда заворачивает карниз! Скала как будто надвигалась на него, оттесняла в бездну, нетерпеливо дышавшую ему в спину. Ногти впивались в камень, камень был горяч, синели пучки цветов, неполной восьмеркой пробегала ящерица и застывала, мухи лезли в глаза. Иногда приходилось останавливаться, и он слышал, как самому себе жалуется: «Не могу больше, не могу», — и тогда, поймав себя на этом, он начинал издавать губами зачаточный мотив — фокстрот или марсельезу, — после чего облизывался и опять, жалуясь, продолжал продвигаться вбок. Оставалось полсажени до заворота, когда что-то посыпалось из-под подошвы, и, вцепившись в скалу, он невольно повернул голову, и в солнечной пустоте медленно закружилось белое пятнышко гостиницы. Мартын закрыл глаза и замер, но, справившись с тошнотой, опять задвигался. У поворота он быстро сказал: «Пожалуйста, прошу тебя, пожалуйста», — и просьба его была тотчас уважена: за поворотом полка расширялась, переходила в площадку, а там уже был знакомый желоб и вересковый скат.

Там он отдышался, ощущая во всем теле ломоту и дрожь. Ногти были темно-красные, словно он рвал клубнику, и горело ободранное колено. Опасность, которую он только что пережил, казалась ему куда действительнее той, на которую он напоролся в Крыму. Теперь он испытывал гордость, но эта гордость вдруг утратила всякий вкус, когда Мартын спросил себя, мог ли бы он снова, уже по собственному почину, проделать то, что он проделал случайно. Через несколько дней он не выдержал, опять поднялся по вересковым кручам, но, добравшись до площадки, откуда начинался карниз, не решился на него ступить. Он сердился, науськивал себя, издевался над своей трусостью, воображал Дарвина, глядящего на него с усмешкой... постоял, постоял, да махнул рукой, да пошел назад, стараясь не обращать внимания на грубияна, буйствовавшего у него в душе. Вновь и вновь, до самого конца каникул, врывался тот и буянил, и Мартын решил наконец больше не подниматься в те места, чтобы не мучиться видом каменной полки, по которой не смеет пройти. И с язвительным чувством недовольства собой он в октябре вернулся в Англию и прямо с вокзала поехал к Зилановым. Горничная, которая ему открыла, оказалась новой, и это было неприятно, словно он попал к чужим. В гостиной, вся в черном, стояла Соня и поглаживала виски, а потом, резко и прямо, по привычке своей, протянула ему руку. Мартын с удивлением подумал, что ни разу не вспомнил ее за лето, ни разу ей не написал, а что все-таки — вот ради этой неловкости, которую он чувствует, глядя на ее хмурое, бледное лицо, — стоит проделать немалый путь. «Вы, вероятно, не знаете о нашем несчастье», — сказала Соня и как-то сердито рассказала, что на прошлой неделе, в один и тот же день, пришло известие, что Нелли умерла от родов в Бриндизи, а муж ее убит в Крыму. «Ах, он поехал от Юденича к Врангелю», — беспомощно сказал Мартын и с редкой ясностью представил себе этого Неллиного мужа, которого видел всего раз, и самое Нелли, казавшуюся ему тогда скучной, пресной, а теперь почему-то умершей в Бриндизи. «Мама в ужасном состоянии», — сказала Соня, перелистывая страницы книги, которая валялась на диване. «А папа Бог знает где побывал, чуть ли не в Киеве», — добавила она погодя и, захватив первым пальцем несколько страниц, быстро их процедила. Мартын сел в кресло, потирая руки. Соня захлопнула книгу и сказала, подняв лицо: «Дарвин был идеален, идеален. Он страшно нам помог. Такой трогательный, и так все без лишних слов. Вы у нас ночуете?» — «Собственно говоря, — ответил Мартын, — я бы мог и нынче поехать в Кембридж. Наверно, вам неудобно и так далее». — «Да нет, ерунда какая», — сказала Соня со вздохом. Внизу раздался глухой звон гонга, и это не вязалось с тем, что в доме траур. Мартын пошел мыть руки и, открыв дверь уборной, столкнулся с Михаилом Платоновичем, у которого не в обычае было запираться на ключ. Он посмотрел на Мартына тусклым взглядом, неторопливо вжимая пуговку в петлю. «Примите мое глубокое соболезнование», — пробормотал Мартын и почему-то щелкнул каблуками. Зиланов прикрыл глаза в знак признательности, пожал Мартыну руку, и то, что все это происходит на пороге уборной, подчеркивало нелепость рукопожатия и готовых слов. Зила-

228

нов, подрыгивая ногами, словно утряхивая что-то, медленно удалился; Мартын увидел в зеркало свой болезненно сморщенный нос. «Но я же должен был что-нибудь сказать», — проговорил он сквозь зубы.

Обед прошел молчаливо, если не считать шумное присасывание, с которым Михаил Платонович ел суп. Ирина с матерью была в загородной санатории, а Ольга Павловна к обеду не вышла, так что сидели втроем. Позвонил телефон, и Зиланов, жуя на ходу, проворно ушел в кабинет. «Я знаю, вы баранину не любите», — тихо сказала Соня, и Мартын молча улыбнулся, чуть-чуть приглушая улыбку. «Зайдет Иоголевич, — сказал Михаил Платонович, вновь садясь за стол. — Он только что из Питера. Дай горчицу. Говорит, что перешел границу в саване». — «На снегу незаметнее», — через минуту выговорил Мартын, чтобы поддержать беседу, — но беседы не вышло.

XXIII

Иоголевич оказался толстым, бородатым человеком в сером вязаном жилете и в потрепанном черном костюме, с перхотью на плечах. Торчали ушки черных ботинок на лястиках, а сквозь неподтянутые носки брезжили завязки подштанников; его полная невнимательность к вещам, к ручке кресла, по которой он похлопывал, к толстой книжке, на которую он сел и которую без улыбки вынул из-под себя и, не посмотрев на нее, отложил, — все это указывало на его тайное родство с самим Зилановым. Кивая большой, кудреватой головой, он только кратко поцокал языком, узнав о горе Зилановых, и за-

229

тем, с места в карьер, мазнув ладонью сверху вниз по грубо скроенному лицу, пустился в повествование. Было очевидно, что единственное, чего он полон, единственное, что занимает его и волнует, — это беда России, и Мартын с содроганием представлял себе, что было бы, если б взять да перебить его бурную, напряженную речь анекдотом о студенте и кузине. Соня сидела поодаль, оперев локти на колени, а лицо на ладони. Зиланов слушал, положив палец вдоль носа, и изредка говорил, снимая палец: «Простите, Александр Наумович, — но вот вы упомянули...» Иоголевич на мгновение останавливался, моргал и затем продолжал говорить, и его лепное лицо замечательно играло, беспрестанно меняя выражение, — играли косматые брови, ноздри грушеобразного носа, складки волосатых щек, между тем как руки его, с черной шерстью на тыльной стороне, ни одной секунды не оставались в покое, что-то поднимали, подбрасывали, схватывали опять, расшвыривали во все стороны, и жарко, с раскатами, он говорил о казнях, о голоде, о петербургской пустыне, о людской злобе, скудоумии и пошлости. Ушел он за полночь, и уже с порога вдруг обернулся и спросил, столько стóят в Лондоне галоши. Когда закрылась за ним дверь, Зиланов остался некоторое время стоять в раздумье и погодя ушел наверх, к жене. Через три минуты раздался звонок: Иоголевич вернулся; оказалось, что он не знает, как дойти до станции подземной дороги. Мартын взялся его проводить и, шагая рядом с ним, мучительно придумывал тему для разговора. «Напомните вашему отцу, — я совсем забыл передать, — что Максимов просит поскорее его статью о добровольческих впечатлениях, — вдруг сказал Иоголевич, — он знает, в чем дело, — вы только передайте, Максимов уже вашему отцу писал». — «Непременно», — ответил Мартын, — хотел что-то добавить, но осекся.

Он не спеша вернулся в дом, — представляя себе то Иоголевича, в белом балахоне, переходящим границу, то Зиланова с портфелем на какой-то разрушенной станции, под украинскими звездами. Все было тихо в доме, когда он поднимался по лестнице. Раздеваясь, он позевывал и чувствовал странную тоску. Ярко горела лампочка на ночном столике, пухло белела широкая постель, халат, вынутый горничной из портпледа, отливал синим шелком, уютно растянувшись на кресле. Вдруг Мартын с досадой заметил, что забыл захватить с собой книгу, которую облюбовал в гостиной, тогда же мельком решив взять ее с собою в постель. Он накинул халат и спустился во второй этаж. Книга была потрепанным томом Чехова. Он нашел ее — почему-то на полу — и вернулся к себе в спальню. Но тоска не прошла, хотя Мартын был из тех людей, для которых хорошая книжка перед сном — драгоценное блаженство. Такой человек, вспомнив случайно днем, среди обычных своих дел, что на ночном столике, в полной сохранности, ждет книга, — чувствует прилив неизъяснимого счастья. Мартын начал читать, выбрав рассказ, который он знал, любил, мог перечесть сто раз подряд, — «Дама с собачкой». Ах, как она хорошо потеряла лорнетку в толпе, на ялтинском молу! И внезапно, без всякой как будто причины, он понял, что именно так беспокоит его. В этой светлой комнате спала год назад Нелли, а теперь ее нет.

«Какие пустяки», — сказал Мартын и попробовал продолжать чтение, — но это оказалось невозможным. Он вспомнил давно минувшие ночи, когда ждал, что покойный отец царапнет в углу. У Мартына сильно забилось сердце; в постели стало жарко и неудобно. Он представил себе, как сам будет когда-нибудь умирать, — и было такое ощущение, словно медленно и неумолимо опускается потолок. Что-то мелко застучало в теневой части комнаты, — и у Мартына ёкнуло в груди. Но это просто закапала на линолеум вода, пролитая на доску умывальника. А ведь странно: если бродят души покойников, то все хорошо, есть, значит, загробные движения души, — почему же это так страшно? «Как же я сам буду умирать?» — подумал Мартын и начал перебирать в уме все разновидности смерти. Он увидел себя стоящим у стенки, вобравшим в грудь побольше воздуха и ожидающим залпа, и вспоминающим с дикой безнадежностью вот эту, вот эту нынешнюю минуту, — светлую спальню, пухлую ночь, беспечность, безопасность. Могли быть и болезни, ужасные болезни, разрывающие внутренности. Или крушение поезда. Или, наконец, тихое замирание старости, смерть во сне. А еще — темный лес и погоня. «Пустяки, — подумал Мартын. — У меня большой запас. Да и каждый год — целая эпоха. Что же тут тревожиться? А может быть, Нелли здесь и сейчас видит меня? Может быть, вот-вот — подаст мне знак?» Он посмотрел на часы, было около двух. Беспокойство становилось нестерпимым. Тишина как будто ждала, — дальний рожок автомобиля был бы счастьем. Тишина лилась, лилась — и вдруг перелилась через край: кто-то на цыпочках босиком шел по коридору.

«Спите?» — раздался вопросительный шепот через дверь, и Мартын не сразу мог ответить, что-то заскочило в горле. Соня, войдя, тихо опустилась с пальцев на пятки. На ней была желтая пижама, жесткие черные волосы были слегка растрепаны. Так она постояла несколько мгновений, моргая спутанными ресницами. Мартын, присев на постели, глупо улыбался. «Нет никакой возможности спать, — таинственно проговорила Соня. — Мне неприятно, мне как-то жутко, — и потом эти ужасы, которые он рассказывал». — «Отчего вы, Соня, босиком? — пробормотал Мартын. — Хотите мои ночные туфли?» Она покачала головой, задумчиво пуча губы, и затем опять тряхнула волосами и посмотрела неопределенно на Мартынову постель. «Хоп-хоп», — сказал Мартын, похлопывая по одеялу в ногах постели. Она влезла и встала сперва на колени, а потом медленно задвигалась и свернулась в уголку, на одеяле, между изножьем постели и стеной. Мартын вытащил из-под себя подушку и подложил ей за спину. «Спасибо», — сказала она совершенно беззвучно, — очертание слова можно было только угадать по движениям бледных мягких губ. «Вам удобно?» — нервно спросил Мартын, поджав колени, чтобы ей не мешать, а потом опять наклонился вперед и, взяв с кресла рядом халат, прикрыл ее босые ноги. «Дайте мне папиросу», — попросила она погодя. Мартын дал. От Сони шло нежное тепло, и вокруг прелестной голой шеи была тонкая цепочка. Она затянулась и, щурясь, выпустила дым и отдала папиросу Мартыну. «Крепкая», — сказала она с грустью. «Что вы делали летом?» — спросил Мартын, стараясь побороть что-то глухое, сумасшедшее, совершенно невозможное, от которого даже знобило. «Так. Ничего. Были в Брайтоне». Она вздохнула и добавила: «Летала на гидроплане». — « А я чуть не погиб, — сказал Мартын. — Да-да, чуть не погиб. Высоко в горах. Сорвался со скалы. Едва спасся». Соня смутно улыбнулась. «Знаете, Мартын, она всегда говорила, что самое главное в жизни — это исполнять свой долг и ни о чем прочем не думать. Это очень глубокая мысль, правда?» — «Да, может быть, — ответил Мартын, неверной рукой суя недокуренную папиросу в пепельницу. — Может быть. Но ведь иногда это скучновато». — «Ах, нет же, нет, — не просто дело, не работу или там службу, а такое, ну такое, — внутреннее». Она замолчала, и Мартын заметил, что она дрожит в легонькой своей пижаме. «Холодно?» — спросил он. «Да, кажется, холодно. И вот, это нужно исполнять, а у меня, например, ничего нет». — «Соня, — сказал Мартын, — может быть, вы?..» Он слегка отвернул одеяло, и она встала на коленки и медленно подвинулась к нему. «И мне кажется, — продолжала она, вползая под одеяло, которое он, ничего не слыша из того, что она говорит, неловко натянул на нее и на себя. — Мне вот кажется, что многие люди этого не знают, и от этого происходит...» Мартын глубоко вздохнул и обнял ее, прильнув губами к ее щеке. Соня схватила его за кисть, приподнялась и мгновенно выкатилась из постели. «Боже мой, — сказала она, — Боже мой!» И ее темные глаза заблестели слезами, и в одно мгновение все лицо стало мокро, длинные светлые полосы поползли по щекам. «Ну, что вы, не надо, я просто, ну, я не знаю, ах, Соня», — бормотал Мартын, не смея ее тронуть и теряясь от мысли, что она может вдруг закричать и поднять на ноги весь дом. «Как вы не понимаете, — сказала она протяжно, — как вы не понимаете... Ведь я же вот так приходила к Нелли, и мы говорили, говорили до света...» Она повернулась и, плача, вышла из комнаты. Мартын, сидя в спутанных простынях, беспомощно ухмылялся. Она прикрыла за собой дверь, но снова ее отворила, просунула голову. «Дурак», — сказала она совершенно спокойно и деловито, — после чего засеменила прочь по коридору.

Мартын некоторое время глядел на белую дверь. Когда он потушил свет и попробовал уснуть, последнее оказалось как будто невозможно. Он стал размышлять о том, что, как только забрезжит утро, нужно будет одеться, сложить вещи и тихо уйти из дому прямо на вокзал, — к сожалению, он на этих мыслях и уснул, — а проснулся в четверть десятого. «Может быть, это все было сон?» — сказал он про себя с некоторой надеждой, но тут же покачал головой и, в приливе мучительного стыда, подумал, как это он теперь встретится с Соней. Утро выдалось неудачное: он опять некстати влетел в ванную комнату, где Зиланов, широко расставив короткие ноги в черных штанах, наклонив корпус в плотной фланелевой фуфайке, мыл над раковиной лицо, до скрипа растирал щеки и лоб, фыркал под бьющей струей, прижимал пальцем то одну ноздрю, то другую, яростно высмаркиваясь и плюясь. «Пожалуйста, пожалуйста, я кончил», — сказал он и, ослепленный водой, роняя брызги, как крылышки держа руки, понесся к себе в комнату, где предпочитал хранить полотенце.

Затем, спускаясь вниз, в столовую, пить цикуту, Мартын встретился с Ольгой Павловной: лицо у нее было ужасное, лиловатое, все распухшее, — и он страшно смутился, не смея ей сказать готовых слов соболезнования, а других не зная. Она обняла его, почему-то поцеловала в лоб — и, безнадежно махнув рукой, удалилась, и там, в глубине коридора, муж ей что-то сказал о каких-то бумагах, с совершенно неожиданной надтреснутой нежностью в голосе, на которую он казался вовсе не способен. Соню же Мартын встретил в столовой, — и первое, что она ему сказала, было: «Я вас прощаю, потому что все швейцарцы кретины; кретин — швейцарское слово, — запишите это». Мартын собирался ей объяснить, что он ничего не хотел дурного, — и это было в общем правдой, — хотел только лежать с ней рядом и целовать ее в щеку, — но Соня выглядела такой сердитой и унылой в своем черном платье, что он почел за лучшее смолчать. «Папа сегодня уезжает в Бриндизи, — слава Богу, дали наконец визу», — проговорила она, недоброжелательно глядя на плохо сдержанную жадность, с которой Мартын, всегда как волк голодный по утрам, пожирал глазунью. Мартын подумал, что нечего тут засиживаться, день будет все равно нелепый, проводы и так далее. «Звонил Дарвин», — сказала Соня.

XXIV

Дарвин явился с комедийной точностью — сразу после этих слов, будто ждал за кулисами. Лицо у него было, от морского солнца, как ростбиф, и одет он был в замечательный, бледный костюм. Соня поздоровалась с ним — слишком томно, как показалось Мартыну. Мартын же был схвачен, огрет по плечу, по бокам и несколько раз спрошен, почему он не позвонил. Вообще говоря, обычно ленивый Дарвин проявил в этот день какую-то невиданную энергию, на вокзале взял у носильщика чужой сундук и понес на затылке, а в пульманском вагоне, на полпути между Ливерпуль-стрит и Кембриджем, посмотрел на часы, подозвал кондуктора, подал ему ассигнацию и торжественно потянул рукоятку тормоза. Поезд застонал от боли и остановился, а Дарвин, с довольной улыбкой, всем объяснил, что ровно двадцать четыре года тому назад он появился на свет. Через день в одной из газет побойчее была об этом заметка под жирным заголовком: «Молодой автор в день своего рождения останавливает поезд»; сам же Дарвин сидел у своего университетского наставника и гипнотизировал его подробным рассказом о торговле пиявками, о том, как их разводят и какие сорта лучше.

Та же была стужа в спальне, те же переклички курантов, и тот же вваливался Вадим, с тою же на устах рифмованной азбукой, построенной на двустишиях, каждое из коих начиналось веским утверждением: «Японцы любят харакири» или: «Филипп Испанский был пройдоха»,— а кончалось строкой на ту же букву, не менее дидактической, но гораздо более непристойной. А вот Арчибальд Мун был как будто и тот же и другой: Мартын никак не мог восстановить прежнее очарование. Мун при встрече сказал, что выработал за лето новых шестнадцать страниц своей Истории России, целых шестнадцать страниц, потому так много, объяснил он, что весь долгий летний день уходил на работу,— и при этом он сделал пальцами движение, обозначавшее перелив и пластичность каждой им выношенной фразы, и в этом движении Мартыну показалось что-то крайне развратное, а слушать густую речь Муна было как жевать толстый, тягучий рахат-лукум, запудренный сахаром. И впервые Мартын почувствовал нечто для себя оскорбительное в том, что Мун относится к России как к мертвому предмету роскоши. Когда он в этом сознался Дарвину, тот с улыбкой кивнул и сказал, что Мун таков оттого, что предан уранизму. Мартын стал внимательнее,— и после того как однажды Мун, ни с того ни с сего, дрожащими пальцами погладил его по волосам, он перестал его посещать и тихо спускался через окно по трубе в переулок, когда одинокий, томящийся Мун стучался в дверь его комнаты. На лекции Муна он все же продолжал ходить, но, изучая отечественных писателей, старался вытравить из слуха интонации Муна, которые преследовали его, особенно в ритме стихов. И Муну он стал предпочитать другого профессора — Стивенса, благообразного старика, который преподавал Россию честно, тяжело, обстоятельно, а говорил по-русски с задыхающимся лаем, часто вставляя сербские и польские слова. Все же не так скоро Мартыну удалось окончательно отряхнуть Арчибальда Муна. Порою он невольно любовался мастерством его лекций, но тотчас же, почти воочию, видел, как Мун уносит к себе саркофаг с мумией России. В конце концов Мартын от него совсем отделался, взяв кое-что, но претворив это в собственность, и уже в полной чистоте зазвучали русские музы. А Муна иногда видели на улице в сопровождении прекрасного пухлявого юноши, с зачесанными назад бледными, пышными волосами, который играл женщин в шекспировских спектаклях, причем Мун сидел в первом ряду, весь разомлевший, а потом шикал с другими на Дарвина, который, откинувшись в кресле, притворялся, что не в силах сдержать восторг, и неуместно разражался канонадой рукоплесканий.

Но и с Дарвином были у Мартына свои счеты. Дарвин иногда один отлучался в Лондон, и Мартын, в воскресную ночь, до трех часов утра, до полного оскудения кокса, сидел у камина, из которого дуло как из могилы, и настойчиво, яростно, словно нажимая на больной зуб, представлял себе Соню и Дарвина вдвоем в темном автомобиле. Однажды он не выдержал и покатил в Лондон на вечер, на который не был зван, и ходил по залам, полагая, что выглядит очень бледным и строгим, но вдруг некстати уловил в зеркале свое круглое розовое лицо с шишкой на лбу, напомнившей ему, как он накануне вырывал футбольный мяч из-под мчавшихся ног. И вот — явились: Соня, одетая цыганкой и как будто забывшая, что едва четыре месяца минуло со смерти сестры, и Дарвин, одетый англичанином из континентальных романов, — костюм в крупную клетку, тропический шлем с платком сзади для защиты затылка от солнца Помпей, бэдекер под мышкой и ярко-рыжие баки. Была музыка, был серпантин, была мятель конфетти, и на одно упоительное мгновение Мартын почувствовал себя участником тонкой маскарадной драмы. Музыка прекратилась, — и когда, несмотря на явное желание Дарвина остаться с Соней наедине, Мартын влез в тот же таксомотор, он заметил вдруг в темноте автомобиля, прорезанной случайным отблеском, что Дарвин как будто держит Сонину руку в своей, и мучительно принялся себя уверять, что это просто игра света и тени. И невероятно было тяжко, когда Соня приезжала в Кембридж: Мартыну все казалось, что он лишний, что хотят от него отделаться. И потом было опять лето в Швейцарии, отмеченное победой над одним из лучших швейцарских теннисистов, — но что было Соне до его успехов в боксе, теннисе, футболе, — и иногда Мартын представлял себе в живописной мечте, как возвращается к Соне после боев в Крыму, и вот с громом проскакивало слово: кавалерия... — марш-марш, — и свист ветра, комочки черной грязи в лицо, атака, атака, — така-так подков, анапест полного карьера. Но теперь было поздно, бои в Крыму давно кончились, давно прошло время, когда Неллин муж летел на вражеский пулемет, близился, близился и вдруг ненароком проскочил за черту, в еще звеневшую отзвуком земной жизни область, где нет ни пулеметов, ни конных атак. «Спохватился, нечего сказать», — мрачно журил себя Мартын и вновь, и вновь, с нестерпимым сознанием чего-то упущенного, воображал георгиевскую ленточку, легкую рану в левое плечо, — непременно в левое, — и Соню, встречающую его на вокзале Виктории. Его раздражала нежная улыбка матери при словах, которыми она как-то обмолвилась: «Видишь, это было все зря, зря, и ты бы зря погиб. Неллин муж — другое дело, — настоящий боевой офицер, — такие не могут жить без войны, — и умер он как хотел умереть, — а эти мальчики, которых так и косит...» Иностранцам, впрочем, она с жаром говорила о необходимости продления военной борьбы, — особенно теперь, когда все прекратилось и уже не было ничего такого, что могло бы сына залучить. И когда она, несколько лет спустя, вспомнила это свое облегчение и спокойствие, Софья Дмитриевна вслух застонала, — ведь можно же было уберечь его, не отказаться так просто от верных предчувствий, быть наблюдательной, быть всегда начеку, — и кто знает, быть может, лучше бы было, если б он и впрямь пошел воевать, — ну был бы ранен, ну заболел бы тифом, и хотя бы этой ценой раз навсегда отделался от мальчишеской тяги к опасности, — но зачем такие мысли, зачем предаваться

240

унынию? Больше бодрости, больше веры, — пропадают же люди без вести и все-таки возвращаются, — ходит, например, слух, что схватили на границе и расстреляли как шпиона, — а глядь — человек жив, и вот уже посмеивается и басит в прихожей, — и если Генрих опять...

XXV

В то второе каникульное лето не одна только эта мимолетная довольная улыбка матери вызвала у Мартына досаду, — гораздо неприятнее было кое-что другое. Он заметил во всем странную перемену, точно все кругом таит дыхание, передвигается на цыпочках. Дядя Генрих почему-то теперь звал Софью Дмитриевну не Софи, как прежде, а chère amie, и она тоже говорила ему иногда «мой друг». В нем появилась новая мягкость, разнеженность, голос стал тише, движения — осторожнее, и теперь уже достаточно было похвалить суп или жаркое, чтобы увлажнились его глаза. Культ памяти Мартынова отца приобрел оттенок нестерпимой мистики, — Софья Дмитриевна глубже, чем когда-либо, чувствовала свою вину перед покойным, а дядя Генрих как будто намечал для нее трудный, но верный путь искупления, говорил о том, как счастлив Сержев дух видеть ее в доме у кузена, и однажды даже вынул пилочку и начал с приятной грустью шмыгать ею по ногтям, — но тут Софья Дмитриевна не выдержала и глухо засмеялась, и совершенно неожиданно смех перешел в истерический припадок, и Мартын второпях так сильно пустил струю из крана на кухне, что облил себе белые штаны.

Нередко ему приходилось видеть, как мать, устало опираясь на руку Генриха, гуляет по саду или как она приносит Генриху на ночь пахучего липового чайку для прояснения желудка, — и все это было тягостно, неловко, странно. Перед его отъездом в Кембридж Софья Дмитриевна, по-видимому, захотела что-то ему сообщить, но ей было так же неловко, как и ему, она смешалась и всего только и сказала, что, может быть, скоро напишет ему о важном событии, и действительно, Мартын зимой получил письмо, но не от нее, а от дяди, который на шести страницах, плавным почерком, в душещипательных и выспренних выражениях, уведомлял его, что венчается с Софьей Дмитриевной — очень скромно, в сельской церкви, — и только дойдя до постскриптума, Мартын понял, что свадьба уже состоялась, и мысленно поблагодарил мать за то, что она приурочила к его отсутствию тяжкое это торжество. Вместе с тем он спрашивал себя, как же теперь с нею встретится, о чем будет говорить, удастся ли ему простить ей измену. Ибо, как ни верти, это была несомненно измена по отношению к памяти отца, — а тут еще угнетала мысль, что отчимом является пухлоусый и недалекий дядя Генрих, и когда Мартын на Рождество приехал, мать принялась его обнимать и плакать, словно забыв, в угоду Генриху, обычную сдержанность, и просто некуда было деваться от торжественного покашливания отчима и его добрых растроганных глаз.

Вообще, в этот последний университетский год Мартын то и дело чуял кознодейство неких сил, упорно старающихся ему доказать, что жизнь вовсе не такая легкая, счастливая штука, какой он ее мнит. Существование Сони, постоянное внимание, которого оно вчуже требовало от его души, мучительные ее приезды, издевательский тон, который у них завелся,— все это было крайне изнурительно. Несчастная любовь, однако, не мешала ему волочиться за всякой миловидной женщиной и холодеть от счастья, когда, например, Роза, богиня кондитерской, соглашалась на поездку вдвоем в автомобиле. В этой кондитерской, очень привлекавшей студентов, пирожные были всех цветов, ярко-красные в пупырках крема, будто мухоморы, лиловые, как фиалковое мыло, и глянцевито-черные, негритянские, с белой душой. Нажирались ими до отвала, так как все хотелось добраться до чего-нибудь вкусного, поглощался один сорт за другим, пока не слипались кишки. Роза, смугло-румяная, с бархатными щеками и влажным взором, в черном платье и субреточном переднике, чрезвычайно быстро ходила по зальцу, ловко разминаясь с несущейся ей навстречу другой прислужницей. Мартын сразу обратил внимание на ее толстопалую, красную руку, которую нисколько не украшала яркая звездочка дешевого перстня, и мудро решил на ее руки больше никогда не глядеть, а сосредоточиться на длинных ресницах, которые она так хорошо опускала, когда записывала счет. Как-то, попивая жирный, сладкий шоколад, он передал ей цедулку и встретился с ней вечером под дождем, а в субботу нанял потрепанный лимузин и провел с нею ночь в старинной харчевне, верстах в пятидесяти от Кембриджа. Его несколько потрясло, но и польстило ему, что, по ее словам, это первый ее роман,— ее любовь оказалась бурной, неловкой, деревенской, и Мартын, представлявший ее себе легкомысленной и опытной сиреной, был так озадачен, что обратился за советом к Дарвину. «Вышибут из университета»,— спокойно сказал Дарвин. «Глупости»,— возразил Мартын, сдвинув брови. Когда же, недели через три, Роза, ставя перед ним чашку шоколада, сообщила ему быстрым шепотом, что беременна, он почувствовал, словно тот метеорит, который обыкновенно падает в пустыню Гоби, прямо угодил в него.

«Поздравляю», — сказал Дарвин; после чего очень искусно принялся ему рисовать судьбу грешницы с брюхом. «А тебя тоже вышибут, — добавил он. — Это факт». — «Никто не узнает, я все улажу», — растерянно проговорил Мартын. «Безнадежно», — ответил Дарвин.

Мартын вдруг рассердился и вышел, хлопнув дверью. Выбежав в переулок, он едва не грохнулся, так как Дарвин очень удачно пустил ему в голову из окна большой подушкой, а дойдя до угла и обернувшись, он увидел, как Дарвин с трубкой в зубах вышел, поднял, отряхнул подушку и вернулся в дом. «Жестокий скот», — пробормотал Мартын и направился прямо в кондитерскую. Там было полно. Роза, смугло-румяная, с блестящими глазами, мелькала между столиками, семенила с подносом или, нежно слюня карандашик, писала счет. Он тоже написал кое-что на листке из блокнота, а именно: «Прошу вас выйти за меня замуж. Мартын Эдельвейс», — и листок сунул ей в ужасную руку; затем вышел, с час ходил по улицам, вернулся домой, лег на кушетку и так пролежал до вечера.

XXVI

Вечером к нему вошел Дарвин, великолепно скинул плащ и, подсев к камину, сразу начал кочергой подбадривать угольки. Мартын лежал и молчал, полный жалости к себе, и воображал вновь и вновь, как он с Розой выходит из церкви, и она — в белых лайковых перчатках, с трудом налезших. «Соня приезжает завтра одна, — беззаботно сказал Дарвин. — У ее матери инфлюэнца, сильная инфлюэнца». Мартын промолчал, но с мгновенным волнением подумал о завтрашнем футбольном состязании. «Но как ты будешь играть, — сказал Дарвин, словно в ответ на его мысли, — это, конечно, вопрос». Мартын продолжал молчать. «Вероятно, плохо, — заговорил снова Дарвин. — Требуется присутствие духа, а ты — в адском состоянии. Я, знаешь, только что побеседовал с этой женщиной».

Тишина. Над городом заиграли башенные куранты.

«Поэтическая натура, склонная к фантазии, — спустя минуту продолжал Дарвин. — Она столь же беременна, как, например, я. Хочешь держать со мною пари ровно на пять фунтов, что скручу кочергу в вензель? — (Мартын лежал как мертвый.) — Твое молчание, — сказал Дарвин, — я принимаю за согласие. Посмотрим».

Он прокряхтел, покряхтел... «Нет, сегодня не могу. Деньги твои. Я заплатил как раз пять фунтов за твою дурацкую записку. Мы — квиты, — все в порядке».

Мартын молчал, только сильно забилось сердце.

«Но если, — сказал Дарвин, — ты когда-нибудь пойдешь опять в эту скверную и дорогую кондитерскую, то знай: ты из университета вылетишь. Эта особа может зачать от простого рукопожатия, — помни это».

Дарвин встал и потянулся. «Ты не очень разговорчив, друг мой. Признаюсь, ты и эта гетера мне как-то испортили завтрашний день».

Он вышел, тихо закрыв за собою дверь, и Мартын подумал зараз три вещи: что страшно голоден, что такого второго друга не сыскать и что этот друг будет завтра делать предложение. В эту минуту он радостно и горячо желал, чтобы Соня согласилась, но эта минута прошла, и уже на другое утро, при встрече с Соней на вокзале, он почувствовал знакомую, унылую ревность (единственным, довольно жалким, преимуществом перед Дарвином был недавний, вином запитый переход с Соней на «ты»; в Англии второе лицо, вместе с луконосцами, вымерло; все же Дарвин выпил тоже на брудершафт и весь вечер обращался к ней на архаическом наречии).

«Здравствуй, цветок», — небрежно сказала она Мартыну, намекая на его ботаническую фамилию, и сразу, отвернувшись, стала рассказывать Дарвину о вещах, которые могли бы также быть и Мартыну интересны.

«Да что же в ней привлекательного? — в тысячный раз думал он.— Ну ямочки, ну бледность... Этого мало. И глаза у нее неважные, дикарские, и зубы неправильные. И губы какие-то быстрые, мокрые, вот бы их остановить, залепить поцелуем. И она думает, что похожа на англичанку в этом синем костюме и бескаблучных башмаках. Да она же, господа, совсем низенькая!» Кто были эти «господа», Мартын не знал; выносить свой суд было бы им мудрено, ибо как только Мартын доводил себя до равнодушия к Соне, он вдруг замечал, какая у нее изящная спина, как она повернула голову, и ее раскосые глаза скользили по нему быстрым холодком, и в ее торопливом говоре проходил подземной струей смех, увлажняя снизу слова, и вдруг проворно вырывался наружу, и она подчеркивала значение слов, тряся туго спеленутым зонтиком, который держала не за ручку, а за шелковое утолщение. И, уныло плетясь,— то следом за ними, то сбоку, по мостовой (идти по панели рядом было невозможно из-за упругого воздуха, окружавшего дородство Дарвина, и мелкого, неверного, всегда виляющего Сониного шага),— Мартын размышлял о том, что, если сложить все те случайные часы, которые он с ней провел — здесь и в Лондоне,— вышло бы не больше полутора месяцев постоянного общения, а знаком он с нею, слава Богу, уже два года с лишком,— и вот уже третья — последняя — кембриджская зима на исходе, и он, право, не может сказать, что́ она за человек, и любит ли она Дарвина, и что она подумала бы, расскажи ей Дарвин вчерашнюю историю, и сказала ли она кому-нибудь про ту беспокойную, чем-то теперь восхитительную, уже совсем не стыдную ночь, когда ее, дрожащую, босую, в желтенькой пижаме, вынесла волна тишины и бережно положила к нему на одеяло.

Пришли. Соня вымыла руки у Дарвина в спальне и, подув на пуховку, напудрилась. Стол к завтраку был накрыт на пятерых. Пригласили, конечно, Вадима, но Арчибальд Мун давно выбыл из круга друзей, и было даже как-то странно вспоминать, что он почитался некогда желанным гостем. Пятым был некрасивый, но очень легко построенный и чуть эксцентрично одетый блондин, с носом пуговкой и с теми прекрасными, удлиненными руками, которыми иной романист наделяет людей артистических. Он, однако, не был ни поэтом, ни художником, а все то легкое, тонкое, порхающее, что привлекало в нем, равно как и его знание французского и итальянского и несколько не английские, но очень нарядные манеры, Кембридж объяснял тем, что его отец был флорентийского происхождения. Тэдди, добрейший, легчайший Тэдди, исповедовал католицизм, любил Альпы и лыжи, прекрасно греб, играл в настоящий, старинный теннис, в который игрывали короли, и, хотя умел очень нежно обходиться с дамами, был до смешного чист и только гораздо позже прислал как-то Мартыну письмо из Парижа с таким извещением: «Я вчера завел себе девку. Вполне чисто-плотную», — и, сквозь нарочитую грубость, было что-то грустное и нервное в этой строке, — Мартын вспомнил его неожиданные припадки меланхолии и самоби-чевания, его любовь к Леопарди и снегу и то, как он со злобой разбил ни в чем не повинную этрусскую вазу, когда с недостаточным блеском выдержал экзамен.

«Приятно зреть, когда большой медведь ведет под ручку...»

И Соня докончила за Вадима, который уже давно ее не стеснялся: «...маленькую сучку», — а Тэдди, склонив голову набок, спросил, что такое: «Маэкасю-чику», — и все смеялись, и никто не хотел ему объяс-нить, и он так и обращался к Соне: «Можно вам поло-жить еще горошку, маэкасючику?» Когда же Мартын впоследствии объяснил ему, что это значит, он со сто-ном схватился за виски и рухнул в кресло.

«Ты волнуешься, волнуешься?» — спросил Вадим.

«Ерунда, — ответил Мартын. — Но я нынче дурно спал и, пожалуй, буду мазать. У них есть трое с ин-тернациональным стажем, а у нас только двое таких».

«Ненавижу футбол», — сказал с чувством Тэдди. Дарвин его поддержал. Оба были итонцы, а в Ито-не своя особая игра в мяч, заменяющая футбол.

XXVII

Меж тем Мартын действительно волновался, и немало. Он играл голкипером в первой команде сво-его колледжа, и, после многих схваток, колледж вышел в финал и сегодня встречался с колледжем Святого Иоанна на первенство Кембриджа. Мартын гордился тем, что он, иностранец, попал в такую команду и, за блестящую игру, произведен в звание колледжского «голубого», — может носить, вместо пиджака, чудесную голубую куртку. С приятным удивлением он вспоминал, как, бывало, в России, калачиком свернувшись в мягкой выемке ночи, предаваясь мечтанию, уводившему незаметно в сон, он видел себя изумительным футболистом. Стоило прикрыть глаза и вообразить футбольное поле или, скажем, длинные, коричневые, гармониками соединенные вагоны экспресса, которым он сам управляет, и постепенно душа улавливала ритм, блаженно успокаивалась, как бы очищалась и, гладкая, умащенная, соскальзывала в забытье. Был это иногда не поезд, пущенный вовсю, скользящий между ярко-желтых березовых лесов и далее, через иностранные города, по мостам над улицами, и затем на юг, сквозь внезапно светающие туннели, и пологим берегом вдоль ослепительного моря, — это был иногда самолет, гоночный автомобиль, тобоган, в вихре снега берущий крутой поворот, или просто тропинка, по которой бежишь, бежишь, — и Мартын, вспоминая, подмечал некую особенность своей жизни: свойство мечты незаметно оседать и переходить в действительность, как прежде она переходила в сон: это ему казалось залогом того, что и нынешние его ночные мечты, — о тайной, беззаконной экспедиции, — вдруг окрепнут, наполнятся жизнью, как окрепла и оделась плотью греза о футбольных состязаниях, которой он, бывало, так длительно, так искусно наслаждался, когда, боясь дойти слишком поспешно до сладостной сути, останавливался подробно на приготовлениях к игре: вот натягивает чулки с цветными отворотами, вот надевает черные трусики, вот завязывает шнурки крепких буцов.

Он крякнул и разогнулся. Перед камином было тепло переодеваться, — это чуть сбавляло дрожь волнения. На белый, с треугольным вырезом, свэтер тесно налезла голубая куртка. Как уже потрепались голкиперские перчатки... Ну вот, — готов. Кругом валялись его вещи, он все это подобрал и понес в спальню. По сравнению с теплом шерстяного свэтера его голоколенным ногам в просторных, легких трусах было удивительно прохладно. «Уф! — произнес он, входя в комнату Дарвина. — Я, кажется, быстро переоделся». — «Пошли», — сказала Соня и встала с дивана. Тэдди посмотрел на нее с мольбой. «Прошу тысячу раз прощения, — взмолился он, — меня ждут, меня ждут».

Он ушел. Ушел и Вадим, обещав прикатить на поле попозже. «Может быть, это и действительно не так уж интересно, — сказала Соня, обращаясь к Дарвину. — Может быть, не стоит?» — «О нет, непременно», — с улыбкой ответил Дарвин и потрепал Мартына по плечу. Они пошли втроем по улице, Мартын заметил, что Соня совершенно не смотрит на него, меж тем он впервые показывался ей в футбольном наряде. «Прибавим шагу, — сказал он. — Мы еще опоздаем». — «Не беда», — проговорила Соня и стала перед витриной. «Ладно, я пойду вперед», — сказал Мартын и, твердо стуча резиновыми шипами буцов, свернул в переулок и зашагал по направлению к полю.

Народу навалило уйма, — благо и день выдался отличный, с бледно-голубым зимним небом и бодрым воздухом. Мартын прошел в павильон, и там уже все были в сборе, и Армстронг, капитан команды, долговязый человек с подстриженными усами, застенчиво улыбнувшись, в сотый раз заметил Мартыну, что тот напрасно не носит наколенников. Погодя все одиннадцать человек гуськом выбежали из павильона, и Мартын разом воспринял то, что так любил: острый запах сыроватого дерна, упругость его под ногой, тысячу людей на скамейках, черную проплешину в дерне у ворот и гулкий звук, — это покикивала противная команда. Судья принес и положил на самый пуп поля (обведенный меловой чертой) новенький светло-желтый мяч. Игроки встали по местам, раздался свисток. И вдруг волнение Мартына совершенно исчезло, и, спокойно прислонившись к штанге своих ворот, он поглядел по сторонам, пытаясь найти Дарвина и Соню. Игра повелась далеко, в том конце поля, и можно было наслаждаться холодом, матовой зеленью, говором людей, стоявших тотчас за сеткой ворот, и гордым чувством, что отроческая мечта сбылась, что вон тот рыжий, главарь противников, так восхитительно точно принимающий и передающий мяч, недавно играл против Шотландии и что среди толпы есть кое-кто, для кого стоит постараться. В детские годы сон обычно наступал как раз в эти минуты начала игры, ибо Мартын так увлекался подробностями предисловия, что до главного не успевал дойти и забывался. Так он длил наслаждение, откладывая на другую, менее сонную, ночь самую игру — быструю, яркую, — и вот, топот ног близится, вот уже слышно храпящее дыхание бегущих, вот выбился рыжий и несется, вздрагивая коком, и вот — от удара его баснословного носка мяч со свистом низко метнулся в уголок ворот, — голкипер, упав как подкошенный, успел задержать эту молнию, и вот уже мяч в его руках, и, увильнув от противников, Мартын всей силою ляжки и икры послал мяч звучной параболой вдаль, под раскат рукоплесканий. Во время короткого перерыва игроки валялись на траве, сося лимоны, и когда затем стороны переменились воротами, Мартын с нового места опять высматривал Соню. Впрочем, нельзя было особенно глазеть, — игра сразу пошла жаркая, и ему все время приходилось делать стойку в ожидании атаки. Несколько раз он ловил, согнувшись вдвое, пушечное ядро, несколько раз взлетал, отражая его кулаком, и сохранил девственность своих ворот до конца игры, счастливо улыбнувшись, когда, за секунду до свистка, голкипер противников выронил скользкий мяч, который Армстронг тотчас и залепил в ворота.

Все кончилось, публика затопила поле, никак нельзя было найти Соню и Дарвина. Уже за трибунами он нагнал Вадима, который, в тесноте пеших, тихо ехал на велосипеде, осторожно повиливая и дудя губами. «Давно драпу дали, — ответил он на вопрос Мартына, — сразу после хаф-тайма, и, знаешь, у мамки...» — Тут следовало что-то смешное, чего, впрочем, Мартын не дослушал, так как, густо тарахтя, протиснулся один из игроков, Фильпот, на красной мотоциклетке и предложил его подвезти. Мартын сел сзади, и Фильпот нажал акселератор. «Вот я и напрасно удержал тот, последний, под самую перекладину, — она все равно не видела», — думал Мартын, морщась от пестрого ветра. Ему сделалось тяжело и горько, и когда он на перекрестке слез и направился к себе, он с отвращением прожвакал вчерашний день, коварство Розы, и стало еще обиднее. «Вероятно, где-нибудь чай пьют», — пробормотал он, но на всякий случай заглянул в комнату Дарвина. На кушетке лежала Соня, и в то мгновение, как Мартын вошел, она сделала быстрый жест, ловя в горсть пролетавшую моль. «А Дарвин?» — спросил Мартын. «Жив, пошел за пирожными», — ответила она, недоброжелательно следя глазами за непойманной белесой точкой. «Вы напрасно не дождались конца, — проговорил Мартын и опустился в бездонное кресло. — Мы выиграли. Один на ноль». — «Тебе хорошо бы вымыться, — заметила она. — Посмотри на свои колени. Ужас. И наследил чем-то черненьким». — «Ладно. Дай отсапать». Он несколько раз глубоко вздохнул и, охая, встал. «Постой, — сказала Соня. — Это ты должен послушать, — просто уморительно. Он только что мне предложил руку и сердце. Вот я чувствовала, что это должно произойти: зрел, зрел и лопнул». Она потянулась и темно взглянула на Мартына, который сидел высоко подняв брови. «Умное у тебя личико», — сказала она и, отвернувшись, продолжала: «Просто не понимаю, на что он рассчитывал. Милейший и все такое, — но ведь это дуб, английский дуб, — я бы через неделю померла бы с тоски. Вот она опять летает, голубушка». Мартын прочистил горло и сказал: «Я тебе не верю. Я знаю, что ты согласилась». — «С ума сошел! — крикнула Соня, подскочив на месте и хлопнув обеими ладонями по кушетке. — Ну как ты себе можешь это представить?» — «Дарвин — умный, тонкий, — вовсе не дуб», — напряженно сказал Мартын. Она опять хлопнула: «Но ведь это не настоящий человек, — как ты не понимаешь, балда! Ну право же, это даже оскорбительно. Он не человек, а нарочно. Никакого нутра и масса юмора, — и это очень хорошо для бала, — но так, надолго, — от юмора на стенку полезешь». — «Он писатель, от него знатоки без ума», — тихо, с трудом, проговорил Мартын и подумал, что теперь его долг исполнен, довольно ее уговаривать, есть предел и благородству. «Да-да, вот именно, — только для знатоков. Очень мило, очень хорошо, но все так поверхностно, так благополучно, так...» Тут Мартын почувствовал, как, прорвав шлюзы, хлынула сияющая волна, он вспомнил, как превосходно играл только что, вспомнил, что с Розой все улажено, что вечером банкет в клубе, что он здоров, силен, что завтра, послезавтра и еще много, много дней — жизнь, битком набитая всяким счастьем, и все это налетело сразу, закружило его, и он, рассмеявшись, схватил Соню в охапку, вместе с подушкой, за которую она уцепилась, и стал ее целовать в мокрые зубы, в глаза, в холодный нос, и она брыкалась, и ее черные, пахнущие фиалкой волосы лезли ему в рот, и наконец он уронил ее с громким смехом на диван, и дверь открылась, показалась сперва нога, нагруженный свертками вошел Дарвин, попытался ногой же дверь закрыть, но уронил бумажный мешок, из которого высыпались меренги. «Мартын швыряется подушками, — жалобным, запыхавшимся голосом сказала Соня. — Подумаешь, — один:ноль, — нечего уж так беситься».

XXVIII

А на другой день и у Мартына и у Дарвина было с утра тридцать восемь подмышечной температуры, — ломота, сухость в горле, звон в ушах, — все признаки сильнейшей инфлюэнцы. И как ни было приятно думать, что передаточной инстанцией послужила, вероятно, Соня, — оба чувствовали себя отвратительно, и Дарвин, который ни за что не хотел оставаться в постели, выглядел в своем цветистом халате тяжеловесом-боксером, красным и встрепанным после долгого боя, и Вадим, героически презирая заразу, носил лекарства, а Мартын, накрывшись поверх одеяла пледом и зимним пальто, мало, впрочем, сбавляющими озноб, лежал в постели с сердитым выражением на лице и во всяком узоре, во всяком соотношении между любыми предметами в комнате, тенями, пятнами, видел человеческий профиль, — тут были кувшинные рыла, и бурбонские носы, и толстогубые негры, — неизвестно почему лихорадка всегда так усердно занимается рисованием довольно плоских карикатур. Он засыпал, — и сразу танцовал фокстрот со скелетом, который во время танца начинал развинчиваться, терять кости, их следовало подхватить, попридержать, хотя бы до конца танца; а не то — начинался безобразный экзамен, вовсе не похожий на тот, который, спустя несколько месяцев, в мае, действительно пришлось Мартыну держать. Там, во сне, предлагались чудовищные задачи с большими железными иксами, завернутыми в вату, а тут, наяву, в просторном зале, косо пересеченном пыльным лучом, студенты-филологи в черных плащах отмахивали по три сочинения в час, и Мартын, посматривая на стенные часы, крупным, круглым своим почерком писал об опричниках, о Баратынском, о Петровских реформах, о Лорис-Меликове...

Кембриджское житье подходило к концу, и каким-то сияющим апофеозом показались последние дни, когда, в ожидании результатов экзаменов, можно было с утра до вечера валандаться, греться на солнце, томно плыть, лежа на подушках, вниз по реке,

под величавым покровительством розовых кашта-
нов. Весной Соня с семьей переселилась в Берлин,
где Зиланов затеял еженедельную газету, и теперь
Мартын, лежа навзничь под тихо проходившими ветвями, вспоминал последнюю свою поездку в Лондон. Дарвин поехать не пожелал, лениво попросил
передать Соне привет и, помахав в воздухе пальцами, погрузился опять в книгу. Когда Мартын прибыл, в доме у Зилановых был тот печальный кавардак, который так ненавидят пожилые, домовитые
собаки, толстые таксы например. Горничная и вих-
растый малый с папироской за ухом несли вниз по
лестнице сундук. Заплаканная Ирина сидела в гостиной, кусая ногти и неизвестно о чем думая. В одной из спален разбили что-то стеклянное, и сразу
в ответ зазвонил в кабинете телефон, но никто не
подошел. В столовой покорно ждала тарелка, прикрытая другой, а что там была за пища — неизвестно. Откуда-то приехал Зиланов, в черном пальто,
несмотря на теплынь, и как ни в чем не бывало сел
в кабинете писать. Ему, кочевнику, было, вероятно,
совершенно все равно, что через час надобно ехать
на вокзал и что в углу торчит еще не заколоченный
ящик с книгами, — так сидел он и ровно писал, на
сквозняке, среди каких-то стружек и смятых газет-
ных листов. Соня стояла посреди своей комнаты
и, прижимая ладони к вискам, сердито переводила
взгляд с большого пакета на уже вполне сытый чемодан. Мартын сидел на низком подоконнике и курил. Несколько раз входили то Ольга Павловна, то
ее сестра, искали чего-то и, не найдя, уходили. «Ты
рада ехать в Берлин?» — уныло спросил Мартын,
глядя на свою папиросу, на пепельный нарост, схо-
жий с седой хвоей, в которой сквозит зловещий

закат. «Без. Раз. Лично», — сказала Соня, прикидывая в уме, закроется ли чемодан. «Соня», — сказал Мартын через минуту. «А? Что?» — очнулась она и вдруг быстро завозилась, рассчитывая взять чемодан врасплох, натиском. «Соня, — сказал Мартын, — неужели...» Вошла Ольга Павловна, посмотрела в угол и, кому-то в коридоре отвечая отрицательно, торопливо ушла, не прикрыв двери. «Неужели, — сказал Мартын, — мы больше никогда не увидимся?» — «Все под Богом ходим», — ответила Соня рассеянно. «Соня», — начал опять Мартын. Она посмотрела на него и не то поморщилась, не то улыбнулась. «Знаешь, он мне отослал все письма, все фотографии, — все. Комик. Мог бы эти письма оставить. Я их полчаса рвала и спускала, теперь там испорчено». — «Ты с ним поступила дурно, — хмуро проговорил Мартын. — Нельзя было подавать надежду и потом отказать». — «Что за тон, что за тон! — с легким взвизгом крикнула Соня. — На что надежду? Как ты смеешь говорить о надежде? Ведь это пошлость, мерзость. Ах, вообще — отстань от меня! Лучше-ка сядь на этот чемодан», — добавила она нотой ниже. Мартын сел и напыжился. «Не закроется, — сказал он хрипло. — И я не знаю, почему ты приходишь в такой раж. Я просто хочу сказать...» Тут что-то неохотно щелкнуло, и, не дав чемодану опомниться, Соня повернула в замке ключик. «Теперь все хорошо, — сказала она. — Поди сюда, Мартын. Поговорим по душам». В комнату заглянул Зиланов. «Где мама? — спросил он. — Я ведь просил оставить мой стол в покое. Теперь исчезла пепельница, там было две почтовых марки». Когда он ушел, Мартын взял Сонину руку в свои, сжал ее между ладонями, тяжко вздохнул. «Ты все-таки очень хороший, — сказала Соня. — Мы будем переписываться, и ты, может быть, когда-нибудь приедешь в Берлин, а не то — в России встретимся, будет очень весело». Мартын качал головой и чувствовал, как накипают слезы. Соня выдернула руку. «Ну, если хочешь кукситься, — сказала она недовольно, — пожалуйста, сколько угодно». — «Ах, Соня», — проговорил он сокрушенно. «Да чего же ты от меня, собственно, хочешь? — спросила она щурясь. — Скажи мне, пожалуйста, чего ты от меня хочешь?» Мартын, отвернув голову, пожал плечами.

«Слушай, — сказала она, — надо идти вниз, надо ехать, меня злит, что ты такой надутый. Неужели нельзя все просто?» — «Ты в Берлине выйдешь замуж», — безнадежно пробормотал Мартын. Влетела горничная, забрала чемодан. За ней появилась Ольга Павловна, уже в шляпе. «Пора, пора, — сказала она. — Ты все здесь взяла, ничего не оставила? Это ужас, — обратилась она к Мартыну, — мы думали спокойно завтра ехать...» Она исчезла, но ее голос в коридоре некоторое время еще объяснял кому-то о неотложных делах мужа, и Мартыну стало так пронзительно, так невыразимо грустно от всей этой кутерьмы, безалаберности, что захотелось скорее уж спровадить, сбыть Соню и вернуться в Кембридж, к ленивому солнцу.

Соня улыбнулась, взяла его за щеки и поцеловала в переносицу. «Не знаю, может быть», — прошептала она и, быстро вывернувшись из метнувшихся Мартыновых рук, подняла палец. «Тубо», — сказала она, а потом сделала круглые глаза, так как снизу вдруг донеслись ужасные, невозможные, потрясавшие весь дом рыдания. «Пойдем, пойдем, — заторопилась Соня. — Я не понимаю, почему этой бедняжке так не хочется отсюда уезжать. Перестань, чорт возьми, оставь мою руку!»

Внизу у лестницы билась, рыдая, Ирина, цеплялась за балюстраду. Елена Павловна тихо ее уговаривала: «Ира, Ирочка», — а Михаил Платонович, употребляя уже не раз испытанное средство, вынул платок, быстро сделал толстый узел с длинным ушком, надел платок на руку, и, вертя ею, показал человечка в ночной рубашке и колпаке, уютно укладывающегося спать.

На вокзале она расплакалась опять, но уже тише, безнадежнее. Мартын сунул ей коробку конфет, предназначенную, собственно говоря, Соне. Зиланов, как только уселся, развернул газету. Ольга и Елена Павловны считали глазами чемоданы. С грохотом стали захлопываться дверцы; поезд тронулся. Соня высунулась в окно, облокотясь на спущенную раму, и Мартын несколько мгновений шел рядом с вагоном, а потом отстал, и уже сильно уменьшившаяся Соня послала ему воздушный поцелуй, и Мартын споткнулся о какой-то ящик.

«Ну вот — уехали», — сказал он со вздохом и почувствовал облегчение. Он перебрался на другой вокзал, купил свежий номер юмористического журнала с носатым, крутогорбым Петрушкой на обложке, а когда все было высосано из журнала, засмотрелся на нежные луга, проплывавшие мимо. «Моя прелесть, моя прелесть», — произнес он несколько раз и, глядя сквозь горячую слезу на зелень, вообразил, как, после многих приключений, попадет в Берлин, явится к Соне, будет, как Отелло, рассказывать, рассказывать... «Да, так дальше нельзя, — сказал он, пальцем потирая веко и напрягая надгубье, — нельзя, нельзя. Больше активности». Прикрыв глаза, удобно вдвинувшись в угол, он принялся готовиться к опасной экспедиции, изучал карту, никто не знал, что он собирается сделать, знал, пожалуй, только Дарвин, прощай, прощай, ни пуха ни пера, отходит поезд на север, — и на этих приготовлениях он заснул, как прежде засыпал, надевая в мечте футбольные доспехи. Было темно, когда он прибыл в Кембридж. Дарвин читал все ту же книгу и, как лев, зевнул, когда он к нему вошел. И тут Мартын поддался маленькому озорному соблазну, — за что впоследствии поплатился. Он с нарочитой задумчивой улыбкой уставился в угол, и Дарвин, неторопливо доканчивая зевок, посмотрел на него с любопытством. «Я счастливейший человек в мире, — тихо и проникновенно сказал Мартын. — Ах, если б можно было все рассказать». Он, впрочем, не лгал: давеча в вагоне, когда он заснул, ему привиделся сон, выросший из двух-трех Сониных слов, — она прижимала его голову к своему гладкому плечу, наклонялась, щекоча губами, говорила что-то придушенно-тепло и нежно, и теперь было трудно отделить сон от яви. «Что ж, очень рад за тебя», — сказал Дарвин. Мартыну вдруг сделалось неловко, и он, посвистывая, пошел спать. Через неделю он получил открытку с видом Бранденбургских ворот и долго разбирал паукообразный Сонин почерк, тщетно пытаясь найти скрытый смысл в незначительных словах.

И вот, плывя по реке под низкими цветущими ветвями, Мартын вспоминал, проверял, испытывал разными кислотами последнюю встречу с ней, — приятная, хотя не очень плодотворная работа. Было жарко, сквозь закрытые веки солнце проникало томным клубничным румянцем, слышен был сдержанный плеск воды и далекая нежная музыка плывущих граммофонов. Погодя Мартын открыл глаза и в потоке солнца увидел Дарвина, лежащего в подушках напротив, в таких же белых фланелевых штанах и открытой рубашке, как и он. На юте этой плотоподобной шлюпки с плоским, неглубоким днищем и тупым носом стоял Вадим и налегал на упорный шест. Потрескавшиеся бальные туфли сверкали от брызг, на остром лице было внимательное выражение, — он любил воду, он священнодействовал, искусно, плавно орудуя шестом, вынимая его из воды ритмическими перехватами и снова на него налегая. Шлюпка скользила между цветущих берегов; в прозрачно-зеленоватой воде отражались то каштаны, то млечные кусты ежевики; иногда падал лепесток, и было видно в воде, как из глубины спешит к нему навстречу отражение, и вот — сошлись. Мимо, лениво и безмолвно, если не считать воркотни граммофонов, проплывали такие же плоские шлюпки, а изредка байдарка или пирога со вздернутым носом. Мартын заметил впереди открытый цветной зонтик, который колесом вращался то вправо, то влево, но от женщины, тихо вращавшей его, ничего не было видно, кроме руки — почему-то в белой перчатке. На корме стоял молодой человек в очках и очень неумело действовал шестом, так что шлюпка виляла, и Вадим кипел презрением и не знал, с какой стороны ее перегнать. На первой же излучине она неуклонно пошла на берег, причем выпуклый зонтик обернулся в профиль, и Мартын узнал Розу. «Посмотри, как забавно», — сказал он, и Дарвин, не меняя положения толстых заломленных рук, посмотрел по направлению его взгляда. «Запрещаю с ней здороваться», — сказал он спокойно. Мартын улыбнулся: «Нет-нет, непременно». — «Если ты это сделаешь, — протяжно проговорил Дарвин, — я отшибу тебе голову». Было что-то странное в его глазах, и Мартыну сделалось не по себе; но именно потому, что он расслышал в словах Дарвина нешуточную угрозу и испугался ее, Мартын, проплывая мимо застрявшей в кустах шлюпки, крикнул: «Алло, алло, Роза!» И она молча улыбнулась, сияя глазами и вертя зонтиком, и молодой человек в очках уронил со шлепком шест в воду, и в следующее мгновение поворот их закрыл, и Мартын опять закинул голову и стал смотреть в небо. Через несколько минут молчаливого скольжения вдруг раздался голос Дарвина: «Здорово, Джон, — рявкнул он. — Подплывай сюда!»

Джон осклабился и затабанил. Этот чернобровый, ежом остриженный толстяк был даровитым математиком и недавно получил за одну из своих работ стипендию. Он глубоко сидел в пироге, двигая вдоль самого борта блестящим гребком. «Вот что, Джон, — сказал Дарвин. — Тут меня вызвали на драку, так что будь свидетелем. Мы выберем место потише и пристанем». — «Ладно», — ответил Джон, не выказав никакого удивления, и, плывя рядом, стал длинно рассказывать о студенте, недавно купившем гидроплан и немедленно разбившем его при попытке подняться вот с этой узкой реки. Мартын лежал в подушках не шевелясь. Знакомая дрожь и слабость в ногах. Быть может, Дарвин все-таки шутит. С чего бы ему так взъерепениться?

Вадим, поглощенный навигаторским таинством, ничего, по-видимому, не слышал. После трех-четырех поворотов Дарвин попросил его пристать. Уже близился вечер. Река в этом месте была пустынна. Вадим направил шлюпку на зеленый мысок, выдававшийся из-под навеса листвы. Мягко стукнулись.

XXIX

Дарвин первый выскочил на берег и помог Вадиму причалиться. Мартын потянулся, не торопясь встал, вышел тоже. «Я вчера начал читать Чехова, — сказал ему Джон, шевеля бровями. — Очень благодарю вас за совет. Милый, человеческий писатель». — «О, еще бы», — ответил Мартын и быстро подумал: «Неужто и впрямь будет драка?»

«Ну вот, — сказал Дарвин, подойдя. — Теперь можно приступить; если пройти сквозь эти кусты, мы выйдем на поляну. С реки ничего не будет видно».

Вадим только теперь понял, что затевается. «Мамка тебя убьет», — сказал он по-русски Мартыну. «Пустяки, — ответил Мартын. — Я боксую не хуже его». — «Не надо бокса, — лихорадочно шепнул Вадим. — Дай ему сразу ногой», — и он определил, куда именно. Стоял он за Мартына только из любви к отечеству.

Полянка, окруженная орешником, оказалась ровной, бархатной. Дарвин засучил рукава, но, подумавши, развернул их опять и снял рубашку: осветилось крупное розовое тело с мускулистым лоском на плечах и с дорожкой золотистых волос посредине широкой груди. Он покрепче затянул ремень пояса и вдруг заулыбался. «Все это шутка», — радостно подумал Мартын, но, на всякий случай, тоже обнажил торс: кожа у него была более кремового оттенка с многочисленными родинками, как часто бывает у русских. По сравнению с Дарвином он казался более поджарым, хотя был плотен и плечист. Он снял через голову крест, загреб в ладонь цепочку и эту горсточку текучего золота сунул в карман. Вечернее солнце обдавало теплом лопатки.

«Вы как хотите — с перерывами?» — спросил Джон, удобно растянувшись на траве. Дарвин вопросительно взглянул на Мартына, который стоял, сложив руки на груди и расставя ноги. «Мне все равно», — заметил Мартын, а в мыслях пронеслось: «Нет, по-видимому, драка будет, — это ужасно...» Кругом да около беспокойно слонялся Вадим, заложив руки в карманы, посапывал, смущенно ухмылялся, а потом сел по-турецки рядом с Джоном. Джон вынул часы. «Им все-таки не следует дать больше пяти минут, — правда, Вадим?» Вадим растерянно закивал. «Ну-с, можете начать», — сказал Джон.

Дарвин и Мартын, мгновенно сжав кулаки, подняли согнутые в локтях руки (правая заслоняет живот, левая ходит поршнем) и принялись упруго и живо переступать на напряженных ногах, словно потанцовывая. В эту минуту Мартыну еще казалось невозможным ударить Дарвина в лицо, в это большое, гладко выбритое, доброе лицо с мягкими морщинками у рта; но когда кулак Дарвина вдруг вылетел и Мартына треснул по челюсти, все изменилось: пропал страх, стало на душе хорошо, светло, а звон в голове от встряски пел о Соне — настоящей виновнице поединка. Увильнув от нового выпада, он хватил Дарвина по его доброму лицу, вовремя нырнул (стремительная рука Дарвина метеором пронеслась над самым теменем) и хотел двинуть еще раз снизу вверх, но промахнулся и получил сам в глаз такой черный и звездный удар, что пошатнулся и уже не мог отклониться от пяти-шести кулаков, летавших вокруг его головы, но самый опасный из них ему все же удалось пропустить через плечо: нагнувшись, он обманул Дарвина проворным маневром и со всей силы хряпнул его по мокрому, твердому от зубов рту, — и тут же сам ёкнул, почувствовав, словно налетел животом на торчащий конец железного бруса. Оба отскочили друг от друга и пошли опять кружить, и у Дарвина из угла рта текла красная струйка, и он дважды сплюнул. Схватились снова. Джон, задумчиво покуривая трубку, мысленно противопоставлял опытность Дарвина быстроте Мартына и думал, что, пожалуй, в ринге он, выбирая между этими двумя тяжеловесами, отдал бы предпочтение старшему. У Мартына левый глаз закрылся и уже распух, и оба бойца были мокрые и лоснящиеся, в красноватых пятнах. Вадим меж тем разошелся, что-то азартно кричал, Джон на него шикал. Бабах в ухо: Мартын не удержался на ногах, и, пока он валился, Дарвин успел его еще раз хватить, и Мартын сильно сел на траву, ушибив копчик, но тотчас вспрянул и налетел. Несмотря на боль в голове, на глухоту, на багровый туман в глазах, Мартыну казалось, что он причиняет Дарвину больше увечий, чем тот ему, но Джон, знаток бокса, уже ясно видел, что Дарвин только входит во вкус, еще немножко, и младший будет уложен. Мартын, однако, чудом выдержал решительный напор Дарвина, состоявший из звучных заушин, кои зовутся раскатихами, и успел еще раз брякнуть его по рту, а случайно коснувшись своих белых штанов, оставил на них красный отпечаток. Он дышал с присвистом, мало уже соображал, и то, что было перед ним, называлось уже не Дарвин, — и вообще не носило человеческого имени, — а было только розовой, скользкой, быстроходной громадой, по которой следовало шмякать из последних сил. Ему удалось очень плотно и ладно ударить куда-то, — куда — он не видел, — но тотчас множество кулаков, справа, слева, куда ни сунься, продолжало его обрабатывать, он упрямо искал в этом вихре брешь, нашел, забарабанил по какой-то чмокающей мякине, почувствовал вдруг, что у самого отлетает голова, и, поскользнувшись, повис на Дарвине, зажимая сдвинутыми локтями его мокрые, горячие руки. «Время!» — донесся вдруг из отдаленных пространств голос Джона, и бойцы расцепились, Мартын рухнул на мураву, Дарвин, улыбаясь окровавленным ртом, присел рядом, нежно перекинул руку через его плечо, и оба замерли, склонив головы и тяжело дыша.

«Надо вам обмыться», — сказал Джон, а Вадим, с опаской подойдя, стал разглядывать их разбитые лица. «Ты можешь встать?» — с участием спросил Дарвин; Мартын кивнул и, опираясь на него, выпрямился, и они в обнимку направились к реке; Джон похлопал их по холодным голым спинам; Вадим пошел вперед, отыскал укромный заточик; Дарвин помог Мартыну хорошенько обмыть лицо и торс, а потом Мартын сделал для него то же, — и оба тихо и участливо спрашивали друг у друга, где болит, не жжет ли вода.

XXX

Сумерки уже переходили в ночь, щелкали соловьи, дымные луга и темный прибрежный кустарник дышали сыростью. Джон в своей черной пироге исчез в тумане реки. Вадим, опять стоя на юте, призрачно белеясь во мраке, безмолвно, с лунатической плавностью, погружал свой призрачный шест. Мартын и Дарвин лежали рядом на подушках, размаянные, томные, опухшие, и глядели тремя глазами на небо, по которому изредка проходила темная ветвь. И это небо, и ветвь, и едва плещущая вода, и фигура Вадима, таинственно облагороженного любовью к плаванию, и цветные огни бумажных фонарей на носах встречных шлюпок, и мысль, что на днях конец Кембриджу, что в последний раз, быть может, они втроем скользят по узкой туманной реке, — все это для Мартына сливалось во что-то удивительное, очаровательное, а свинцовая боль в голове и ломота в плечах тоже казались ему возвышенного, романтического свойства: ибо так плыл раненый Тристан сам друг с арфой.

Еще одна последняя излучина, и вот — берег. Берег, к которому Мартын пристал, был очень хорош, ярок, разнообразен. Он знал, однако, что, например, дядя Генрих твердо уверен, что эти три года плавания по кембриджским водам пропали даром, оттого что Мартын побаловался филологической прогулкой, не Бог весть какой дальней, вместо того чтобы изучить плодоносную профессию. Мартын же, по совести, не понимал, чем знаток русской словесности хуже инженера путей сообщения или купца. Оказалось, что в зверинце у дяди Генриха, — а зверинец есть у каждого, — имелся, между прочим, и тот зверек, который по-французски зовется «черным», и этим черным зверьком был для дяди Генриха двадцатый век. Мартына это удивило, ибо ему казалось, что лучшего времени, чем то, в которое он живет, прямо себе не представишь. Такого блеска, такой отваги, таких замыслов не было ни у одной эпохи. Все то, что искрилось в прежних веках, — страсть к исследованию неведомых земель, дерзкие опыты, подвиги любознательных людей, которые слепли или разлетались на мелкие части, героические заговоры, борьба одного против многих, — все это проявлялось теперь с небывалой силой. То, что человек, проигравший на бирже миллион, хладнокровно кончал с собой, столь же поражало воображение Мартына, как, скажем, вольная смерть полководца, павшего грудью на меч. Автомобильная реклама, ярко алеющая в диком и живописном ущелье, на совершенно недоступном месте альпийской скалы, восхищала его до слез. Услужливость, ласковость очень сложных и очень простых машин, как, например, трактор или линотип, приводили его к мысли, что добро в человечестве так заразительно, что передается металлу. Когда над городом, изумительно высоко в голубом небе, аэроплан величиной с комарика выпускал нежные, молочно-белые буквы во сто крат больше него самого, повторяя в божественных размерах росчерк фирмы, Мартын проникался ощущением чуда. А дядя Генрих, подкармливая своего черного зверька, с ужасом и отвращением говорил о закате Европы, о послевоенной усталости, о нашем слишком трезвом, слишком практическом веке, о нашествии мертвых машин; в его представлении была какая-то дьявольская связь между фокстротом, небоскребами, дамскими модами и коктэйлями. Кроме того, дяде Генриху казалось, что он живет в эпоху страшной спешки, и было особенно смешно, когда он об этой спешке беседовал в летний день, на краю горной дороги, с аббатом, — меж тем как тихо плыли облака, и старая, розовая аббатова лошадь, со звоном отряхиваясь от мух, моргая белыми ресницами, опускала голову полным невыразимой прелести движением и сочно похрустывала придорожной травой, вздрагивая кожей и переставляя изредка копыто, и если разговор о безумной спешке наших дней, о власти доллара, об аргентинцах, соблазнивших всех девушек в Швейцарии, слишком затягивался, а наиболее нежные стебли уже оказывались в данном месте съеденными, она слегка подвигалась вперед, причем со скрипом поворачивались высокие колеса таратайки, и Мартын не мог оторвать взгляд от добрых седых лошадиных губ, от травинок, застрявших в удилах. «Вот, например, этот юноша, — говорил дядя Генрих, указывая палкой на Мартына, — вот он кончил университет, один из самых дорогих в мире университетов, а спросите его, чему он научился, на что он способен. Я совершенно не знаю, что он будет дальше делать. В мое время молодые люди становились врачами, офицерами, нотариусами, а вот он, вероятно, мечтает быть летчиком или платным танцором». Мартыну было невдомек, чего именно он служил примером, но аббат, по-видимому, понимал парадоксы дяди Генриха и сочувственно улыбался. Иногда Мартына так раздражали подобные разговоры, что он был готов сказать дяде — и, увы, отчиму — грубость, но вовремя останавливался, заметив особое выражение, которое появлялось на лице у Софьи Дмитриевны всякий раз, как Генрих впадал в красноречие. Тут была и едва проступавшая ласковая насмешка, и какая-то грусть, и бессловесная просьба простить чудаку, — и еще что-то неизъяснимое, очень мудрое. И Мартын молчал, втайне отвечая дяде Генриху примерно так: «Неправда, что я в Кембридже занимался пустяками. Неправда, что я ничему не научился. Колумб, прежде чем взяться через западное плечо за восточное ухо, отправился инкогнито для получения кое-каких справок в Исландию, зная, что тамошние моряки — народ дошлый и дальноходный. Я тоже собираюсь исследовать далекую землю».

XXXI

Софья Дмитриевна не докучала сыну нудными разговорами, до которых был падок Генрих; она не спрашивала его, чем он собирается заниматься, считая, что это все как-то само собой устроится, и была только счастлива, что он сейчас при ней, здоров, плечист, темен от загара, лупит в теннис, говорит низким голосом, ежедневно бреется и вгоняет в мак молодую, яркоглазую мадам Гишар, местную купчиху. Порою она думала о том, что Россия вдруг стряхнет дурной сон, полосатый шлагбаум поднимется, и все вернутся, займут прежние свои места,— и Боже мой, как подросли деревья, как уменьшился дом, какая грусть и счастье, как пахнет земля... По утрам она так же страстно ждала почтальона, как и во дни пребывания сына в Кембридже, и, когда теперь приходило,— а приходило оно нечасто,— письмо на имя Мартына, в конторском конверте, с паукообразным почерком и берлинской маркой, она испытывала живейшую радость и, схватив письмо, спешила к нему в комнату. Мартын еще лежал в постели, очень взлохмаченный, посасывал папиросу, держа руку у подбородка. Он видел в зеркале, как солнечной раной раскрывалась дверь, и видел особое выражение на розовом, веснушчатом лице матери: по ее плотно сжатым, но уже готовым расплыться в улыбку губам он знал, что есть письмо. «Сегодня ничего для тебя нет», — небрежно говорила Софья Дмитриевна, держа руку за спиной, но сын уже протягивал нетерпеливые пальцы, и она, просияв, прикладывала конверт к груди, и оба смеялись, и затем, не желая мешать его удовольствию, она отходила к окну, облокачивалась, захватив ладонями щеки, и с чувством совершенного счастья глядела на горы, на одну далекую, розовато-снежную вершину, которая была видна только из этого окна. Мартын, залпом проглотив письмо, притворялся значительно более довольным, чем на самом деле, так что Софья Дмитриевна представляла себе эти письма от маленькой Зилановой полными нежности и, вероятно, почувствовала бы печальную обиду за сына, если бы ей довелось их прочесть. Она помнила маленькую Зиланову со странной ясностью: черноволосая, бледная девочка, всегда с ангиной или после ангины, с шеей, забинтованной или пожелтевшей от йода; она помнила, как однажды повела десятилетнего Мартына к Зилановым на елку, и маленькая Соня была в белом платье с кружевцами и с широким шелковым кушаком на бедрах. Мартын же этого не помнил вовсе, елок было много, они мешались, и только одно было очень живо, ибо повторялось всегда: мать говорила, что пора домой, и засовывала пальцы за воротник его матроски, проверяя, не очень ли он потен от беготни, а он еще рвался куда-то с огромной золотой хлопушкой в руке, но хватка матери была ревнива, и вот уже натягивались шерстяные рейтузики, почти до подмышек, надевались ботики, полушубок, с туго застегивавшимся на душке крючком, отвратительно щекотный башлык, — и вот — морозная радуга фонарей проходит по стеклам кареты. Мартына волновало, что тогда и теперь выражение материнских глаз было то же, — что и теперь она легко трогала его за шею, когда он возвращался с тенниса, и приносила Сонино письмо с той же нежностью, как некогда — выписанное из Англии духовое ружье в длинной картонной коробке.

Ружье оказывалось не совсем таким, как он ожидал, не совпадало с мечтой о нем, как и теперь письма Сони были не такими, каких ему хотелось. Она писала редко, писала как-то судорожно, ни одного не попадалось таинственного слова, и ему приходилось удовлетворяться такими выражениями, как: «Часто вспоминаю добрый, старый Кембридж» или: «Всех благ, мой миленький цветочек, жму лапу». Она сообщала, что служит, машинка да стенография, что с Ириной очень трудно — сплошная истерия, что у отца ничего путного не вышло с газетой и он теперь налаживает издательское дело, что в доме иногда не бывает ни копейки, и очень грустно, что масса знакомых, и очень весело, что трамваи в Берлине зеленые, и что в теннис берлинцы играют в крахмальных воротничках и подтяжках. Мартын терпел, терпел, протерпел лето, осень и зиму, и как-то в апрельский день объявил дяде Генриху, что едет в Берлин. Тот надулся и сказал недовольно: «Мне кажется, дружок, что это лишено здравого смысла. Ты всегда успеешь увидеть Европу, — я сам думал осенью взять вас, тебя и твою мать, в Италию. Но ведь нельзя без конца валандаться. Короче, — я хотел тебе предложить попробовать твои молодые силы в Женеве. — (Мартын хорошо знал, о чем речь, — уже несколько раз выползал, крадучись, этот жалкий разговор о каком-то коммерческом доме братьев Пти, с которыми дядя Генрих был в деловых сношениях.) — Попробовать твои молодые силы, —

272

повторил дядя Генрих. — В этот жестокий век, в этот век очень практический, юноша должен научиться зарабатывать свой хлеб и пробивать себе дорогу. Ты основательно знаешь английский язык. Иностранная корреспонденция — вещь крайне интересная. Что же касается Берлина... Ты ведь не очень силен в немецком — не так ли? Не вижу, что ты будешь там делать». — «Предположим, что ничего», — угрюмо сказал Мартын. Дядя Генрих посмотрел на него с удивлением. «Странный ответ. Не знаю, что твой отец подумал бы о подобном ответе. Мне кажется, что он, как и я, был бы удивлен, что юноша, полный здоровья и сил, гнушается всякой работы. Пойми, пойми, — поспешно добавил дядя Генрих, заметив, что Мартын неприятно побагровел, — я вовсе не мелочен. Я достаточно богат, слава Богу, чтобы тебя обеспечить, — я себе делаю из этого долг и счастье, — но с твоей стороны было бы безумием не работать. Европа проходит через неслыханный кризис, человек теряет состояние в мгновение ока. Это так, ничего не поделаешь, надо быть ко всему готовым». — «Мне твоих денег не нужно», — тихо и грубо сказал Мартын. Дядя Генрих сделал вид, будто не расслышал, но его глаза налились слезами. «Неужели, — спросил он, — у тебя нет честолюбия? Неужели ты не думаешь о карьере? Мы, Эдельвейсы, всегда умели работать. Твой дед был сначала бедным домашним учителем. Когда он сделал предложение твоей бабушке, ее родители прогнали его из дому. И вот — через год он возвращается директором экспортной фирмы, и тогда, разумеется, все препятствия были сметены...» — «Мне твоих денег не нужно, — еще тише повторил Мартын, — а насчет дедушки — это все глупая семейная легенда, — и ты

273

это знаешь». — «Что с ним, что с ним, — с испугом забормотал дядя Генрих. — Какое ты имеешь право меня так оскорблять? Что я тебе сделал худого? Я, который всегда...» — «Одним словом, я еду в Берлин», — перебил Мартын и, дрожа, вышел из комнаты.

XXXII

Вечером было примирение, объятия, сморкание, разнеженный кашель, — но Мартын настоял на своем. Софья Дмитриевна, чувствуя его тоску по Соне, оказалась его сообщницей и бодро улыбалась, когда он садился в автомобиль.

Как только дом скрылся из вида, Мартын переменился местами с шофером и, легко, почти нежно держа руль, словно нечто живое и ценное, и глядя, как мощная машина глотает дорогу, испытывал почти то же, что в детстве, когда, сев на пол, так, чтобы педали рояля пришлись под подошвы, держал между ног табурет с круглым вращающимся сиденьем, орудовал им как рулем, брал на полном ходу восхитительные повороты, еще и еще нажимал педаль (рояль при этом гукал) и щурился от воображаемого ветра. Затем, в поезде, в немецком вагоне, где в простенках были небольшие карты, как раз тех областей, по которым данный поезд не проходил, — Мартын наслаждался путешествием, ел шоколад, курил, совал окурок под железную крышку пепельницы, полной сигарного праха. К Берлину он подъезжал вечером и, глядя прямо из вагона на уже освещенные улицы, пережил снова давнишнее детское впечатление Берлина, счастливые жители которого

274

могут хоть каждый день смотреть на поезд баснословного следования, плывущий по черному мосту
над ежедневной улицей, и вот этим отличался Берлин от Петербурга, где железнодорожное движение
скрывалось, как некое таинство. Но через неделю,
когда он к городу присмотрелся, Мартын был уже
бессилен восстановить тот угол зрения, при котором черты показались знакомы, — как при встрече
с человеком, годами не виденным, признаешь сперва его облик и голос, а присмотришься — и тут же
наглядно проделывается все то, что незаметно про-
делало время, меняются черты, разрушается сходство, и сидит чужой человек, самодовольный погло-
титель небольшого и хрупкого своего двойника, которого отныне уже будет трудно вообразить, — если
только не поможет случай. Когда Мартын нарочно
посещал те улицы в Берлине, тот перекресток, ту
площадь, которые он видел в детстве, ничто, ничто
не волновало душу, но зато, при случайном запахе
угля или бензинного перегара, при особом бледном
оттенке неба сквозь кисею занавески, при дрожи
оконных стекол, разбуженных грузовиком, он мгновенно проникался тем городским, отельным, блед-
но-утренним, чем некогда пахнул на него Берлин.
Игрушечные магазины на когда-то нарядной улице
поредели, осунулись, локомотивы в них были теперь поменьше, поплоше. Мостовая на этой улице
была разворочена, рабочие в жилетках сверлили, ды-
мили, рыли глубокие ямы, так что приходилось пробираться по мосткам, а иногда даже по рыхлому
песку. В пассажном паноптикуме потеряли свою
страшную прелесть человек в саване, энергично вы-
ходящий из могилы, и железная женщина для чрезвычайной пытки. Когда Мартын пошел искать на

Курфюрстендаме тот огромный скэтинг-ринк, от которого остались в памяти: гремучий раскат колесиков, красная форма инструкторов, раковина оркестра, соленый торт-мокко, подававшийся в круговых ложах, и па-де-патинер, которое он танцовал под всякую музыку, подгибая то правый, то левый ролик, и Бог ты мой, как он раз шлепнулся, — оказалось, что все это исчезло бесследно. Курфюрстендам изменился тоже, возмужал, вытянулся, и где-то — не то под новым домом, не то на пустыре — была могила большого тенниса в двадцать площадок, где раза два Мартын играл с матерью, которая, подавая снизу мяч, говорила ясным голосом «плэй» и, бегая, шуршала юбкой. Теперь, не выходя из города, он добирался до Груневальда, где жили Зилановы, и от Сони узнавал, что бессмысленно ездить за покупками к Вертхайму и что вовсе не обязательно посещать «Винтергартен», — где некогда высокий потолок был как дивное звездное небо и в ложах, у освещенных столиков, сидели прусские офицеры, затянутые в корсеты, а на сцене двенадцать голоногих девиц пели гортанными голосами и, держась под руки, переливались справа налево и обратно и вскидывали двенадцать белых ног, и маленький Мартын тихо охнул, узнав в них тех миловидных, скромных англичанок, которые, как и он, бывали по утрам на деревянном катке.

Но, пожалуй, самым неожиданным в этом новом, широко расползавшемся Берлине, таком тихом, деревенском, растяпистом по сравнению с гремящим, тесным и нарядным городом Мартынова детства, — самым неожиданным в нем была та развязная, громкоголосая Россия, которая тараторила повсюду — в трамваях, на углах, в магазинах, на балконах домов. Лет десять тому назад, в одной из своих пророческих грез (а у всякого человека с большим воображением бывают грезы пророческие, — такова математика грез), петербургский отрок Мартын снился себе самому изгнанником, и подступали слезы, когда на воображаемом дебаркадере, освещенном причудливо тускло, он невзначай знакомился — с кем?.. — с земляком, сидящим на сундуке, в ночь озноба и запозданий, и какие были дивные разговоры! Для роли этих земляков он попросту брал русских, замеченных им во время заграничной поездки, — семью в Биаррице, с гувернанткой, гувернером, бритым лакеем и рыжей таксой, замечательную белокурую даму в берлинском «Кайзергофе», или в коридоре Норд-Экспресса старого господина в черной мурмолке, которого отец шепотом назвал «писатель Боборыкин», — и, выбрав им подходящие костюмы и реплики, посылал их для встреч с собой в отдаленнейшие места света. Ныне эта случайная мечта — следствие Бог весть какой детской книги — воплотилась полностью и, пожалуй, хватила через край. Когда в трамвае толстая расписная дама уныло повисала на ремне и, гремя роскошными русскими звуками, говорила через плечо своему спутнику, старику в седых усах: «Поразительно, прямо поразительно, — ни один из этих невеж не уступит место», — Мартын вскакивал и, с сияющей улыбкой повторяя то, что некогда в отроческих мечтах случайно прорепетировал, восклицал: «Пожалуйста!» — и, сразу побледнев от волнения, повисал в свою очередь на ремне. Мирные немцы, которых дама звала невежами, были все усталые, голодные, работящие, и серые бутерброды, которые они жевали в трамвае, пускай раздражали русских, но были необходимы:

настоящие обеды обходились дорого в тот год, и когда Мартын менял в трамвае доллар, — вместо того чтобы на этот доллар купить доходный дом, — у кондуктора от счастья и удивления тряслись руки. Доллары Мартын зарабатывал особым способом, которым очень гордился. Труд был, правда, каторжный. С мая, когда он на этот труд набрел (благодаря милейшему русскому немцу Киндерману, уже второй год преподававшему теннис случайным богачам), и до середины октября, когда он вернулся на зиму к матери, и потом опять целую весну, — Мартын работал почти ежедневно с раннего утра до заката, — держа в левой руке пять мячей (Киндерман умел держать шесть), посылал их по одному через сетку все тем же гладким ударом ракеты, меж тем как напряженный пожилой ученик (или ученица) по ту сторону сетки старательно размахивался и обыкновенно никуда не попадал. Первое время Мартын так уставал, так ныло правое плечо, так горели ноги, что, придя домой, он сразу ложился в постель. От солнца волосы посветлели, лицо потемнело, — он казался негативом самого себя. Майорская вдова, его квартирная хозяйка, от которой он для пущей таинственности скрывал свою профессию, полагала, что бедняга принужден, как, увы, многие интеллигентные люди, заниматься черным трудом, таскать камни например (отсюда загар), и стесняется этого, как всякий деликатный человек. Она деликатно вздыхала и угощала его по вечерам колбасой, присланной дочерью из померанского имения. Была она саженного роста, краснолицая, по воскресеньям душилась одеколоном, держала у себя в комнате попугая и черепаху. Мартына она считала жильцом идеальным: он редко бывал дома, гостей не принимал и не пользовался ванной (последнюю заменяли сполна душ в клубе и груневальдское озеро). Эта ванна была вся снутри облеплена хозяйскими волосами, сверху на веревке зловонно сохли безымянные тряпки, а рядом у стены стоял старый, пыльный, поржавевший велосипед. Впрочем, добраться до ванны было мудрено: туда вел длинный, темный, необыкновенно угластый коридор, заставленный всяким хламом. Комната же Мартына была вовсе не плохая, очень забавная, с такими предметами роскоши, как пианино, спокон века запертое на ключ, или громоздкий, сложный барометр, испортившийся года за два до последней войны, — а над диваном, на зеленой стене, как постоянное, благожелательное напоминание, вставал из беклиновских волн тот же голый старик с трезубцем, который — в раме попроще — оживлял гостиную Зилановых.

XXXIII

Когда в первый раз он к ним пришел, увидел их дешевую, темную квартиру, состоявшую из четырех комнат и кухни, где за столом сидела по-новому причесанная, совсем чужая Соня и, качая ножками в заштопанных чулках, тянула носом и чистила картофель, Мартын понял, что нечего ждать от Сони, кроме огорчений, и что напрасно он махнул в Берлин. Чужое в ней было все: и бронзового оттенка джампер, и открытые уши, и простуженный голос, — ее донимал сильный насморк, вокруг ноздрей и под носом было розово, она чистила картофель, сморкалась и, высморкавшись, уныло крякала и опять срезала ножом спирали бурой шелухи. К ужину была гречневая каша, маргарин вместо масла; Ирина пришла к столу, держа на руках котенка, с которым не расставалась, и встретила Мартына радостным и страшным смехом. И Ольга Павловна и Елена Павловна постарели за этот год, еще больше стали похожи друг на дружку, и только один Зиланов был все тот же и с прежней мощью резал хлеб. «Я слышал, — (хряк, хряк), — что Грузинов в Лозанне, вы его, — (хряк), — не встречали? Мой большой приятель и замечательная волевая личность». Мартын не имел ни малейшего представления, кто такой Грузинов, но ничего не спросил, боясь попасть впросак. После ужина Соня мыла тарелки, а он их вытирал, и одну разбил. «С ума сойти, все заложено, — сказала она — и пояснила: — Да нет, не вещи, а у меня в носу. Вещи, впрочем, тоже». Затем она спустилась вместе с ним, чтобы отпереть ему дверь, — и очень забавно при нажиме кнопки стукало что-то, и вспыхивал на лестнице свет, — и Мартын покашливал и не мог выговорить ни одного слова из всех тех, которые он собирался Соне сказать. Далее последовали вечера, совсем другие, — множество гостей, танцы под граммофон, танцы в ближнем кафе, темнота маленького кинематографа за углом. Со всех сторон возникали вокруг Мартына новые люди, туманности рождали миры, и вот получало определенные имена и облики все русское, рассыпанное по Берлину, все, что так волновало Мартына, — будь это просто обрывок житейского разговора среди прущей панельной толпы, хамелеонное словцо — до́ллары, долла́ры, доллара́, — или схваченная на лету речитативная ссора четы: «А я тебе говорю...» — для женского голоса; «Ну и пожалуйста...» — для муж-

ского, — или, наконец, человек, летней ночью с за-
дранной головой бьющий в ладони под освещенным окном, выкликающий звучное имя и отчество,
от которого сотрясается вся улица и шарахается,
нервно хрюкнув, таксомотор, чуть не налетевший
на голосистого гостя, который уже отступил на се-
редку мостовой, чтобы лучше видеть, не появился
ли Петрушкой в окне нужный ему человек. Через
Зилановых Мартын узнал людей, среди которых сначала почувствовал себя невеждой и чужаком. В не-
котором смысле с ним повторялось то же, что было,
когда он приехал в Лондон. И теперь, когда на квартире у писателя Бубнова большими волнами шел
разговор, полный имен, и Соня, все знавшая, смотрела искоса на него с насмешливым сожалением,
Мартын краснел, терялся, собирался пустить свое
утлое словцо на волны чужих речей, да так, чтобы
оно не опрокинулось сразу, и все не мог решиться,
и потому молчал; зато, устыдясь отсталости своих
познаний, он много читал по ночам и в дождливые
дни, и очень скоро принюхался к тому особому запаху — запаху тюремных библиотек, — который исходил от советской словесности.

XXXIV

Писатель Бубнов, — всегда с удовольствием от-
мечавший, сколь много выдающихся литературных
имен двадцатого века начинается на букву «б», —
был плотный, тридцатилетний, уже лысый мужчина с огромным лбом, глубокими глазницами и квад-
ратным подбородком. Он курил трубку, — сильно
вбирая щеки при каждой затяжке, — носил старый

черный галстук бантиком и считал Мартына франтом и европейцем. Мартына же пленяла его напористая круглая речь и вполне заслуженная писательская слава. Начав писать уже за границей, Бубнов за три года выпустил три прекрасных книги, писал четвертую, героем ее был Христофор Колумб — или, точнее, русский дьяк, чудесно попавший матросом на одну из Колумбовых каравелл, — а так как Бубнов не знал ни одного языка, кроме русского, то для собирания некоторых материалов, имевшихся в Государственной библиотеке, охотно брал с собою Мартына, когда тот бывал свободен. Немецким Мартын владел плоховато и потому радовался, если текст попадался французский, английский или — еще лучше — итальянский: этот язык он знал, правда, еще хуже немецкого, но небольшое свое знание особенно ценил, памятуя, как с меланхолическим Тэдди переводил Данте. У Бубнова бывали писатели, журналисты, прыщеватые молодые поэты, — все это были люди, по мнению Бубнова, среднего таланта, и он праведно царил среди них, выслушивал, прикрыв ладонью глаза, очередное стихотворение о тоске по родине или о Петербурге (с непременным присутствием Медного Всадника) и затем говорил, тиская бритый подбородок: «Да, хорошо»; и повторял, уставившись бледно-карими, немного собачьими глазами в одну точку: «Хорошо», с менее убедительным оттенком; и, снова переменив направление взгляда, говорил: «Неплохо»; а затем: «Только, знаете, слишком у вас Петербург портативный»; и, постепенно снижая суждение, доходил до того, что глухо, со вздохом бормотал: «Все это не то, все это не нужно», и удрученно мотал головой, и вдруг, с блеском, с восторгом, разрешался стихом из Пушкина, — и когда однажды молодой поэт, обидевшись, возразил: «То Пушкин, а это я», — Бубнов подумал и сказал: «А все-таки у вас хуже». Случалось, впрочем, что чья-нибудь вещь была действительно хороша, и Бубнов — особенно если вещь была написана прозой — делался необыкновенно мрачным и несколько дней пребывал не в духах. С Мартыном, который, кроме писем к матери, ничего не писал (и был за это прозван одним острословом «наша мадам де Севинье»), Бубнов дружил искренно и безбоязненно, и раз даже, после третьей кружки пильзнера, весь налитой светлым пивом, весь тугой и прозрачный, мечтательно заговорил (и это напомнило Яйлу, костер) о девушке, у которой поет душа, поют глаза, и кожа бледна, как дорогой фарфор, — и затем свирепо глянул на Мартына и сказал: «Да, это пошло, сладко, отвратительно, фу... презирай меня, пускай я бездарь, но я ее люблю. Ее имя как купол, как свист голубиных крыл, я вижу свет в ее имени, особый свет, „кана-инум" старых хадирских мудрецов, — свет оттуда, с Востока, — о, это большая тайна, страшная тайна»; и уже истошным шепотом: «Женская прелесть страшна, — ты понимаешь меня, — страшна. И туфельки у нее стоптаны, стоптаны...»

Мартын стеснялся и молча кивал. С Бубновым он всегда чувствовал себя странно, немного как во сне, — и как-то не совсем доверял ни ему, ни хадирским старцам. Другие Сонины знакомые, как, например, веселый зубастый Каллистратов, бывший офицер, теперь занимавшийся автомобильным извозом, или милая, белая, полногрудая Веретенникова, игравшая на гитаре и певшая звучным контральто «Есть на Волге утес», или молодой Иоголевич, умный, ехидный, малоразговорчивый юноша в роговых очках, читавший Пруста и Джойса, были куда проще Бубнова. К этим Сониным друзьям примешивались и пожилые знакомые ее родителей, — все люди почтенные, общественные, чистые, вполне достойные будущего некролога в сто кристальных строк. Но когда, в июльский день, от разрыва сердца умер на улице, охнув и грузно упав ничком, старый Иоголевич, и в русских газетах было очень много о незаменимой утрате и подлинном труженике, и Михаил Платонович, с портфелем под мышкой, шел один из первых за гробом, среди роз и черного мрамора еврейских могил, Мартыну казалось, что слова некролога «пламенел любовью к России» или «всегда держал высоко перо» — как-то унижают покойного тем, что они же, эти слова, могли быть применены и к Зиланову, и к самому маститому автору некролога. Мартыну было больше всего жаль своеобразия покойного, действительно незаменимого, — его жестов, бороды, лепных морщин, неожиданной застенчивой улыбки, и пиджачной пуговицы, висевшей на нитке, и манеры всем языком лизнуть марку, прежде чем ее налепить на конверт да хлопнуть по ней кулаком. Это было в каком-то смысле ценнее его общественных заслуг, для которых был такой удобный шаблончик, — и со странным перескоком мысли Мартын поклялся себе, что никогда сам не будет состоять ни в одной партии, не будет присутствовать ни на одном заседании, никогда не будет тем персонажем, которому предоставляется слово или который закрывает прения и чувствует при этом все восторги гражданственности. И часто Мартын дивился, почему никак не может заговорить о сокровенных своих замыслах с Зилановым, с его друзьями, со всеми этими деятельными, почтенными, бескорыстно любящими родину русскими людьми.

XXXV

Но Соня, Соня... От ночных мыслей об экспедиции, от литературных бесед с Бубновым, от ежедневных трудов на теннисе он снова и снова к ней возвращался, подносил для нее спичку к газовой плите, где сразу, с сильным пыхом, выпускал все когти голубой огонь. Говорить с ней о любви было бесполезно, но однажды, провожая ее домой из кафе, где они тянули сквозь соломинки шведский пунш под скрипичный вой румына, он почувствовал такую нежность от теплоты ночи и от того, что в каждом подъезде стояла неподвижная чета, — так подействовали на него их смех и шепот, и внезапное молчание, — и сумрачное колыхание сирени в палисадниках, и диковинные тени, которыми свет фонаря оживлял леса обновлявшегося дома, — что внезапно он забыл обычную выдержку, обычную боязнь быть поднятым Соней на зубки, — и чудом заговорил — и о чем? — о Горации... Да, Гораций жил в Риме, а Рим походил на большую деревню, где, впрочем, немало было мраморных зданий, но тут же гнались за бешеной собакой, тут же хлюпала в грязи свинья с черными своими поросятами, — и всюду строили, стучали плотники, громыхая, проезжала телега с Лигурийским мрамором или огромной сосной, — но к вечеру стук затихал, как затихал в сумерки Берлин, и напоследок гремели железные цепи запираемых на ночь лавок, совсем как гремели, спускаясь, ставни лавок берлинских, и Гораций шел на Марсово поле, тщедушный, но с брюшком, лысый и ушастый, в неряшливой тоге, и слушал нежный шепот бесед под портиками, прелестный смех в темных углах.

«Ты такой милый, — вдруг сказала Соня, — что я должна тебя поцеловать, — только постой, отойдем сюда». У решетки, через которую свисала листва, Мартын привлек к себе Соню и, чтобы не терять ничего из этой минуты, не зажмурился, медленно целуя ее холодные мягкие губы, а следил за бледным отсветом на ее щеке, за дрожью ее опущенных век: веки поднялись на мгновение, обнажив влажный слепой блеск, и прикрылись опять, и она вздрагивала, и вытягивала губы, и вдруг ладонью отодвинула его лицо и, стуча зубами, вполголоса сказала, что больше не надо, пожалуйста, больше не надо.

«А если я другого люблю?» — спросила Соня с нежданной живостью, когда они снова побрели по улице. «Это ужасно», — сказал Мартын и почувствовал, что было какое-то мгновение, когда он мог Соню удержать, — а теперь она опять выскользнула. «Убери руку, мне неудобно идти, что за манера, как воскресный приказчик», — вдруг проговорила она, и последняя надежда, блаженно-теплое ощущение ее голого предплечья под его рукой, — исчезло тоже. «У него есть по крайней мере талант, — сказала она, — а ты — ничто, просто путешествующий барчук». — «У кого — у него?» Она ничего не ответила и молчала до самого дома; но на прощание поцеловала еще раз, закинув ему за шею обнаженную руку, и, с серьезным лицом, потупясь, заперла снутри дверь, и он проследил сквозь дверное стекло, как она поднялась по лестнице, поглаживая балюстраду, — и вот — исчезла за поворотом, и вот — потух свет.

«С Дарвином, вероятно, было то же самое», — подумал Мартын, и ему страшно захотелось его повидать, — но Дарвин был далеко, в Америке, посланный туда лондонской газетой. И на другой день простыл след этого вечера, точно его не было вовсе, и Соня уехала с друзьями за город, на Павлиний остров, там был пикник и купание, Мартын об этом даже не знал, — и когда вечером подходил к ее дому, неся под мышкой большую плюшевую собаку с малиновым бантом, купленную за пять минут до закрытия магазина, то встретил на улице всю возвращавшуюся компанию, и у Сони на плечах был пиджак Каллистратова, и какая-то вспыхивала между ней и Каллистратовым шутка, смысл которой никто Мартыну не потрудился открыть.

Тогда он ей написал письмо, и несколько дней отсутствовал; она ему ответила дней через десять цветной фотографической открыткой: смазливый молодой мужчина наклоняется сзади над зеленой скамейкой, на которой сидит смазливая молодая женщина, любуясь букетом роз, а внизу золотыми буквами немецкий стишок: «Пускай умалчивает сердце о том, что розы говорят». «Какие миленькие, — написала на обороте Соня, — знай наших! А ты — вот что: приходи, у меня три струны лопнули на ракете». И ни слова о письме. Но зато при одной из ближайших встреч она сказала: «Послушай, это глупо, можешь, наконец, пропустить один день, тебя заменит Киндерман». — «У него свои уроки», — нерешительно ответил Мартын, — но все же с Киндерманом поговорил, и вот, в удивительный день,

287

совершенно безоблачный, Мартын и Соня поехали в озерные, камышовые, сосновые окрестности города, и Мартын героически держал данное ей слово, не делал мармеладных глаз — ее выражение — и не пытался к ней прикоснуться. С этого дня началась между ними по случайному поводу серия особенных разговоров. Мартын, решив поразить Сонино воображение, очень туманно намекнул на то, что вступил в тайный союз, налаживающий кое-какие операции разведочного свойства. Правда, союзы такие существовали, правда, общий знакомый, поручик Мелких, по слухам, пробирался дважды кое-куда, правда и то, что Мартын все искал случая поближе с ним сойтись (раз даже угощал его ужином) и все жалел, что не встретился в Швейцарии с Грузиновым, о котором упомянул Зиланов и который, по наведенным справкам, оказался человеком больших авантюр, террористом, заговорщиком, руководителем недавних крестьянских восстаний. «Я не знала, что ты о таких вещах думаешь. Но только, знаешь, если ты правда вступил в организацию, очень глупо об этом сразу болтать». — «Ах, я пошутил», — сказал Мартын и загадочно прищурился для того, чтобы Соня подумала, что он нарочно обратил это в шутку. Но она этой тонкости не заметила; валяясь на сухой, хвойными иглами устланной земле, под соснами, стволы которых были испещрены солнцем, она закинула голые руки за голову, показывая прелестные впадины подмышек, недавно выбритые и теперь словно заштрихованные карандашом, — и сказала, что это странно, — она тоже об этом часто думает: вот есть на свете страна, куда вход простым смертным воспрещен. «Как мы ее назовем?» — спросил Мартын, вдруг вспомнив игры с Лидой на крымском лукоморье. «Что-нибудь такое — северное, — ответила Соня. — Смотри, белка». Белка, играя в прятки, толчками поднялась по стволу и куда-то исчезла. «Например — Зоорландия, — сказал Мартын. — О ней упоминают норманны». — «Ну конечно, — Зоорландия», — подхватила Соня, и он широко улыбнулся, несколько потрясенный неожиданно открывшейся в ней способностью мечтать. «Можно снять муравья?» — спросил он в скобках. «Зависит откуда». — «С чулка». — «Убирайся, милый», — обратилась она к муравью, смахнула его сама и продолжала: «Там холодные зимы и сосулищи с крыш, — целая система, как, что ли, органные трубы, — а потом все тает, и все очень водянисто, и на снегу — точки вроде копоти, вообще, знаешь, я все могу тебе рассказать, вот, например, вышел там закон, что всем жителям надо брить головы, и потому теперь самые важные, самые такие влиятельные люди — парикмахеры». — «Равенство голов», — сказал Мартын. «Да. И конечно, лучше всего лысым. И знаешь...» — «Бубнов был бы счастлив», — в шутку вставил Мартын. На это Соня почему-то обиделась и вдруг иссякла. Все же с того дня она изредка соизволяла играть с ним в Зоорландию, и Мартын терзался мыслью, что она, быть может, изощренно глумится над ним и вот-вот заставит его оступиться, доведя его незаметно до черты, за которой бредни становятся безвкусны, и внезапным хохотом разбудив босого лунатика, который видит вдруг и карниз, на котором висит, и свою задравшуюся рубашку, и толпу на панели, глядящую вверх, и каски пожарных. Но если это был со стороны Сони обман, — все равно, все равно его прельщала возможность пускать перед ней душу свою налегке. Они изучали зоорландский быт и законы, страна была скалистая, ветреная, и ветер признан был благою силой, ибо, ратуя за равенство, не терпел башен и высоких деревьев, а сам был только выразителем социальных стремлений воздушных слоев, прилежно следящих, чтобы вот тут не было жарче, чем вот там. И конечно, искусства и науки объявлены были вне закона, ибо слишком обидно и раздражительно для честных невежд видеть задумчивость грамотея и его слишком толстые книги. Бритоголовые, в бурых рясах зоорландцы грелись у костров, в которых звучно лопались струны сжигаемых скрипок, а иные поговаривали о том, что пора пригладить гористую страну, взорвать горы, чтобы они не торчали так высокомерно. Иногда среди общей беседы, за столом, например, — Соня вдруг поворачивалась к нему и быстро шептала: «Ты слышал, вышел закон, запретили гусеницам окукляться», — или: «Я забыла тебе сказать, что Саванна-рыло, — (кличка одного из вождей), — приказал врачам лечить все болезни одним способом, а не разбрасываться».

XXXVI

Вернувшись на зиму в Швейцарию, Мартын предвкушал занятную корреспонденцию, но Соня в нечастых своих письмах не упоминала больше о Зоорландии; зато в одном из них просила от имени отца передать Грузинову привет. Оказалось, что Грузинов жил как раз в гостинице, столь привлекшей Мартына, но когда он на лыжах спустился туда, то узнал, что Грузинов на время уехал. Привет он передал жене Грузинова, Валентине Львовне, свежей, ярко одетой, сорокалетней даме с иссиня-черными волосами, улыбавшейся очень осторожно, так как передние зубы (всегда запачканные кармином) чересчур выдавались, и она спешила натянуть на них верхнюю губу. Таких очаровательных рук, как у нее, Мартын никогда не видал: маленьких, мягких, в жарких перстнях. Но хотя ее все считали привлекательной и восхищались ее плавными телодвижениями, звучным, ласковым голосом, Мартын остался холоден, и ему было неприятно, что она, чего доброго, старается ему нравиться. Боялся он, впрочем, зря. Валентина Львовна была к нему так же равнодушна, как к высокому, носатому англичанину с седой щетиной на узкой голове и с пестрым шарфом вокруг шеи, который катал ее на салазках.

«Муж вернется только в июле», — сказала она и принялась расспрашивать про Зилановых. «...Да-да, я слышала, — несчастная мать, — (Мартын упомянул об Ирине). — Вы ведь знаете, с чего это началось?» Мартын знал: четырнадцатилетняя Ирина, тогда тихая, полная девочка, склонная к меланхолии, оказалась с матерью в теплушке, среди всякого сброда. Они ехали бесконечно, — и двое забияк, несмотря на уговоры товарищей, то и дело щупали, щипали, щекотали ее и говорили чудовищные сальности, и мать, улыбаясь от ужаса, беспомощно старалась ее защитить и все повторяла: «Ничего, Ирочка, ничего, ах, пожалуйста, оставьте девочку, как вам не совестно, ничего, Ирочка...» — и совершенно так же вскрикивала и причитала, и совершенно так же держала дочь за голову, когда, уже в другом вагоне, поближе к Москве, солдаты — на полном ходу — вытискивали в окно ее толстого мужа, который чудом подобрал семью на засыпанной снегом станции. Да, он был очень толст и истерически смеялся, так как застрял в окне, но наконец напиравшие густо ухнули, и он исчез, и мимо пустого окна мчался слепой снег. Затем был у Ирины тиф, и она непонятно как выжила, но перестала владеть человеческой речью и только в Лондоне научилась по-разному мычать и довольно сносно произносить «ма-ма».

Мартын никогда как-то Ириной не занимался, давно привыкнув к ее дурости, но теперь что-то его потрясло, когда Валентина Львовна сказала: «Вот у них в доме есть постоянный живой символ». Зоорландская ночь показалась еще темнее, дебри ее лесов еще глубже, и Мартын уже знал, что никто и ничто не может ему помешать вольным странником пробраться в эти леса, где в сумраке мучат толстых детей и пахнет гарью и тленом. И когда он по весне впопыхах вернулся в Берлин, к Соне, ему мерещилось (так полны приключений были его зимние ночи), что он уже побывал в той одинокой, отважной экспедиции и вот — будет рассказывать, рассказывать. Войдя к ней в комнату, он сказал, торопясь это выговорить, покамест еще не подпал под знакомое опустошительное влияние ее тусклых глаз: «Так, так я когда-нибудь вернусь и тогда, вот тогда...» — «Ничего никогда не будет», — воскликнула она тоном пушкинской Наины. Была она еще бледнее обыкновенного, очень уставала на службе; дома ходила в старом черном бархатном платье с ремешком вокруг бедер и в шлепанцах с потрепанными помпонами. Часто по вечерам, надев макинтош, она уходила куда-то, и Мартын, послонявшись по комнатам, медленно направлялся к трамвайной остановке, глубоко засунув руки в карманы штанов, а перебравшись на другой конец Берлина, нежно посвистывал под окном танцовщицы из «Эреба», с которой познакомился в теннисном клубе. Она вылетала на балкончик и на миг замирала у перил, и затем исчезала, и, вылетев опять, бросала ему завернутый в бумагу ключ. У нее Мартын пил зеленый мятный ликер и целовал ее в золотую голую спину, и она сильно сдвигала лопатки и трясла головой. Он любил смотреть, как она, быстро и тесно переставляя мускулистые загорелые ноги, ходит по комнате, ругмя ругая все того же антрепренера, любил ее странное лицо с неестественно тонкими бровями, оранжеватым румянцем и гладко зачесанными назад волосами, — и тщетно старался не думать о Соне. Как-то в майский вечер, когда он с улицы переливчато и тихо свистнул, на балкончике вместо танцовщицы появился пожилой господин в подтяжках; Мартын вздохнул и ушел, вернулся к дому Зилановых и ходил взад и вперед, от фонаря к фонарю. Соня появилась за полночь, одна, и, пока она рылась в сумке, ища связку ключей, Мартын к ней подошел и робко спросил, куда она ходила. «Ты меня оставишь когда-нибудь в покое?» — воскликнула Соня и, не дождавшись ответа, хрустнула дважды ключом, и тяжелая дверь открылась, замерла, бухнула. А затем Мартыну стало казаться, что не только Соня, но и все общие знакомые как-то его сторонятся, что никому он не нужен и никем не любим. Он заходил к Бубнову, и тот смотрел на него странным взглядом, просил извинения и продолжал писать. И наконец, чувствуя, что еще немного, и он превратится в Сонину тень и будет до конца жизни скользить по берлинским панелям, израсходовав на тщетную страсть то важное, торжественное, что зрело в нем, Мартын решил развязаться с Берлином и где-нибудь, все равно где, в очистительном одиночестве спокойно обдумать план экспедиции. В середине мая, уже с билетом на Страсбург в бумажнике, он зашел попрощаться с Соней, и, конечно, ее не оказалось дома; в сумерках комнаты сидела, вся в белом, Ирина, плавала в сумерках, как призрачная черепаха, и не сводила с него глаз, и тогда он написал на конверте: «В Зоорландии вводится полярная ночь», — и, оставив конверт на Сониной подушке, сел в ожидавший таксомотор и, без пальто, без шляпы, с одним чемоданом, — уехал.

XXXVII

Как только тронулся поезд, Мартын ожил, повеселел, исполнился дорожного волнения, в котором он теперь усматривал необходимую тренировку. Пересев во французский поезд, идущий через Лион на юг, он как будто окончательно высвободился из Сониных туманов. И вот, уже за Лионом, развернулась южная ночь, отражения окон бежали бледными квадратами по черному скату, и в грязном, до ужаса жарком отделении второго класса единственным спутником Мартына был пожилой француз, бритый, бровастый, с лоснящимися мослаками. Француз скинул пиджак и быстрым перебором пальцев сверху вниз расстегнул жилет; стянул манжеты, словно отвинтил руки, и бережно положил эти два крахмальных цилиндра в сетку. Затем, сидя на краю лавки, покачиваясь, — поезд шел вовсю, — подняв подбородок, он отцепил воротник и галстук, и так как галстук был готовый, пристяжной, то опять было впечатление, что человек разбирается по частям и сейчас снимет голову. Обнажив дряблую, как у индюка, шею, француз облегченно ею повертел и, согнувшись, крякая, сменил ботинки на старые ночные туфли. Теперь в открытой на курчавой груди рубашке он производил впечатление доброго малого, слегка подвыпившего, — ибо эти ночные спутники, с блестящими бледными лицами и осоловелыми глазами, всегда кажутся захмелевшими от вагонной качки и жары. Порывшись в корзине, он вынул бутылку красного вина и большой апельсин, сперва глотнул из горлышка, чмокнул губами, крепко, со скрипом, вдавил пробку обратно и принялся большим пальцем оголять апельсин, предварительно укусив его в темя. И тут, встретившись глазами с Мартыном, который, положив на колено Таухниц, только что приготовился зевнуть, француз заговорил: «Это уже Прованс», — сказал он с улыбкой, шевельнув усатой бровью по направлению окна, в зеркально-черном стекле которого чистил апельсин его тусклый двойник. «Да, чувствуется юг», — ответил Мартын. «Вы англичанин?» — осведомился тот и разорвал на две части очищенный, в клочьях седины, апельсин. «Правильно, — ответил Мартын. — Как вы угадали?» Француз, сочно жуя, повел плечом. «Не так уж мудрено», — сказал он и, глотнув, указал волосатым пальцем на Таухниц. Мартын снисходительно улыбнулся. «А я лионец, — продолжал тот, — и состою в винной торговле. Мне приходится много разъезжать, но я люблю движение. Видишь новые места, новых людей, мир — наконец. У меня жена и маленькая дочь», — добавил он, вытирая бумажкой концы растопыренных пальцев. Затем, посмотрев на Мартына, на его единственный чемодан, на мятые штаны и сообразив, что англичанин-турист вряд ли поехал бы вторым классом,

он сказал, заранее кивая: «Вы путешественник?»
Мартын понял, что это просто сокращение — вояжер
вместо коммивояжер. «Да, я именно путешественник, — ответил он, старательно придавая француз-
ской речи британскую густоту, — но путешественник
в более широком смысле. Я еду очень далеко». —
«Но вы в коммерции?» Мартын замотал головой.
«Вы это, значит, делаете для вашего удовольствия?» — «Пожалуй», — согласился Мартын. Француз помолчал и затем спросил: «Вы едете пока что
в Марсель?» — «Да, вероятно, в Марсель. У меня,
видите ли, не все еще приготовления закончены».
Француз кивнул, но явно был озадачен. «Приготовления, — продолжал Мартын, — должны быть в таких вещах очень тщательны. Я около года провел в
Берлине, где думал найти нужные мне сведения, и
что же вы думаете?..» — «У меня племянник инже-
нер», — вкрадчиво вставил француз. «О, нет, я не
занимаюсь техническими науками, не для этого я
посещал Германию. Но вот — я говорю: вы не можете себе представить, как было трудно выуживать
справки. Дело в том, что я предполагаю исследовать
одну далекую, почти недоступную область. Кое-кто
туда пробирался, но как этих людей найти, как их
заставить рассказать? Что у меня есть? Только карта», — и Мартын указал на чемодан, где действительно находилась одноверстка, которую он добыл
в Берлине, в бывшем Генеральном Штабе. Последовало молчание. Поезд гремел и трясся. «Я всегда
утверждаю, — сказал француз, — что у наших коло-
ний большая будущность. У ваших, разумеется, тоже, — и у вас их так много. Один лионец из моих
знакомых провел десять лет на тропиках и говорит,
что охотно бы туда вернулся. Он мне однажды рас-

сказывал, как обезьяны, держа друг дружку за хвосты, переходят по стволу через реку, — это было дьявольски смешно, — за хвосты, за хвосты...» — «Колонии — это особь-статья, — сказал Мартын. — Я собираюсь не в колонии. Мой путь будет пролегать через дикие опасные места, и — кто знает? — может быть, мне не удастся вернуться». — «Это экспедиция научная, что ли?» — спросил француз, раздавливая задними зубами зевок. «Отчасти. Но — как вам объяснить? Это не главное. Главное, главное... Нет, право, я не знаю, как объяснить». — «Понятно, понятно, — устало сказал француз. — Вы, англичане, любите пари и рекорды, — слово „рекорды" прозвучало у него сонным рычанием. — На что миру голая скала в облаках? Или — ох, как хочется спать в поезде! — айсберги, как их зовут, полюс — наконец? Или болота, где дохнут от лихорадки?» — «Да, вы, пожалуй, попали в точку, но это не все, не только спорт. Да, это далеко не все. Ведь есть еще — как бы сказать? — любовь, нежность к земле, тысячи чувств, довольно таинственных». Француз сделал круглые глаза и вдруг, подавшись вперед, легонько хлопнул Мартына по колену. «Смеяться изволите надо мной?» — сказал он благодушно. «Ах, ничуть, ничуть». — «Полно, — сказал он, откинувшись в свой угол. — Вы еще слишком молоды, чтобы бегать по Сахарам. Если разрешите, мы сейчас притушим свет и соснем».

XXXVIII

Тьма. Француз почти тотчас захрапел. «А все-таки он поверил, что я англичанин. И вот так я буду ехать на север, вот так, — в вагоне, который нельзя остановить, — а потом, потом...» Он побрел по лесной тропинке, тропинка разматывалась, разматывалась, но сон к нему навстречу не шел. Мартын открыл глаза. Хорошо бы спустить оконную раму. Теплый ночной ветер хлынул в лицо, и, напрягая зрение, Мартын высунулся, но в глаза летела незримая пыль, быстрая ночь ослепляла, он втянул голову. В темноте отделения раздался кашель. «Нет, уж, пожалуйста, — проговорил недовольный голос. — Я не желаю спать под звездами. Закройте, закройте». — «Закройте сами», — сказал Мартын и, выйдя в освещенный коридор, пошел мимо отделений, где угадывалась сонная мешанина беспомощных, полураздетых тел, сопение и вздохи, по-рыбьи открытые рты, клонящаяся и вдруг поднимающаяся голова, а прямо ей в нос — чужая пятка. Перебираясь из тамбура в тамбур по скрежещущим железным площадкам, Мартын прошел через два вагона третьего класса. Двери некоторых отделений были открыты, в одном голубые солдаты шумно играли в карты. Дальше, в коридоре спального вагона, он остановился у полуспущенного окна и так живо вспомнил вдруг детское свое путешествие по югу Франции, и вот это откидное сиденье у окна, и матерчатый ремень, при помощи которого можно было управлять поездом, и дивную мелодию на трех языках, — особенно: периколоза... Он подумал: какая странная, странная выдалась жизнь, — ему показалось, что он никогда не выходил из экспресса, а просто слонялся из одного вагона в другой, и в одном были молодые англичане, Дарвин, торжественно берущийся за рукоять тормоза, в другом — Алла с мужем, а не то — крымские друзья, или храпящий дядя Генрих, или Зилановы, Михаил Платонович с газетой, Соня, тусклым взглядом уставившаяся в окно. «А потом пешочком, пешочком», — взволнованно проговорил Мартын, — лес и вьющаяся в нем тропинка... какие большие деревья! А тут, в этом спальном вагоне, тут ехало, должно быть, детство его; дрожа, освобождало кожаную сторку, а если пройти дальше, там — вагон-ресторан, и отец с матерью обедают, — на столике болванка шоколада в фиолетовой обертке, а над раскидными дверцами мреет винтовой вентилятор среди цветущих реклам. И вдруг Мартын увидел в окно то, что видел и в детстве, — огни, далеко, среди темных холмов; вот кто-то их пересыпал из ладони в ладонь и положил в карман. И пока он глядел, поезд начал тормозить, — и тогда Мартын сказал себе, что, если будет сейчас станция, он выйдет и уже оттуда пойдет к огням. Так и случилось. Подплыла платформа, лунный диск часов, и поезд остановился, выдохнув: «Уш-ш-ш-ш-ш...» Мартын опрометью бросился к своему вагону, не сразу мог найти отделение, дважды внедрялся в чужую сопящую темноту и наконец нашел, бесцеремонно зажег свет, и француз на лавке медленно приподнялся, протирая кулаками глаза. Мартын сдернул чемодан, сунул в карман книгу, — все это страшно спеша. Он не заметил, что уже поезд тихо поплыл, и потому едва не упал, спрыгнув на скользящую платформу. Прошли окна, окна, окна, и вот — уже поезда нет, пустые рельсы, поблескивание угольной пыли между шпал.

Мартын, глубоко дыша, пошел по платформе, и носильщик, везущий на тачке ящик с надписью «Fragile», весело сказал, с особой южной металлической интонацией: «Вы проснулись вовремя». —

«Скажите, — полюбопытствовал Мартын, — что в этом ящике?» Тот взглянул на ящик, словно впервые его заметил. «Музей естественных наук», — прочел он адрес. «Вот оно что, вероятно, коллекция», — произнес Мартын и направился туда, где стояло несколько столиков у входа в тускло освещенный буфет.

Воздух был бархатный, теплый; белым светом горел газовый фонарь, и вокруг — металась бледная мошкара и одна широкая, темная бабочка на седой подкладке. Стену украшало саженное объявление военного ведомства, старающееся соблазнить молодых людей прелестями военной службы: на переднем плане — бравый французский солдат, на заднем — финиковая пальма, дромадер, араб в бурнусе, а с краю — две пышных женщины в чарчафах.

Платформа была безлюдна. Поодаль стояли клетки со спящими курами. По ту сторону рельс смутно чернели растрепанные кусты. Пахло в воздухе углем, можжевельником и мочой. Из буфета вышла смуглая старуха, и Мартын спросил себе аперитив, прекрасное название коего прочел на одной из реклам. Погодя рабочий, весь в синем, сел за соседний столик и, уронив голову на руку, уснул.

«Я хочу кое-что узнать, — сказал Мартын старухе. — Подъезжая сюда, я видел огни». — «Где? Вон там?» — переспросила она, протянув руку в том направлении, откуда пришел поезд. Мартын кивнул. «Это может быть только Молиньяк, — сказала она. — Да, Молиньяк. Маленькая деревня». Мартын расплатился и пошел к выходу. Темная площадь, платаны, дальше — синеватые дома, узкая улица. Он уже шел по ней, когда спохватился, что забыл посмотреть с платформы на вокзальную вывеску и теперь не знает названия города, в который попал. Это приятно взволновало его. Как знать, — быть может, он уже за пограничной чертой... ночь, неизвестность... сейчас окликнут...

XXXIX

Проснувшись на другое утро, Мартын не сразу мог восстановить вчерашнее, — а проснулся он оттого, что лицо щекотали мухи. Замечательно мягкая постель; аскетический умывальник, а рядом туалетное орудие скрипичной формы; жаркий голубой свет, дышащий в светлую занавеску. Он давно так славно не высыпался, давно не был так голоден. Откинув занавеску, он увидел напротив ослепительно белую стену в пестрых афишах, а несколько левее полосатые маркизы лавок, пегую собаку, которая задней лапой чесала себе за ухом, и блеск воды, струящейся между панелью и мостовой.

...Звонок громко пробежал по всей двухэтажной гостинице, и, бойко топая, пришла яркоглазая грязная горничная. Он потребовал много хлеба, много масла, много кофе и, когда она все это принесла, спросил, как ему добраться до Молиньяка. Она оказалась разговорчивой и любознательной. Мартын мельком упомянул о том, что он немец, — приехал сюда по поручению музея собирать насекомых, и при этом горничная задумчиво посмотрела на стену, где виднелись подозрительные рыжие точки. Постепенно выяснилось, что через месяц, может быть даже раньше, между городом и Молиньяком установится автобусное сообщение. «Значит, надо пешком?» — спросил Мартын. «Пятнадцать километров, — с ужасом воскликнула горничная, — что вы! Да еще по такой жаре...»

Купив карту местности в табачной лавке, над вывеской которой торчала трехцветная трубка, Мартын зашагал по солнечной стороне улочки и сразу заметил, что его открытый ворот и отсутствие головного убора возбуждают всеобщее внимание. Городок был яркий, белый, резко разделенный на свет и на тень, с многочисленными кондитерскими. Дома, налезая друг на друга, отошли в сторону, и шоссейная дорога, обсаженная огромными платанами с телесного цвета разводами на зеленых стволах, потекла мимо виноградников. Редкие встречные, каменщики, дети, бабы в черных соломенных шляпах, — съедали глазами. Мартыну внезапно явилась мысль проделать полезный для будущего опыт: он пошел, хоронясь, — перескакивая через канаву и скрываясь за ежевику, если вдали показывалась повозка, запряженная осликом в черных шорах, или пыльный, расхлябанный автомобиль. Версты через две он и вовсе покинул дорогу и стал пробираться параллельно с ней по косогору, где дубки, блестящий мирт и каркасные деревца заслоняли его. Солнце так пекло, так трещали цикады, так пряно и жарко пахло, что он вконец разомлел и сел в тень, вытирая платком холодную, липкую шею. Посмотрев на карту, он убедился в том, что на пятом километре дорога дает петлю, и потому, если пойти на восток через вон тот желтый от дрока холм, можно, вероятно, попасть на ее продолжение. Перевалив на ту сторону, он действительно увидел белую змею дороги и опять пошел вдоль нее, среди благоуханных зарослей, и все радовался своей способности опознавать местность.

Вдруг он услышал прохладный звук воды и подумал, что в мире нет лучше музыки. В туннеле листвы дрожал на плоских камнях ручей. Мартын опустился на колени, утолил жажду, глубоко вздохнул. Затем он закурил: от серной спички передался в рот сладковатый вкус, и огонек спички был почти незрим в знойном воздухе. И, сидя на камне и слушая журчание воды, Мартын насладился сполна чувством путевой беспечности, — он, потерянный странник, был один в чудном мире, совершенно к нему равнодушном, — играли в воздухе бабочки, юркали ящерицы по камням, и блестели листья, как блестят они и в русском лесу, и в лесу африканском.

Было уже далеко за полдень, когда Мартын вошел в Молиньяк. Вот, значит, где горели огни, звавшие его еще в детстве. Тишина, зной. В бегущей вдоль узкой панели узловатой воде сквозило разноцветное дно — черепки битой посуды. На булыжниках и на теплой панели дремали робкие, белые, страшно худые собаки. Посреди небольшой площади стоял памятник: лицо женского пола, с крыльями, поднявшее знамя.

Мартын прежде всего зашел на почтамт, где было прохладно, темновато, сонно. Там он написал матери открытку под пронзительное зудение мухи, одной лапкой приклеившейся к медово-желтому листу на подоконнике. С этой открытки начался новый пакетик в комоде у Софьи Дмитриевны, — предпоследний.

XL

Хозяйке единственной в Молиньяке гостиницы и затем брату хозяйки, лиловому от вина и полнокровия фермеру, к которому, ввиду полного обнищания, ему пришлось через неделю наняться в батраки, Мартын сказал, что — швейцарец (это подтверждал паспорт), и дал понять, что давно шатается по свету, работая где попало. Третий раз, таким образом, он менял отечество, пытая доверчивость чужих людей и учась жить инкогнито. То, что он родом из далекой северной страны, давно приобрело оттенок обольстительной тайны. Вольным заморским гостем он разгуливал по басурманским базарам, — все было очень занимательно и пестро, но, где бы он ни бывал, ничто не могло в нем ослабить удивительное ощущение избранности. Таких слов, таких понятий и образов, какие создала Россия, не было в других странах, — и часто он доходил до косноязычия, до нервного смеха, пытаясь объяснить иноземцу, что такое «оскомина» или «пошлость». Ему льстила влюбленность англичан в Чехова, влюбленность немцев в Достоевского. Как-то в Кембридже он нашел в номере местного журнала шестидесятых годов стихотворение, хладнокровно подписанное «А. Джемсон»: «Я иду по дороге один, мой каменистый путь простирается далеко, тиха ночь и холоден камень, и ведется разговор между звездой и звездой». На него находила поволока странной задумчивости, когда, бывало, доносились из пропасти берлинского двора звуки переимчивой шарманки, не ведающей, что ее песня жалобила томных пьяниц в русских кабаках. Музыка... Мартыну было жаль, что какой-то страж не пускает ему на язык звуков, живущих в слухе. Все же, когда, повисая на ветвях провансальских черешен, горланили молодые итальянцы-рабочие, Мартын — хрипло и бодро, и феноменально фальшиво — затягивал что-нибудь свое, и это был звук той поры, когда на крым-

304

ских ночных пикниках баритон Зарянского, потопляемый хором, пел о чарочке, о семиструнной подруге, об иностранном-странном-странном офицере.

Глубоко внизу бежала под ветром люцерна, сверху наваливалась жаркая синева, у самой щеки шелестели листья в серебристых прожилках, и клеенчатая корзинка, нацепленная на сук, постепенно тяжелела, наполняясь крупными, глянцевито-черными черешнями, которые Мартын срывал за тугие хвосты. Когда черешни были собраны, поспело другое, абрикосы, пропитанные солнцем, и персики, которые следовало нежно подхватывать ладонью, а то получались на них синяки. Были и еще работы: по пояс голый, с уже терракотовой спиной, Мартын, в угоду молодой кукурузе, разрыхлял, подкучивал землю, выбивал углом цапки луковый, упорный пырей или часами нагибался над ростками яблонь и груш, щелкал секатором,— и как же весело было, когда из дворового бассейна проводилась вода к питомнику, где киркой проложенные борозды соединялись между собой с чашками, расцапанными вокруг деревец; блистая на солнце, растекалась по всему питомнику напущенная вода, пробиралась, как живая, вот остановилась, вот побежала дальше, словно нащупывая путь, и Мартын, изредка морщась от уколов крохотных репейников, чавкал по щиколотки в жирной, лиловой грязи,— тут втыкал с размаху железный щит в виде преграды, там, напротив, помогал струе пробиться,— и, хлюпая, шел к чашке вокруг деревца: чашка наполнялась пузырчатой, коричневой водой, и он шарил в ней лопатой, сердобольно размягчая почву, и что-то изумительно легчало, вода просачивалась, благодатно омывала корни. Он был счастлив, что умеет утолить жажду растения, счастлив, что случай помог ему найти труд, на котором он может проверить и сметливость свою, и выносливость. Он жил, вм:сте с другими рабочими, в сарае, выпивал, как они, полтора литра вина в сутки и находил спортивную отраду в том, что от них не отличается ничем, — разве только светлой бородкой, незаметно им отпущенной.

По вечерам, перед тем как завалиться спать, он шел покурить и погрезить к пробковой роще за фермой. Где-то невдалеке прерывисто и сочно свистали соловьи, а с бассейна уже доносился гуттаперчевый, давящийся квох лягушек. Воздух был нежен и тускловат, это были не совсем сумерки, но уже не день, и террасы олив, и мифологические холмы вдалеке, и отдельно стоящая на бугре сосна — все было немножко плоско и обморочно, а ровное потухшее небо теснило, дурманило, и хотелось поскорее, чтобы в нем просквозили живительные звезды. Темнело, темнело, на почерневших холмах уже вздрагивали огоньки, зажигались окна в хозяйском доме, еще минута — и окрест был сумрак, и когда, далече-далече, в неведомой темноте, горящими члениками проползал рокочущий поезд и внезапно исчезал, Мартын с удовольствием говорил себе, что оттуда, из этого поезда, видны ферма и Молиньяк как соблазнительная пригоршня огней. Он радовался, что послушался их, раскрыл их прекрасную, тихую сущность, — и однажды, в воскресный вечер, он набрел в Молиньяке на небольшой белый дом, окруженный крутыми виноградниками, и увидел покосившийся столб с надписью: «Продается». В самом деле, — не лучше ли отбросить опасную и озорную затею, не лучше ли отказаться от желания заглянуть в беспощадную зоорландскую ночь, и не поселиться ли с молодой женой вот здесь, на клине тучной земли, ждущей трудолюбивого хозяина? Да, надо было решить: время шло, близилась черная осенняя ночь, им намеченная для перехода, и он уже чувствовал себя отдохнувшим, спокойным, уверенным в своей способности прикидываться чем угодно, никогда не теряться, всегда и везде уметь жить так, как требуют обстоятельства...

И вот, пытая судьбу, он написал Соне. Ответ пришел скоро, и, прочтя его, Мартын облегченно вздохнул. «Да не мучь ты меня,— писала Соня.— Ради Бога, довольно. Я не буду твоей женой никогда. И я ненавижу виноградники, жару, змей и, главное, чеснок. Поставь на мне крест, удружи, миленький».

В тот же день он на автобусе покатил в город, сбрил светлую бородку, взял в гостинице чемодан и пошел на станцию. Там, у того же столика, положив голову на руку, дремал тот же рабочий. Зажигались фонари, реяли летучие мыши, выцветало зеленоватое небо. «Прощай, прощай», — на какой-то песенный лад подумал Мартын, глядя на растрепанный можжевельник по ту сторону уже дрожавших рельс, на семафор, на черный силуэт человека, подвигавшего черный силуэт тачки.

Влетел ночной экспресс, через минуту тронулся опять, и Мартына пронзило мгновенное желание выскочить, вернуться на благополучную, на сказочную ферму. Но станция уже сгинула. Глядя в окно, он ждал появления молиньякских огней, чтобы проститься с ними. Вот они рассыпались вдалеке, — они были так хороши, даже как-то не верилось... «Скажите, — обратился Мартын к кондуктору, — вон эти огни, это — Молиньяк?» — «Какие огни?» — спросил тот и взглянул в окно, — но тут все заслонил вдруг поднявшийся скат. «Во всяком случае это не Молиньяк, — сказал кондуктор. — Молиньяк не виден отсюда».

XLI

На швейцарской границе Мартын купил «Зарубежное Слово» и едва поверил глазам, заметив внизу крупный заголовок фельетона: «Зоорландия». Подписано было «С. Бубнов». Это оказался короткий, чудесным языком написанный рассказ «с налетом фантастики», как выражаются критики, и в нем Мартын со смущением и ужасом узнал (словно произошла страшная непристойность) многое из того, о чем он говорил с Соней, — но все это было странно освещено чужим, бубновским, воображением. «Какая она всетаки предательница», — подумал Мартын и в порыве острой и безнадежной ревности вспомнил, как видел однажды Бубнова и Соню, идущих по темной улице под руку, и как уверил себя, что обознался, когда Соня на другой день сказала, что была с Веретенниковой в кинематографе.

Моросило, горы были видны только до половины, когда, в шарабане, среди тюков, корзин и тучных женщин, он приехал в деревню, от которой было десять минут ходьбы до дядиного дома. Софья Дмитриевна знала, что сын скоро должен приехать, — третий день ждала телеграммы, с волнением думая, как поедет его встречать на станцию в автомобиле. Она сидела в гостиной и вышивала, когда услышала из сада басок сына и тот его круглый, глуховатый смех, которым он смеялся, когда возвращался после долгой разлуки. Мартын шел рядом с раскрасневшейся Марией, которая старалась выхватить у него чемодан, а он его на ходу все перемещал из одной руки в другую. Сын был с лица медно-темен, глаза посветлели, от него дивно пахло табачным перегаром, мокрой шерстью пиджака, поездом. «Ты теперь надолго, надолго», — повторяла она счастливым, лающим голосом. «Вообще — да, — солидно ответил Мартын. — Только вот недели через две мне нужно будет съездить по делу в Берлин, — а потом я вернусь». — «Ах, какие там дела, успеется!» — воскликнула она, — и дядя Генрих, который почивал у себя после завтрака, проснулся, прислушался, поспешно обулся и спустился вниз.

«Блудный сын, — сказал он, входя, — я очень рад тебя видеть опять». Мартын щекой коснулся его щеки, и оба одновременно чмокнули пустоту, как было между ними принято. «Надеюсь — на некоторое время?» — спросил дядя, не спуская с него глаз, и ощупью взялся за спинку стула и сел, растопырив ноги. «Вообще — да, — ответил Мартын, пожирая ветчину, — только вот недели через две мне придется съездить в Берлин, — но потом я вернусь». — «Не вернешься, — сказала со смехом Софья Дмитриевна, — знаю тебя. Ну, расскажи, как это все было. Неужели ты правда пахал, и косил, и доил?» — «Доить очень весело», — сказал Мартын и показал двумя расставленными пальцами, как это делается (как раз доить коров ему в Молиньяке не приходилось, — был для этого его тезка, Мартэн Рок, — и неизвестно, почему он сначала рассказал именно об этом, когда было так много другого, подлинного).

Утром, взглянув на горы, Мартын снова, на тот же несколько всхлипывающий мотив, подумал: «Прощай, прощай», — но сразу пожурил себя за недостойное малодушие, и тут вошла Софья Дмитриевна с письмом и, уже с порога — так, чтобы не дать времени сыну напрасно подумать, что это от Сони, — бодро сказала: «От твоего Дарвина. Забыла тебе вчера дать». Мартын с первых же строк начал тихо смеяться. Дарвин писал, что женится на удивительной девушке, англичанке, встреченной в гостинице над Ниагарой, что ему приходится много разъезжать и что он будет через неделю в Берлине. «Да пригласи его сюда, — живо сказала Софья Дмитриевна, — чего же проще?» — «Нет-нет, я тебе говорю, что я должен там быть, выходит вполне удачно...»

«Скажи, Мартын», — начала Софья Дмитриевна и замялась. «В чем дело?» — спросил он со смехом. «Как у тебя там все, — ну, ты знаешь, о чем я спрашиваю... Ты, может быть, уже обручен?» Мартын щурился и смеялся, и ничего не отвечал. «Я буду ее очень любить», — тихо, святым голосом, произнесла Софья Дмитриевна. «Пойдем гулять, чудная погода», — сказал Мартын, делая вид, что меняет разговор. «Ты пойди, — ответила она. — Я, дура, как раз на сегодня пригласила старичков Друэ, и они умрут от разрыва сердца, если им протелефонировать».

В саду дядя Генрих прилаживал лесенку к стволу яблони и потом, с величайшей осторожностью, поднялся на третью ступеньку. У колодца, позабыв о ведре, переполнявшемся блестящей водой, стояла, подбоченясь, Мария и глядела куда-то в сторону. Она очень раздобрела за последние годы, но в эту минуту, с солнечными бликами на голой шее, на платье, на туго скрученных косах, она Мартыну напомнила его мимолетную влюбленность. Мария быстро повернула к нему лицо. Толстое и тупое.

XLII

Упруго идя по тропе в черной еловой чаще, где, там и сям, сияла желтизной тонкая береза, он с восторгом предвкушал вот такую же прохваченную солнцем осеннюю глушь, с паутинами, растянутыми на лучах, с зарослями царского чая в сырых ложбинках,— и вдруг просвет, и дальше — простор, пустые осенние поля и на пригорке плотную белую церковку, пасущую несколько бревенчатых изб, готовых вот-вот разбрестись, и вокруг пригорка ясную излучину реки с кудрявыми отражениями. Он был почти удивлен, когда, сквозь черноту хвои, глянул альпийский склон.

Это напомнило ему, что до отъезда следовало рассчитаться с совестью. Деловито и неторопливо он поднялся по склону, достиг серых изломанных скал, вскарабкался по каменистой крутизне и оказался на той площадке, откуда вел за угол знакомый карниз. Не задумываясь, исполняя приказ, коего ослушаться было немыслимо, он принялся боком переступать по узкой полке и, когда дошел до конца, посмотрел через плечо и увидел тотчас за каблуками солнечную бездну, и в самой глубине — фарфоровую гостиницу. «На, выкуси», — сказал ей Мартын и, не поддаваясь головокружению, двинулся налево, откуда пришел, — и еще раз остановился, и, проверяя свою выдержку, попробовал извлечь из заднего кармана штанов портсигар и закурить. Было одно мгновение, когда, грудью касаясь скалы, он руками за нее не держался и чувствовал, как пропасть за ним напрягается, тянет его за икры и плечи. Он не закурил только потому, что выронил спичечный коробок, и было очень страшно, что звука падения не последовало, и когда он опять двинулся по карнизу, ему казалось, что коробок все еще летит. Благополучно добравшись до площадки, Мартын крякнул от радости и опять деловито, со строгим сознанием выполненного долга, пошел вниз по склону и, найдя нужную тропинку, спустился к белой гостинице — посмотреть, что она на все это скажет. Там — в саду, около тенниса — он увидел Валентину Львовну, сидевшую на скамейке рядом с господином в белых штанах, и понадеялся, что она не заметит его, — было жаль так скоро растрясти то драгоценное, что принес он с вершины. «Мартын Сергеич, а, Мартын Сергеич», — крикнула она, и Мартын осклабился и подошел. «Это сын доктора Эдельвейса», — сказала Валентина Львовна господину в белых штанах. Тот привстал и, не снимая канотье, отодвинул локоть, нацелился и, резко выехав вперед ладонью, крепко пожал Мартыну руку. «Грузинов», — сказал он вполголоса, как будто сообщая тайну.

«Надолго приехали?» — спросила Валентина Львовна с улыбкой и быстро натянула яркую, с пушком, губу на большие розовые зубы. «Вообще — да, сказал Мартын. — Только вот съезжу по делам в Берлин, а потом вернусь». — «Мартын... Сергеевич?» — тихо справился Грузинов и, на утвердительный ответ Мартына, прикрыл веки и повторил его имя-отчество еще раз про себя. «А знаете, вы...» — проговорила Валентина Львовна и сделала вазообразный жест своими дивными руками. «Еще бы, — ответил Мартын. — Я батрачил на юге Франции. Там так спокойно живется, что нельзя не поправиться». Грузинов двумя пальцами потрогал себя за углы рта, и при этом его добротное, чистое, моложавое лицо со сливочным оттенком на щеках, из которых, казалось, можно было сделать тянушки, приняло немного бабье выражение. «Да, вспомнил, — сказал он. — Его зовут Круглов, и он женат на турчанке, — («Ах, садитесь", — вскользь произнесла Валентина Львовна и двумя толчками отодвинула вбок свое мягкое, очень надушенное тело — чтобы дать Мартыну место на скамейке),— у него как раз заимка на юге Франции,— развил свою мысль Грузинов,— и кажется, он поставляет в город жасмин. Вы в каких же местах были,— тоже в духодельных?» Мартын сказал. «Во-во,— подхватил Грузинов,— где-то там поблизости. А может быть, и не там. Вы что, учитесь в берлинском университете?» — «Нет, я кончил в Кембридже».— «Весьма любопытно,— веско сказал Грузинов.— Там еще сохранились римские водопроводы,— продолжал он, обратившись к жене.— Представь себе, голубка, этих римлян, которые вдалеке от родины устраиваются на чужой земле,— и заметь: хорошо, удобно, по-барски».

Мартын никаких особенных водопроводов в Кембридже не видал, но все же счел нужным закивать. Как всегда в присутствии людей замечательных, с необыкновенным прошлым, он испытывал приятное волнение и уже решал про себя, как лучше всего воспользоваться новым знакомством. Оказалось, однако, что Юрия Тимофеевича Грузинова не так-то легко привести в благое состояние духа, когда человек вылезает из себя, как из норы, и усаживается нагишом на солнце. Юрий Тимофеевич не желал вылезать. Он был в совершенстве добродушен и вместе с тем непроницаем, он охотно говорил на любую тему, обсуждая явления природы и человеческие дела, но всегда было что-то такое в этих речах, отчего слушатель вдруг спрашивал себя, не измывается ли над ним потихоньку этот сдобный, плотный, опрятный господин с холодными глазами, как бы не участвующими в разговоре. Когда прежде, бывало, рассказывали о нем, о страсти его к опасности, о переходах через границу, о таинственных восстаниях, Мартын представлял себе что-то властное, орлиное. Теперь же, глядя, как Юрий Тимофеевич открывает черный, из двух частей, футляр и нацепляет для чтения очки, — очень почему-то простые очки, в металлической оправе, какие под стать было бы носить пожилому рабочему, мастеру со складным аршином в кармане, — Мартын чувствовал, что Грузинов другим и не мог быть. Его простоватость, даже некоторая рыхлость, старомодная изысканность в платье (фланелевый жилет в полоску), его шутки, его обстоятельность, — все это было прочной оболочкой, коконом, который Мартын никак не мог разорвать. Однако самый факт, что встретился он с ним почти накануне экспедиции, казался Мартыну залогом успеха. Это тем более было удачно, что, вернись Мартын в Швейцарию на месяц позже, он бы Грузинова не застал: Грузинов был бы уже в Бессарабии.

XLIII

Прогулки. До водопада, до Сен-Клера, до пещеры, где некогда жил отшельник. И обратно. Сентябрь был жаркий, погожий. Утром, бывало, моросит, а уже к полудню весь мир нежно вспыхивает на солнце, блестят стволы деревьев, горят синие лужи на дороге, и горы, разогревшись, освобождаются от туманного облачения. Впереди — Софья Дмитриевна и Валентина Львовна, сзади — Грузинов и Мартын. Грузинов шагал с удовольствием, крепко опираясь на самодельную трость, и не любил, когда останавливались, чтобы поглазеть на вид: он говорил, что это портит ритм прогулки. Раз с какой-то фермы метнулась овчарка и стала посреди дороги, урча. Валентина Львовна сказала: «Ой, я боюсь», — зашла за спину мужа, а Мартын взял палку из руки матери, которая, обращаясь к собаке, издавала тот звук, каким у нас подгоняют лошадей. Один Грузинов поступил правильно: он сделал вид, что поднимает с земли камень, и собака сразу отскочила. Пустяки, конечно, — но Мартын любил такие пустяки. В другой раз, видя, что Мартыну трудно идти без трости по очень крутой тропинке, Грузинов извлек из кармана финский нож, выбрал деревцо и, молча, очень точными ударами ножа, смастерил ему палку, гладкую, белую, еще живую, еще свежую на ощупь. Тоже пустяк, — но эта палка почему-то пахла Россией. Софья Дмитриевна находила Грузинова милейшим и как-то за завтраком сказала мужу, что он непременно должен поближе с ним познакомиться, что о нем уже сложились легенды. «Не спорю, не спорю, — ответил дядя Генрих, поливая салат уксусом, — но ведь это авантюрист, человек не совсем нашего общества, впрочем, если хочешь, зови». Мартын пожалел, что не услышит, как Юрий Тимофеевич разговорится с дядей Генрихом, — о деспотизме машин, о вещественности нашего века. После завтрака Мартын последовал за дядей в кабинет и сказал: «Я во вторник еду в Берлин. Мне нужно с тобой поговорить». — «Куда тебя несет? — недовольно спросил дядя Генрих и добавил, тараща глаза и качая головой: — Твоя мать будет крайне огорчена, — сам знаешь». — «Я обязан поехать, — продолжал Мартын. — У меня есть дело». — «Амурное?» — полюбопытствовал дядя Генрих. Мартын без улыбки покачал головой. «Так что же?» — пробормотал дядя Генрих и поглядел на кончик зубочистки, которой он уже некоторое время производил раскопки. «Это о деньгах, — довольно твердо сказал Мартын, — я хочу попросить тебя дать мне в долг. Ты знаешь, что я летом хорошо зарабатываю. Я тебе летом отдам». — «Сколько?» — спросил дядя Генрих, и лицо его приняло довольное выражение, глаза подернулись влагой, — он чрезвычайно любил показывать Мартыну свою щедрость. «Пятьсот франков». Дядя Генрих поднял брови. «Это, значит, карточный долг, так, что ли?» — «Если ты не хочешь...» — начал Мартын, с ненавистью глядя, как дядя обсасывает зубочистку. Тот сразу испугался. «У меня есть правило, — проговорил он примирительно, — никогда не следует требовать от молодого человека откровенности. Я сам был молод и знаю, как иногда молодой человек бывает опрометчив, это только естественно. Но следует избегать азартных... ах, постой же, постой, куда ты, — я же тебе дам, я дам, — мне не жалко, — а насчет того, чтобы вернуть...» — «Значит, ровно пятьсот, — сказал Мартын, — и я уезжаю во вторник».

Дверь приоткрылась. «Мне можно? — спросила Софья Дмитриевна тонким голосом. — Какие у вас тут секреты? — немного жеманно продолжала она, беспокойно перебегая глазами с сына на мужа. — Мне разве нельзя знать?» — «Да нет, все о том же — о братьях Пти», — ответил Мартын. «А он, между прочим, во вторник отбывает», — произнес дядя Генрих и сунул зубочистку в жилетный карман. «Как, уже?» — протянула Софья Дмитриевна. «Да, уже, уже, уже, уже», — с несвойственным ему раздражением сказал сын и вышел из комнаты. «Он без дела свихнется», — заметил дядя Генрих, комментируя грохот двери.

XLIV

Когда Мартын вошел в надоевший сад гостиницы, он увидел Юрия Тимофеевича, стоящего у теннисной площадки, на которой шла довольно живая игра между двумя юношами. «Смотрите — козлами скачут, — сказал Грузинов, — а вот у нас был кузнец, вот он действительно здорово жарил в лапту, — за каланчу лупнет или за речку — очень просто. Пустить бы его сюда, как бы он разбил этих молодчиков». — «В теннисе другие правила», — заметил Мартын. «Он бы им без всяких правил наклал», — спокойно возразил Грузинов. Последовало молчание. Хлопали мячи. Мартын прищурился. «У блондина довольно классный драйв». — «Комик», — сказал Грузинов и потрепал его по плечу. Меж тем подошла Валентина Львовна, плавно покачивая бедрами, а потом завидела двух знакомых барышень-англичанок и поплыла к ним, осторожно улыбаясь. «Юрий Тимофеич, — сказал Мартын, — у меня к вам разговор. Это важно и секретно». — «Сделайте одолжение. Я — гроб-могила». Мартын нерешительно огляделся. «Я не знаю...» — начал он. «Дык пойдемте ко мне», — предложил Грузинов.

В номере было тесно, темновато, и сильно пахло духами Валентины Львовны. Грузинов растворил окно, на один миг он был как большая темная птица, раскинутая на золотом фоне, и затем все вспыхнуло, солнце, разбежавшись по полу, остановилось у двери, которую бесшумно затворил за собой Мартын. «Кажется, беспорядок, не взыщите, — сказал Грузинов, косясь на двуспальную постель, смятую полуденной сиестой. — Садитесь в кресло, голубчик. Очень сладкие яблочки. Угощайтесь». — «Я, собственно говоря, — приступил Мартын, — вот о чем хотел с вами поговорить: у меня есть приятель, этот приятель собирается нелегально перейти из Латвии в Россию...» — «Вот это возьмите, с румянцем», — вставил Грузинов. «Я все думаю, — продолжал Мартын, — удастся ли ему это? Предположим, он отлично знает местность по карте, — но ведь этого недостаточно, — ведь повсюду пограничники, разведка, шпионы. Я хотел попросить вас — ну, что ли, разъяснить». Грузинов, облокотясь на стол, ел яблоко, вертел его, отхватывал то тут, то там хрустящий кусок и опять вертел, выбирая новое место для нападения. «А зачем вашему приятелю туда захаживать?» — осведомился он, бегло взглянув на Мартына. «Не знаю, он это скрывает. Кажется, хочет повидать родных в Острове или в Пскове». — «Какой паспорт?» — спросил Грузинов. «Иностранный, он иностранный подданный, — литовец, что ли». — «Так что же, — визы ему не дают?» — «Этого я не знаю, — он, кажется, не хочет визы, ему нравится сделать это по-своему. А может быть, действительно не дают...» Грузинов доел яблоко и сказал: «Я все ищу антоновского вкуса, — иногда кажется, как будто нашел, — а присмакуюсь, — нет, все-таки не то. А насчет виз вообще — сложно. Я вам никогда не рассказывал историю, как мой шурин перехитрил американскую квоту?» — «Я думал, вы что-нибудь посоветуете», — неловко проговорил Мартын. «Чудак-человек, — сказал Грузинов, — ведь ваш приятель, наверное, лучше знает». — «Но я беспокоюсь за него...» — тихо произнес Мартын и с грустью подумал, что разговор выходит отнюдь не таким, каким он его воображал, и что Юрий Тимофеевич никогда не расскажет, как он сам множество раз переходил границу. «И понятно, что беспокоитесь, — сказал Грузинов. — Особенно если он новичок. Впрочем, проводник там всегда найдется». — «Ах, нет, это опасно, — воскликнул Мартын, — нарвется на предателя». — «Ну конечно, следует быть осторожным», — согласился Грузинов и, потирая ладонью глаза, внимательно, сквозь толстые белые пальцы, посмотрел на Мартына. «И очень важно, конечно, знать местность», — добавил он вяло.

Тогда Мартын проворно вынул небольшую в трубку свернутую карту. Он знал ее наизусть, не раз забавлялся тем, что чертил ее не глядя, — но теперь следовало скрыть свое знание. «Я, видите ли, даже запасся картой, — сказал он непринужденно. — Мне, например, кажется, что Коля перейдет вот здесь, или здесь». — «Ах, его зовут Колей, — сказал Грузинов. — Запомним, запомним. А карта хорошая. Постойте... (Появился футляр, чмокнув, открылся, блеснули очки...) — Значит, позвольте, — какой масштаб?.. о, прекрасно... — вот — Режица, вот Пыталово, на самой черте. У меня был приятель, тоже, по странному совпадению, Коля, который раз перешел речку бродом и пошел вот так, а в другой раз начал здесь, — и лесом, лесом, — очень густой лес, — Рогожинский, вот, а теперь, если взять на северо-восток...»

Грузинов теперь говорил живо и все ускорял речь, водя острием разогнутой английской булавки по карте, — и в одну минуту наметил полдюжины маршрутов, и все сыпал названиями деревень, призывал к жизни невидимые тропы, — и чем оживленнее он говорил, тем яснее становилось Мартыну, что Грузинов над ним издевается. Вдруг донеслись из сада два женских голоса, странно выкрикающих фамилию Юрия Тимофеевича. Он высунулся. Барышни-англичанки (барышням вообще он нравился, — разыгрывал перед ними байбака, простака) звали его есть мороженое. «Вот пристающие, — сказал Грузинов, — я все равно мороженое никогда не ем». Мартыну показалось, что уже где-то, когда-то были сказаны эти слова (как в «Незнакомке» Блока), и что тогда, как и теперь, он чем-то был озадачен, что-то пытался объяснить. «Вот мой совет, — сказал Грузинов, ловко свернув карту и протянув ее Мартыну. — Передайте Коле, чтобы он оставался дома и занимался чем-нибудь дельным. Хороший малый, должно быть, — и было бы жаль, если бы он заплутал». — «Он в этом лучше меня смыслит», — мстительно ответил Мартын.

Спустились в сад. Мартын все время усиленно улыбался и чувствовал ненависть к Грузинову, к его холодным глазам, к сливочно-белому непроницаемому лбу. Но одно было хорошо: вот, разговор произошел, это минуло, — обошелся как с мальчишкой, — чорт с ним, совесть чиста, теперь можно спокойно уложить вещи и уехать.

XLV

В день отъезда он проснулся очень рано, как, бывало, в детстве, в рождественское утро. Мать, по английскому обычаю, осторожно входила среди ночи и подвешивала к изножью кровати чулок, набитый подарками. Для пущей убедительности она нацепляла ватную бороду и надевала мужнин башлык. Мартын, проснись он ненароком, видел бы воочию святого Николая. И вот, утром, при ярко-желтом блеске лампы и под мрачным взглядом зимнего петербургского рассвета, — с коричневым небом над темным домом напротив, где снег провел карнизы белилами, — Мартын ощупывал длинный материнский чулок, хрустящий, туго набитый почти доверху пакетиками, которые просвечивали через шелк, и, замирая, совал в него руку, начинал вытаскивать и разворачивать зверьков, бонбоньерки, — все предисловие к большому подарку, — к паровозу и вагонам и рельсам (из которых можно составлять огромные восьмерки), ожидавшим его попозже, в гостиной. И нынче тоже Мартына ожидал поезд, этот поезд уходил из Лозанны под вечер и около девяти утра прибывал в Берлин. Софья Дмитриевна, уверенная, что сын едет только затем, чтобы повидаться с маленькой Зилановой, и замечавшая, что нет из Берлина писем, и терзавшаяся мыслью, что маленькая Зиланова недостаточно, быть может, любит его и окажется дурной женой, старалась как можно веселее обставить его отъезд и, под видом несколько лихорадочной бодрости, скрывала и тревогу свою, и огорчение, что вот, едва приехав, он уже покидает ее на целый месяц. Дядя Генрих, у которого раздулся флюс, был за обедом угрюм и неразговорчив. Мартын посмотрел на перечницу, к которой дядя потянулся, и ему показалось, что эту перечницу (изображавшую толстого человека с дырочками в серебряной лысине) он видит в последний раз. Он быстро перевел глаза на мать, на ее худые руки в бледных веснушках, на нежный профиль ее и приподнятую бровь, — словно она дивилась жирному рагу на тарелке, — и опять ему показалось, что эти веснушки, и бровь, и рагу он видит в последний раз. Одновременно и вся мебель в комнате, и ненастный пейзаж в окне, и часы с деревянным циферблатом над буфетом, и увеличенные фотографии усатых сюртучных господ в черных рамах, — все как будто заговорило, требуя к себе внимания ввиду скорой разлуки. «Мне можно тебя проводить до Лозанны? — спросила мать. — Ах, я знаю, что ты не любишь проводов, — поспешила она добавить, заметив, что Мартын наморщил нос, — но я не для того, чтобы провожать тебя, а просто хочется проехаться в автомобиле, и кроме того, мне нужно кое-что купить». Мартын вздохнул. «Ну, не хочешь — не надо, — сказала Софья Дмитриевна с чрезвычайной веселостью. — Если меня не берут, я останусь. Но только ты наденешь теплое пальто, на этом я настаиваю».

Они между собой всегда говорили по-русски, и это постоянно сердило дядю Генриха, знавшего только одно русское слово «ничего», которое почему-то мерещилось ему символом славянского фатализма. Теперь, будучи в скверном настроении и страдая от боли в распухшей десне, он резко отодвинул стул, смахнул салфеткой крошки с живота и, посасывая зуб, ушел в свой кабинет. «Как он стар, — подумал Мартын, глядя на его седой затылок, — или это так свет падает? Такая мрачная погода».

«Ну что ж, тебе скоро нужно собираться, — заметила Софья Дмитриевна, — вероятно, уже автомобиль подан. — Она выглянула в окно. — Да, стоит. Посмотри, как там смешно: ничего в тумане не видно, будто никаких гор нет... Правда?» — «Я, кажется, забыл бритву», — сказал Мартын.

Он поднялся к себе, уложил бритву и ночные туфли, с трудом защелкнул чемодан. Вдруг он вообразил, как будет в Риге или в Режице покупать простые, грубые вещи — картуз, полушубок, сапоги. Быть может, револьвер? «Прощай-прощай», — быстро пропела этажерка, увенчанная черной фигуркой футболиста, которая всегда напоминала Аллу Черносвитову.

Внизу, в просторной прихожей, стояла Софья Дмитриевна, заложив руки в карманы макинтоша, и напевала, как всегда делала, когда нервничала. «Остался бы дома, — сказала она, когда Мартын с ней поравнялся, — ну что тебе ехать...» Из двери направо, над которой была голова серны, вышел дядя Генрих и, глядя на Мартына исподлобья, спросил: «Ты уверен, что взял достаточно денег?» — «Вполне, — ответил Мартын. — Благодарю тебя». — «Прощай, — сказал дядя Генрих. — Я с тобой прощаюсь здесь, оттого что сегодня избегаю выходить. Если бы у другого так болели зубы, как у меня, он давно был бы в сумасшедшем доме».

«Ну, пойдем, — сказала Софья Дмитриевна, — я боюсь, что ты опоздаешь на поезд».

Дождь, ветер. У Софьи Дмитриевны сразу растрепались волосы, и она все гладила себя по ушам. «Постой, — сказала она, не доходя калитки сада, близ двух еловых стволов, между которыми летом натягивался гамак. — Постой же, я хочу тебя поцеловать». Он опустил чемодан наземь. «Поклонись ей от меня», — шепнула она с многозначительной улыбкой, — и Мартын кивнул («Поскорей бы уехать, это невыносимо...»).

Шофер услужливо открыл калитку. Сыро блестел автомобиль, дождь слегка звенел, ударяясь в него. «И пожалуйста, пиши, хоть раз в неделю», — сказала Софья Дмитриевна. Она отступила и с улыбкой замахала рукой, и, шурша по грязи, черный автомобиль скрылся за еловой просадыо.

XLVI

Ночь в вагоне,— в укачливом вагоне темно-дикого цвета,— длилась без конца: мгновениями Мартын проваливался в сон, и, содрогнувшись, просыпался, и опять катился вниз — словно с американских гор, и опять взлетал, и среди глухого стука колес улавливал дыхание пассажира на нижней койке, равномерный храп, как бы участвующий в общем движении поезда.

Задолго до приезда, пока все еще в вагоне спали, Мартын спустился со своей вышки и, захватив с собой губку, мыло, полотенце и складной таб в непромокаемом чехле, прошел в уборную. Там, предварительно распластав на полу листы купленного в Лозанне «Таймса», он выправил валкие края резиновой ванны и, скинув пижаму, облепил мыльной пеной все свое крепкое, темное от загара тело. Было тесновато, сильно качало, чувствовалась какая-то сквозная близость бегущих рельс, была опасность ненароком коснуться стенки; но Мартын не мог обойтись без утренней ванны, видя в этом своего рода героическую оборону: так отбивается упорная атака земли, наступающей едва заметным слоем пыли, точно ей не терпится — до сроку — завладеть человеком. После ванны, как бы дурно он ни спал, Мартын проникался благодатной бодростью. В такие минуты мысль о смерти, о том, что когда-нибудь — и, может быть,— как знать? — скоро, — придется сдаться и проделать то, что проделали биллионы, триллионы людей, эта мысль о неминуемой, общедоступной смерти едва волновала его, и только постепенно к вечеру она входила в силу и к ночи раздувалась иногда до чудовищных размеров. Мартыну казалось, что в обычае казнить на рассвете есть милосердие: дай Бог, чтобы это случилось утром, когда человек владеет собой, — покашливает, улыбается и вот — стал и раскинул руки.

Выйдя на дебаркадер Ангальтского вокзала, он с наслаждением вдохнул дымно-холодный утренний воздух. Вдали, с той стороны, откуда пришел поезд, видно было в пролете железно-стеклянного свода чистое, бледно-голубое небо, блеск рельс, и, по сравнению с этой светлостью, здесь, под сводом, было темновато. Он прошел мимо тусклых вагонов, мимо громадного, шипящего, потного паровоза и, отдав билет в человеческую руку контрольной будки, спустился по ступеням и вышел на улицу. Из привязанности к образам детства он решил избрать исходной точкой своего путешествия вокзал Фридриха, где некогда ловила Норд-Экспресс русская семья, жившая в «Континентале». Чемодан был изрядно тяжел, но Мартын чувствовал такую неусидчивость, такое волнение, что отправился пешком; однако, дойдя до угла Потсдамской улицы, он ощутил сильный голод, прикинул оставшееся расстояние и благоразумно сел в автобус. С самого начала этого необыкновенного дня все его чувства были заострены, — ему казалось, что он запоминает лица всех встречных, воспринимает живее, чем когда-либо, цвета, запахи, звуки, — и автомобильные рожки, которые, бывало, в дождливые ночи терзали слух отвратительным сырым хрюканьем, теперь звучали как-то отрешенно, мелодично и жалобно. Сидя в автобусе, он услышал недалеко от себя перелив русской речи. Пожилая чета и двое круглоглазых мальчиков. Старший устроился поближе к окну, младший несколько напирал на брата. «Ресторан», — сказал старший с восторгом. «Мотри, ресторан», — сказал младший, напирая. «Сам вижу», — огрызнулся старший. «Это ресторан», — сказал младший убежденно. «А ты, дурак, заткнись», — проговорил старший. «Это еще не Линден?» — заволновалась мать. «Это еще Почтамер», — веско сказал отец. «Почтамер уже проехали», — закричали мальчики, и вспыхнул короткий спор. «Арка, во класс!» — восхитился старший, тыча в стекло пальцем. «Не ори́ так», — заметил отец. «Чего?» — «Говорю, не ори». Тот обиделся: «Я, во-первых, сказал тихо и вовсе не орал». — «Арка», — с почтением произнес младший. Все загляделись на вид Бранденбургских ворот. «Исторические места», — сказал старший мальчик. «Да, старинная арка», — подтвердил отец. «Как же он пролезет, — спросил старший, тревожась за бока автобуса. — Ужина-то какая!» — «Пролез», — прошептал младший с облегчением. «Это Унтер, — всполошилась мать. — Надо вылазить!» — «Унтер длинный-длинный, — сказал старший мальчик. — Я на карте видел». — «Это Президент страсе», — мечтательно проговорил младший. «Заткнись, дурак! Это Унтер». Затем все вместе хором: «Унтер длинный-длинный», и мужское соло: «Век будем ехать...»

Тут Мартын вышел, и, идя по направлению к вокзалу, он со странной печалью вспомнил свое детство, свое детское волнение, — такое же и совсем другое. Но это было только мгновенное сопоставление: оно пропело и замерло.

Сдав чемодан на хранение и взяв билет до Риги на вечерний поезд, он уселся в гулком зале буфета, заказал аргусоподобную глазунью и в последнем номере «Зарубежного Дела», которое читал, пока ел, нашел между прочим ехиднейшую критику на бубновскую «Каравеллу». Насытившись, он закурил и огляделся. За соседним столом сидела барышня, что-то писала и вытирала слезы, — а потом смутными и влажными глазами взглянула на него, прижав к губам карандаш, и, найдя нужное слово, продолжала быстро писать, держа карандаш как дети, почти у самого острия и напряженно скрючив палец. Открытое на груди черное пальто с потрепанной заячьей шкуркой на вороте, янтарные бусы, нежная белизна шеи, платок, зажатый в кулаке... Он расплатился и принялся ждать, когда она встанет, чтобы последовать за ней; но, кончив писать, она облокотилась на стол, глядя вверх и полуоткрыв губы. Так она сидела долго, и где-то за стеклами уходили поезда, и Мартын, которому следовало не опоздать в консульство, решил подождать еще пять минут, не больше. Пять минут прошло. «Я бы условился с ней где-нибудь кофе выпить — только это», — умоляюще подумал он и представил себе, как будет ей намекать на далекий путь, на опасность, и как она будет плакать. Прошла еще одна минута. «Хорошо, не надо», — сказал Мартын и, английским манером перебросив через плечо макинтош, направился к выходу.

XLVII

Быстро шелестел открытый таксомотор, пестрел кругом великолепный Тиргартен, и прекрасны были теплые, рыжие оттенки листвы, — «унылая пора, очей очарованье»... Дальше в воду канала гляделись пышные, блеклые каштаны, а проезжая по мосту, Мартын отметил, что у каменного льва Геракла отремонтированная часть хвоста все еще слишком светлая и, вероятно, не скоро примет матерую окраску всей группы: сколько еще лет, — десять, пятнадцать? Почему так трудно вообразить себя сорокалетним человеком?

В Латвийском консульстве, в подвальном этаже, было оживленно и тесно. «Тук-тук», — стучал штемпель. Через несколько минут швейцарец Эдельвейс уже вышел оттуда и неподалеку, в мрачном особняке, получил, по дешевой цене, литовскую проездную визу.

Теперь можно было отправиться к Дарвину. Гостиница находилась против Зоологического сада. «Он уже ушел, — ответил человек в конторе. — Нет, я не знаю, когда он вернется».

«Как досадно, — подумал Мартын, выходя опять на улицу. — Надо было ему указать точную дату, а не просто „на днях". Промах, промах... Как это досадно». Он посмотрел на часы. Половина двенадцатого. Паспорт был в порядке, билет куплен. День, который намечался столь нагруженным всякими делами, вдруг оказался пустым. Что делать дальше? Пойти в Зоологический сад? Написать матери? Нет, это потом.

И пока он так размышлял, все время в глубине сознания происходила глухая работа. Он противился ей, старался ее не замечать, ибо твердо решил еще во Франции, что больше Соню не увидит никогда. Но берлинский воздух был Соней насыщен, — вон там, в Зоологическом саду, они вместе глазели на румяно-золотого китайского фазана, на чудесные ноздри гиппопотама, на желтую собаку динго, так высоко прыгавшую. «Она сейчас на службе, — подумал Мартын, — а к Зилановым все-таки нужно зайти...»

Поплыл, разматываясь, Курфюрстендам. Автомобили обгоняли трамвай, трамвай обгонял велосипеды; потом мост, дым поездов далеко внизу, тысяча рельс, загадочно-голубое небо; поворот и осенняя прелесть Груневальда.

И дверь ему открыла именно Соня. Она была в черной вязаной кофточке, слегка растрепанная, тусклые раскосые глаза казались заспанными, на бледных щеках были знакомые ямки. «Кого я вижу?» — протянула она и низко-низко поклонилась, болтая опущенными руками. «Ну, здравствуй, здравствуй», — сказала она, разогнувшись, и одна черная прядь дугой легла по виску. Она отмахнула ее движением указательного пальца. «Пойдем», — сказала она и пошла вперед по коридору, мягко топая ночными туфлями. «Я боялся, что ты на службе», — проговорил Мартын, стараясь не смотреть на ее прелестный затылок. «Голова болит», — сказала она, не оглядываясь, и, тихонько крякнув, подняла на ходу половую тряпку и бросила ее на сундук. Вошли в гостиную. «Присаживайся и все говори», — сказала она, плюхнулась в кресло, тут же привстала, подобрала под себя ногу и уселась опять.

В гостиной все было то же: темный Беклин на стене, потрепанный плюш, какие-то вечные бледнолистые растения в вазе, удручающая люстра в виде плывущей хвостатой женщины, с бюстом и головой баварки и с оленьими рогами, растущими отовсюду.

«Я, собственно говоря, приехал сегодня, — сказал Мартын и стал закуривать. — Я буду здесь работать. То есть, собственно говоря, не здесь, а в окрестностях. Это фабрика, и я, значит, как простой рабочий». — «Да ну, — протянула Соня и добавила, заметив его ищущий взгляд: — Ничего, брось прямо на пол». — «И вот какая забавная вещь, — продолжал Мартын. — Я, видишь ли, собственно, не хочу, чтобы моя мать знала, что я работаю на фабрике. Так что, если она случайно Ольге Павловне напишет, — она, знаешь, иногда любит таким окружным путем узнать, здоров ли я и так далее, — вот, понимаешь, тогда нужно ответить, что часто у вас бываю. Я, конечно, буду очень, очень редко бывать, некогда будет».

«Ты подурнел,— задумчиво сказала Соня.— Огрубел как-то. Это, может быть, от загара».

«Скитался по всему югу Франции, — сипло проговорил Мартын, ударом пальца стряхивая пепел. — Батрачил на фермах, бродяжничал, а по воскресеньям одевался барином и ездил кутить в Монте-Карло. Очень интересная вещь — рулетка. А ты что поделываешь? Все у вас здоровы?»

«Предки здоровы, — сказала со вздохом Соня, — а вот с Ириной прямо беда. Это крест какой-то... Ну и с деньгами полный мрак. Папа говорит, что нужно переехать в Париж. Ты в Париже тоже был?»

«Да, проездом, — небрежно ответил Мартын (день в Париже много лет тому назад, по пути из Биаррица в Берлин, дети с обручами в Тюильрийском саду, игрушечные парусники на воде бассейна, старик, кормящий воробьев, серебристая сквозная башня, склеп Наполеона, где колонны похожи на витые сюкр д'орж...).— Да, проездом. А знаешь, между прочим, какая новость — Дарвин здесь».

Соня улыбнулась и заморгала. «Ах, приведи его! Приведи его непременно, это безумно интересно».

«Я его еще не видал. Он здесь по делам „Морнинг Ньюса". Его, знаешь, посылали в Америку, настоящим стал журналистом. А главное,— у него есть в Англии невеста, и он весной женится».

«Да ведь это восхитительно, — тихо проговорила Соня. — Все как по писаному. Я так ясно представляю ее,— высокая, глаза как тарелки, а мать, вероятно, очень на нее похожа, только суше и краснее. Бедный Дарвин!»

«Чепуха, — сказал Мартын, — я уверен, что она очень хорошенькая и умная».

«Ну, еще что-нибудь расскажи», — попросила Соня после молчания. Мартын пожал плечами. Как он поступил опрометчиво, пустив в оборот сразу весь свой разговорный запас. Ему казалось дико, что вот, перед ним, в двух шагах от него, сидит Соня, и он не смеет ничего ей сказать важного, не смеет намекнуть на последнее ее письмо, не смеет спросить, выходит ли она за Бубнова замуж, — ничего не смеет. Он попытался вообразить, как будет вот тут, в этой комнате, сидеть после возвращения, как она будет слушать его, — и неужели он, как сейчас, все выпалит разом, неужели Соня так же, как сейчас, будет сквозь шелк почесывать голень и глядеть мимо него на вещи, ему неизвестные? Он подумал, что, вероятно, пришел некстати, что, быть может, она ждет кого-нибудь и что с ним ей тягостно. Но уйти он не мог, как не мог придумать ничего занимательного, и Соня своим молчанием как бы нарочно старалась довести его до крайности, — вот он совсем потеряется и выболтает все: и про экспедицию, и про любовь, и про все то сокровенное, заповедное, чем связаны были между собой эта экспедиция, и его любовь, и «унылая пора, очей очарованье».

Стукнула дверь в прихожей, раздались шаги, и в гостиную вошел с портфелем под мышкой Зиланов. «А, очень рад, — сказал он. — Как поживает ваша матушка?» Погодя появилась из другой двери Ольга Павловна и задала тот же вопрос. «Откушайте с нами», — сказала она. Перешли в столовую. Ирина, войдя, застыла, и вдруг кинулась к Мартыну и принялась его целовать мокрыми губами. «Ира, Ирочка», — с виноватой улыбкой приговаривала ее мать. На большом блюде были маленькие черные котлетки. Зиланов развернул салфетку и заложил угол за воротник.

За обедом Мартын показал Ирине, как нужно скрестить третий и второй палец, чтобы, касаясь ими хлебного шарика, осязать не один шарик, а два. Она долго не могла приладить руку, но когда наконец, с помощью Мартына, шарик под ее пальцами волшебно раздвоился, Ирина заворковала от восторга. Как обезьянка, которая, видя свое отражение в осколке зеркала, подглядывает снизу, нет ли там другой обезьянки, она все пригибала голову, думая, что и впрямь под пальцами два катыша; когда же Соня после обеда повела Мартына к телефону, находившемуся за углом коридора, возле кухни, Ирина со стоном кинулась за ними, боясь, что Мартын совсем уходит, а убедившись, что это не так, вернулась в столовую и полезла под стол отыскивать закатившийся шарик. «Я хочу, собственно говоря, позвонить Дарвину, — сказал Мартын. — Нужно посмотреть в книжке, как номер гостиницы». У Сони озарилось лицо, она сказала, захлебываясь: «Ах, дай мне, я сама, я с ним поговорю, это будет восхитительно. Я, знаешь, его хорошенько заинтригую». — «Нет, не надо, зачем же», — ответил Мартын. «Ну, тогда я только соединю. Ведь соединить можно? Как номер?» Она наклонилась над телефонным фолиантом, в который он глядел, и пахнуло теплом от ее головы; на щеке, под самым глазом, была блудная ресничка. Вполголоса скороговоркой повторяя номер, чтобы его не забыть, она села на сундук и сняла трубку. «Только соединить, помни», — строго заметил Мартын. Соня со старательной ясностью сказала номер и принялась ждать, бегая глазами и мягко стуча пятками о стенку сундука. Потом она улыбнулась, прижав еще плотнее трубку к уху, и Мартын протянул руку, но Соня ее оттолкнула плечом и вся сгорбилась, звонко прося Дарвина к телефону. «Дай мне трубку, — сказал Мартын. — Это нечестно». Соня еще больше собралась. «Я разъединю», — сказал Мартын. Она сделала резкое движение, чтобы защитить рычажок, и в это же мгновение настороженно подняла брови. «Нет, спасибо, ничего», — сказала она и повесила трубку. «Дома нет, — обратилась она к Мартыну, глядя на него исподлобья. — Можешь быть спокоен, я больше не позвоню. А ты какой был невежа, такой и остался». — «Соня», — протянул Мартын. Она соскользнула с сундука, надела, шаркая, свалившуюся туфлю и пошла в столовую. Там убирали со стола, Елена Павловна говорила что-то Ирине, которая от нее отворачивалась. «Я вас еще увижу?» — спросил Зиланов. «Да я не знаю, — сказал Мартын. — Мне уже, пожалуй, нужно идти». — «На всякий случай я с вами попрощаюсь», — проговорил Зиланов и ушел работать к себе в спальню...

«Не забывайте нас», — сказали Ольга и Елена Павловны вместе и, улыбнувшись, тронули друг дружку за рукава черных платьев. Мартын поклонился. Ирина приложила руку к груди и вдруг бросилась к нему и вцепилась в отвороты его пиджака. Он смутился, попробовал осторожно разжать ее пальцы; но она держала его крепко, а когда мать взяла ее сзади за плечи, Ирина в голос зарыдала. Мартын невольно поморщился, глядя на ужасное выражение ее лица, на красную сыпь между бровями. Резким, чуть грубым движением он оторвал ее пальцы. Ее увлекли в другую комнату, ее грудной рев удалился, замер. «Вечные истории», — сказала Соня, провожая Мартына в прихожую. Мартын надел макинтош, — макинтош был сложный, и для устройства пояска требовалось некоторое время. «Заходи как-нибудь вечерком», — сказала Соня, глядя на его манипуляции и держа руки в передних карманчиках черной своей кофточки. Мартын хмуро покачал головой. «Собираемся и танцуем», — сказала Соня и, тесно сложив ноги, двинула носками, потом пятками, опять носками, опять пятками, чуть подвигаясь вбок. «Ну, вот, — промолвил Мартын, хлопая себя по карманам. — Пакетов у меня, кажется, не было». — «Помнишь?» — спросила Соня и тихо засвистала мотив лондонского фокстрота. Мартын прочистил горло. «Мне не нравится твоя шляпа, — заметила она. — Теперь так не носят». — «Прощай», — сказал Мартын и очень ловко сгреб Соню, толкнулся губами в ее оскаленные зубы, в щеку, в нежное место за ухом, отпустил ее (при чем она попятилась и чуть не упала) и быстро ушел, невольно хлопнув дверью.

XLVIII

Он заметил, что улыбается, что запыхался, что сильно бьется сердце. «Ну вот, ну вот», — сказал он вполголоса и размашистым шагом пошел по панели, словно куда-то спешил. Спешить же было некуда. Отсутствие Дарвина путало его расчеты; меж тем до отхода поезда оставалось еще несколько часов. Возвратившись пешком по Курфюрстендаму, он со смутной грустью смотрел на знакомые подробности Берлина; вот суровая церковь на перекрестке, такая одинокая среди языческих кинематографов. Вот Тауэнциенская, где пешеходы почему-то избегают проложенного посредине бульвара, предпочитая тесно течь вдоль витрин. Вот слепец, продающий свет, — протягивающий в вечную тьму вечный коробок спичек; лотки с вереском и астрами, лотки с бананами и яблоками; человек в рыжем пальто, стоящий на сиденье старого автомобиля и веером держащий плитки безымянного шоколада, о волшебном качестве которого он речисто рассказывает кучке зевак. Мартын завернул за угол, зашел в русский магазин купить книжку. Учтивый полный господин, несколько похожий на черепаху, выложил на прилавок то, что зовется «новинки». Ничего не найдя, Мартын купил «Панч» и опять оказался на улице. Тут он с чувством неудовлетворенности вдруг вспомнил скудный зилановский обед. Рассчитав, что из ресторана уместно будет еще раз позвонить Дарвину, он направился в «Пир Горой», где в прошлом году столовался. Из гостиницы ему ответили, что Дарвин еще не вернулся. «Двадцать пфеннигов с вас, — сказала напудренная дама за прилавком. — Мерси».

Хозяином ресторана являлся тот самый художник Данилевский, который бывал в Адреизе, — небольшого роста, пожилой уже человек, в стоячем воротнике, с румяным детским лицом и русой бородавкой под глазом. Он подошел к столику Мартына и застенчиво спросил: «Бабарщок вкусный?» — (он испытывал странное тяготение как раз к тем звукам, которые ему трудно давались). «Очень», — ответил Мартын и, — как всегда, с чувством щемящей нежности, — увидел Данилевского на фоне крымской ночи.

Тот сел боком к столу, поощрительно глядя, как Мартын хлебает суп. «Я вам говорил, что, по некоторым сведениям, они-бы, они-бы, они безвыездно живут в усадьбе, — удивительно...»

(«Неужели их не трогают? — подумал Мартын. — Неужели все осталось по-прежнему, — эти, например, сушеные маленькие груши на крыше веранды?»)

«Могикане», — задумчиво сказал Данилевский.

В зальце было пустовато. Плюшевые диванчики, печки с коленчатой трубой, газеты на древках.

«Все это изменится к лучшему. Знаете, я бы бабами, большими бабами, хотел расписать стены, если бы это не было так грустно. Одежды — прямо пожары, но бледные лица с глазами лошадей. Так у меня выходит, по крайней мере. Яп, яп, пробовал. Или можно тучи, а внизу, а внизу — опушку. Помещение мы расширим, тут, тут и там все снимем, я вчера вызвал мастера, но он почему-то не пришел».

«Много бывает народу?» — спросил Мартын.

«Обыкновенно — да. Сейчас не обеденный час, не судите. Но вообще... И хорошо представлена литературная быратья. Ракитин, например, ну, знаете, журналист, всегда в гетрах, большой проникёр... А на днях, бу, а на днях, бу, Сережа Бубнов, буй, буй, — неистовствовал, бил посуду, у него запой, любовное несчастье, нехорошо, — а ведь это же жениховством папахло».

Данилевский вздохнул, постукал пальцами по столу и, медленно встав, ушел на кухню. Он опять появился, когда Мартын снимал свою шляпу с вешалки. «Завтра шашлык, — сказал Данилевский, — ждем вас», — и у Мартына мелькнуло желание сказать что-нибудь очень хорошее этому милому, грустному, так мелодично заикающемуся человеку; но что, собственно, можно было сказать?

XLIX

Пройдя через мощеный двор, где посредине, на газоне, стояла безносая статуя и росло несколько туй, он толкнул знакомую дверь, поднялся по лестнице, отзывавшей капустой и кошками, и позвонил. Ему открыл молодой немец, один из жильцов, и, предупредив, что Бубнов болен, постучал на ходу к нему в дверь. Голос Бубнова хрипло и уныло завопил: «Херайн».

Бубнов сидел на постели, в черных штанах, в открытой сорочке, лицо у него было опухшее и небритое, с багровыми веками. На постели, на полу, на столе, где мутной желтизной сквозил стакан чаю, валялись листы бумаги. Оказалось, что Бубнов одновременно заканчивает новеллу и пытается составить по-немецки внушительное письмо Финансовому Ведомству, требующему от него уплаты налога. Он не был пьян, однако и трезвым его тоже нельзя было назвать. Жажда, по-видимому, у него прошла, но все в нем было искривлено, расшатано ураганом, мысли блуждали, отыскивали свои жилища, и находили развалины. Не удивившись вовсе появлению Мартына, которого он не видел с весны, Бубнов принялся разносить какого-то критика, — словно Мартын был ответственен за статью этого критика. «Травят меня», — злобно говорил Бубнов, и лицо его с глубокими глазными впадинами было при этом довольно жутко. Он был склонен считать, что всякая бранная рецензия на его книги подсказана побочными причинами — завистью, личной неприязнью или желанием отомстить за обиду. И теперь, слушая его довольно бессвязную речь о литературных интригах, Мартын дивился, что человек может так болеть чужим мнением, и его подмывало сказать Бубнову, что его рассказ о Зоорландии — неудачный, фальшивый, никуда не годный рассказ. Когда же Бубнов, без всякой связи с предыдущим, вдруг заговорил о сердечной своей беде, Мартын проклял дурное любопытство, заставившее его сюда прийти. «Имени ее не назову, не спрашивай, — говорил Бубнов, переходивший на „ты" с актерской легкостью, — но помни, из-за нее еще не один погибнет. А как я любил ее... Как я был счастлив. Огромное чувство, когда, знаешь, гремят ангелы. Но она испугалась моих горних высот...»

Мартын посидел еще немного, почувствовал наплыв невозможной тоски и молча поднялся. Бубнов, всхлипывая, проводил его до двери. Через несколько дней (уже в Латвии) Мартын нашел в русской газете новую бубновскую «новеллу», на сей раз превосходную, и там у героя-немца был Мартынов галстук, бледно-серый в розовую полоску, который Бубнов, казавшийся столь поглощенным горем, украл, как очень ловкий вор, одной рукой вынимающий у человека часы, пока другой вытирает слезы.

Зайдя в писчебумажную лавку, Мартын купил полдюжины открыток и наполнил свое обмелевшее автоматическое перо, после чего направился в гостиницу Дарвина, решив там прождать до последнего возможного срока и уже прямо оттуда ехать на вокзал. Было около пяти, небо затуманилось — белесое, невеселое. Глуше, чем утром, звучали автомобильные рожки. Проехал открытый фургон, запряженный парой тощих лошадей, и там громоздилась целая обстановка — кушетка, комод, море в золоченой раме и еще много всякой другой грустной рухляди. Через пятнистый от сырости асфальт прошла женщина в трауре, катя колясочку, в которой сидел синеглазый внимательный младенец, и, докатив колясочку до панели, она нажала и вздыбила ее. Пробежал пудель, догоняя черную левретку; та боязливо оглянулась, дрожа и подняв согнутую переднюю лапу. «Что это, в самом деле, — подумал Мартын. — Что мне до всего этого? Ведь я же вернусь. Я должен вернуться». Он вошел в холл гостиницы. Оказалось, что Дарвина еще нет.

Тогда он выбрал в холле удобное кожаное кресло и, отвинтив колпачок с пера, принялся писать матери. Пространство на открытке было ограниченное, почерк у него был крупный, так что вместилось немного. «Все благополучно, — писал он, сильно нажимая на перо. — Остановился на старом месте, адресуй туда же. Надеюсь, дядин флюс лучше. Дарвина я еще не видал. Зилановы передают привет. Напишу опять не раньше недели, так как ровно не о чем. Many kisses»*. Все это он перечел дважды, и почему-то сжалось сердце, и прошел по спине холод. «Ну, пожалуйста, без глупостей», — сказал себе Мартын и, опять сильно нажимая, написал майорше с просьбой сохранять для него письма. Опустив открытки, он вернулся, откинулся в кресле и стал ждать, поглядывая на стенные часы. Прошло четверть часа, двадцать минут, двадцать пять. По лестнице поднялись две мулатки с необыкновенно худыми ногами. Вдруг он услышал за спиной мощное дыхание, которое тотчас узнал. Он вскочил, и Дарвин огрел его по плечу, издавая гортанные восклицания. «Негодяй, негодяй, — радостно забормотал Мартын, — я тебя ищу с утра».

---

* Множество поцелуев *(англ.).*

L

Дарвин как будто слегка пополнел, волосы поредели, он отпустил усы — светлые, подстриженные, вроде новой зубной щетки. И он и Мартын были почему-то смущены, и не знали, о чем говорить, и все трепали друг друга, посмеиваясь и урча. «Что же ты будешь пить, — спросил Дарвин, когда они вошли в тесный, но нарядный номер, — виски и соду? коктэйль? или простой чай?» — «Все равно, все равно, что хочешь», — ответил Мартын и взял со столика большой снимок в дорогой раме. «Она», — лаконично заметил Дарвин. Это был портрет молодой женщины с диадемой на лбу. Сросшиеся на переносице брови, светлые глаза и лебединая шея, — все было очень отчетливо и властно. «Ее зовут Ивлин, она, знаешь, недурно поет, я уверен, что ты бы очень с ней подружился», — и, отобрав портрет, Дарвин еще раз мечтательно на него посмотрел, прежде чем поставить на место. «Ну-с, — сказал он, повалившись на диван и сразу вытянув ноги, — какие новости?»

Вошел слуга с коктэйлями. Мартын без удовольствия глотнул пряную жидкость и вкратце рассказал, как он прожил эти два года. Его удивило, что, как только он замолк, Дарвин заговорил о себе, подробно и самодовольно, чего прежде никогда не случалось. Как странно было слышать из его ленивых целомудренных уст речь об успехах, о заработках, о прекрасных надеждах на будущее, — и оказывается, писал он теперь не прежние очаровательные вещи о пиявках и закатах, а статьи по экономическим и государственным вопросам, и особенно его интересовал какой-то мораториум. Когда же Мартын, во время неожиданной паузы, напомнил ему о давнем, смешном, кембриджском, — о горящей колеснице, о Розе, о драке, — Дарвин равнодушно проговорил: «Да, хорошие были времена», — и Мартын с ужасом отметил, что воспоминание у Дарвина умерло или отсутствует, и осталась одна выцветшая вывеска.

«А что поделывает Вадим?» — сонно спросил Дарвин.

«Вадим в Брюсселе, — ответил Мартын, — кажется, служит. А вот Зилановы тут, я часто видаюсь с Соней. Она все еще не вышла замуж».

Дарвин выпустил огромный клуб дыма. «Привет ей, привет, — сказал он. — А вот ты... Да, жалко, что ты все как-то треплешься. Вот я тебя завтра кое с кем познакомлю, я уверен, что тебе понравится газетное дело».

Мартын кашлянул. Настало время заговорить о самом важном, — о чем он еще недавно так мечтал с Дарвином поговорить.

«Спасибо, — сказал он, — но это невозможно, — я через час уезжаю из Берлина».

Дарвин слегка привстал: «Вот-те на. Куда же?»

«Сейчас узнаешь. Сейчас я тебе расскажу вещи, которых не знает никто. Вот уже несколько лет, — да, — несколько лет, — но это неважно...»

Он запнулся. Дарвин вздохнул и сказал: «Я уже понял. Буду шафером».

«Не надо, прошу тебя. Ведь я же серьезно. Я, знаешь ли, специально сегодня добивался тебя, чтобы поговорить. Дело в том, что я собираюсь нелегально перейти из Латвии в Россию, — да, на двадцать четыре часа, — и затем обратно. А ты мне нужен вот почему, — я дам тебе четыре открытки, будешь посылать их моей матери по одной в неделю, — скажем, каждый четверг. Вероятно, я вернусь раньше, — я не могу сказать наперед, сколько мне потребуется времени, чтобы сначала обследовать местность, выбрать маршрут и так далее... Правда, я уже получил очень важные сведения от одного человека. Но кроме всего, может случиться, что я застряну, не сразу выберусь. Она, конечно, ничего не должна знать, должна аккуратно получать письма. Я дал ей мой старый адрес, — это очень просто».

Молчание.

«Да, конечно, это очень просто», — проговорил Дарвин.

Опять молчание.

«Я только не совсем понимаю, зачем это все».

«Подумай и поймешь», — сказал Мартын.

«Заговор против добрых старых Советов? Хочешь кого-нибудь повидать? Что-нибудь передать, устроить? Признаюсь, я в детстве любил этих мрачных бородачей, бросающих бомбы в тройку жестокого наместника».

Мартын хмуро покачал головой.

«А если ты просто хочешь посетить страну твоих отцов — хотя твой отец был швейцарец, не правда ли? — но если ты так хочешь ее посетить, не проще ли взять визу и переехать границу в поезде? Не хочешь? Ты полагаешь, может быть, что швейцарцу после того убийства в женевском кафе не дадут визы? Изволь, — я достану тебе британский паспорт».

«Ты все не то говоришь, — сказал Мартын. — Я думал, ты все сразу поймешь».

Дарвин закинул руки за голову. Он все не мог решить, морочит ли его Мартын или нет, — и если не морочит, то какие именно соображения толкают его на это вздорное предприятие. Он попыхтел трубкой и сказал:

«Если, наконец, тебе нравится один только голый риск, то незачем ездить так далеко. Давай сейчас придумаем что-нибудь необыкновенное, что можно сейчас же исполнить, не выходя из комнаты. А потом поужинаем и поедем в мюзик-холл».

Мартын молчал, и лицо его было грустно. «Что за ерунда, — подумал Дарвин. — Тут есть что-то странное. Спокойно сидел в Кембридже, пока была у них гражданская война, а теперь хочет получить пулю в лоб за шпионаж. Морочит ли он меня или нет? Какие дурацкие разговоры...»

Мартын вдруг вздрогнул, взглянул на часы и встал.

«Послушай, будет тебе валять дурака, — сказал Дарвин, сильно дымя трубкой. — Это, наконец, просто невежливо с твоей стороны. Я тебя не видел два года. Или расскажи мне все толком, или же признайся, что шутил, — и будем говорить о другом».

«Я тебе все сказал, — ответил Мартын. — Все. И мне теперь пора».

Он не спеша надел макинтош, поднял шляпу, упавшую на пол. Дарвин, спокойно лежавший на диване, зевнул и отвернулся к стене. «Прощай», — сказал Мартын, но Дарвин промолчал. «Прощай», — повторил Мартын. «Глупости, он не уйдет», — подумал Дарвин и зевнул опять, плотно прикрыв глаза. «Не уйдет», — снова подумал он и сонно подобрал одну ногу. Некоторое время длилось забавное молчание. Погодя, Дарвин тихо засмеялся и повернул голову. Но в комнате никого не было. Казалось даже непонятным, как это Мартыну удалось так тихо выйти. У Дарвина мелькнула мысль, не спрятался ли Мартын. Он полежал еще несколько минут, потом, осторожно оглядывая уже полутемную комнату, спустил ноги и выпрямился. «Ну довольно, выходи», — сказал он, услышав легкий шорох между шкафом и дверью, где была ниша для чемоданов. Никто не вышел. Дарвин подошел и глянул в угол. Никого. Только большой кусок оберточной бумаги, оставшийся от вчерашней покупки. Он включил свет, задумался, потом открыл дверь в коридор. В коридоре было тихо, светло и пусто. «Ну его к чорту», — сказал он и опять задумался, но вдруг встряхнулся и деловито начал переодеваться к ужину.

На душе у него было беспокойно, а это с ним бывало последнее время не часто. Появление Мартына не только взволновало его, как нежный отголосок университетских дней, — оно еще было необычайно само по себе, — все в Мартыне было необычайно: этот грубоватый загар, и словно запыхавшийся голос, и какое-то новое, надменное выражение глаз, и странные темные речи. Но Дарвину, последнее время жившему такой твердой, основательной жизнью, так мало волновавшемуся (даже тогда, когда объяснялся в любви), так освоившемуся с мыслью, что, после тревог и забав молодости, он вышел на гладко мощенную дорогу, — удалось справиться с необычайным впечатлением, оставленным Мартыном, уверить себя, что все это была не очень умная шутка и что, пожалуй, еще нынче Мартын появится опять. Он уже был в смокинге и разглядывал в зеркале свою мощную фигуру и большое носатое лицо, как вдруг позвонил телефон на ночном столике. Он не сразу узнал далекий, уменьшенный расстоянием голос, зазвучавший в трубке, ибо как-то так случилось, что он никогда не говорил с Мартыном по телефону. «Напоминаю тебе мою просьбу, — мутно сказал голос. — Я пришлю тебе письма на днях, пересылай их по одному. Сейчас уходит мой поезд. Я говорю: поезд. Да-да, — мой поезд...»

Голос пропал. Дарвин со звоном повесил трубку и некоторое время почесывал щеку. Потом он быстро вышел и спустился вниз. Там он потребовал расписание поездов. Да, — совершенно правильно. Что за чертовщина...

В этот вечер он никуда не пошел, все ждал чего-то, сел писать невесте, и не о чем было писать. Прошло несколько дней. В среду он получил толстый конверт из Риги и в нем нашел четыре берлинских открытки, адресованных госпоже Эдельвейс. На одной из них он высмотрел вкрапленную в русский текст фразу по-английски: «Я часто хожу с Дарвином в мюзик-холлы». Дарвину сделалось не по себе. В четверг утром, с неприятным чувством, что участвует в дурном деле, он опустил первую по дате открытку в синий почтовый ящик на углу. Прошла неделя; он опустил и вторую. Затем он не выдержал и поехал в Ригу, где посетил своего консула, адресный стол, полицию, но не узнал ничего. Мартын словно растворился в воздухе. Дарвин вернулся в Берлин и нехотя опустил третью открытку. В пятницу в издательство Зиланова зашел огромный человек иностранного вида, и Михаил Платонович, всмотревшись, узнал в нем молодого англичанина, ухаживавшего в Лондоне за его дочерью. Ровным голосом, по-немецки, Дарвин изложил свой последний разговор с Мартыном и историю с пересылкой писем. «Да позвольте, — сказал Зиланов, — позвольте, тут что-то не то, — он говорил моей дочери, что будет работать на фабрике под Берлином.

Вы уверены, что он уехал? Что за странная история...» — «Я сперва думал, что он шутит, — сказал Дарвин. — Но теперь я не знаю, что думать... Если он действительно...» — «Какой, однако, сумасброд, — сказал Зиланов. — Кто бы мог предположить. Юноша уравновешенный, солидный... Просто, вы знаете, не верится, тут какой-то подвох... Вот что: прежде всего следует выяснить, не знает ли чего-нибудь моя дочь. Поедемте ко мне».

Соня, увидев отца и Дарвина и заметив что-то необычное в их лицах, подумала на сотую долю мгновения (бывают такие мгновенные кошмары), что Дарвин приехал делать предложение. «Алло, алло, Соня», — воскликнул Дарвин с очень деланной развязностью; Зиланов же, тусклыми глазами глядя на дочь, попросил ее не пугаться и тут же, чуть ли не в дверях, все ей рассказал. Соня сделалась белой как полотно и опустилась на стул в прихожей. «Но ведь это ужасно», — сказала она тихо. Она помолчала и затем легонько хлопнула себя по коленям. «Это ужасно», — повторила она еще тише. «Он тебе что-нибудь говорил? Ты в курсе дела?» — спрашивал Зиланов. Дарвин потирал щеку и старался не смотреть на Соню, и чувствовал самое страшное, что может чувствовать англичанин: желание зареветь. «Конечно, я все знаю», — тонким голосом крещендо сказала Соня. В глубине показалась Ольга Павловна, и муж сделал ей знак рукой, чтобы она не мешала. «Что ты знаешь? Отвечай же толком», — проговорил он и тронул Соню за плечо. Она вдруг согнулась вдвое и зарыдала, упершись локтями в колени и опустив на ладони лицо. Потом — разогнулась, громко всхлипнула, словно задохнувшись, переглотнула и вперемежку с рыданиями закричала: «Его убьют, Боже мой, ведь его убьют...» — «Возьми себя в руки, — сказал Зиланов. — Не кричи. Я требую, чтобы ты спокойно, толково объяснила, о чем он тебе говорил. Оля, проведи этого господина куда-нибудь, — да в гостиную же, — ах, пустяки, что монтеры... Соня, перестань кричать! Испугаешь Ирину, перестань, я требую...»

Он долго ее успокаивал, долго ее допрашивал. Дарвин сидел один в гостиной. Там же монтер возился со штепселем, и электричество то гасло, то зажигалось опять.

«Девочка, конечно, права, что требует немедленных мер, — сказал Зиланов, когда он вместе с Дарвином опять вышел на улицу. — Но что можно сделать? И я не знаю, все ли это так романтически авантюрно, как ей кажется. Она сама всегда так настроена. Очень нервная натура. Я никак не могу понять, как молодой человек, довольно далекий от русских вопросов, скорее, знаете, иностранной складки, мог оказаться способен на... на подвиг, если хотите. Я, разумеется, кое с кем снесусь, придется, возможно, съездить в Латвию, но дело довольно безнадежное, если он действительно пытался перейти... вы знаете, так странно, ведь я же, — да, я, — когда-то сообщал фрау Эдельвейс о смерти ее первого мужа».

Прошло еще несколько дней. Выяснилось только одно: нужно терпение, нужно ждать. Дарвин отправился в Швейцарию — предупредить Софью Дмитриевну. Все было серо, шел мелкий дождь, когда он прибыл в Лозанну. Повыше в горах пахло мокрым снегом, капало с деревьев: ноябрь вдруг отсырел после первых морозов. Наемный автомобиль быстро довез его до деревни, скользнул шинами на повороте и опрокинулся в канаву. Шофер только расшиб себе руку; Дарвин встал, нашел шляпу, стряхнул с пальто мокрый снег и спросил у зевак, далеко ли до усадьбы Генриха Эдельвейса. Ему указали кратчайший путь — тропинкой через еловый лес. Выйдя из лесу, он пересек проезжую дорогу и, пройдя по аллее, увидел зелено-коричневый дом. Перед калиткой, на темной земле, остался после его прохождения глубокий след от резиновых узоров его подошв; этот след медленно наполнился мутной водой, а калитка, которую Дарвин неплотно прикрыл, через некоторое время скрипнула от порыва влажного ветра и открылась, сильно качнувшись. Погодя на нее села синица, поговорила, поговорила, а потом перелетела на еловую ветку. Все было очень мокро и тускло. Через час стало еще тусклее. Из глубины печального, бурого сада вышел Дарвин, прикрыл за собой калитку (она тотчас открылась опять) и пошел обратно — тропинкой через лес. В лесу он остановился и закурил трубку. Его широкое коричневое пальто было расстегнуто, на груди висели концы разноцветного кашнэ. В лесу было тихо, только слышалось легкое чмокание: где-то, под мокрым серым снегом, бежала вода. Дарвин прислушался и почему-то покачал головой. Табак, едва разгоревшись, потух, трубка издала беспомощный сосущий звук. Он что-то тихо сказал, задумчиво потер щеку и двинулся дальше. Воздух был тусклый, через тропу местами пролегали корни, черная хвоя иногда задевала за плечо, темная тропа вилась между стволов, живописно и таинственно.

СОДЕРЖАНИЕ

Литературно-художественное издание

ВЛАДИМИР ВЛАДИМИРОВИЧ НАБОКОВ

МАШЕНЬКА
ПОДВИГ

Ответственная за выпуск Наталия Соколовская
Художественный редактор Валерий Гореликов
Технический редактор Мария Антипова
Корректоры Нина Синеникольская, Людмила Ни
Верстка Александра Савастени

Директор издательства Максим Крютченко

Подписано в печать 15.11.2005. Формат издания 76×100^1/$_{32}$.
Печать высокая. Гарнитура «Петербург». Тираж 10 000 экз.
Усл. печ. л. 15,51. Изд. № 633. Заказ № 6681.

Издательство «Азбука-классика».
196105, Санкт-Петербург, а/я 192. www.azbooka.ru

Отпечатано с фотоформ
в ФГУП «Печатный двор» им. А. М. Горького
Федерального агентства по печати
и массовым коммуникациям.
197110, Санкт-Петербург, Чкаловский пр., 15.

ПО ВОПРОСАМ ПРИОБРЕТЕНИЯ
КНИГ ИЗДАТЕЛЬСТВА «АЗБУКА» ОБРАЩАТЬСЯ:

Санкт-Петербург: *издательство «Азбука»*
тел. (812) 327-04-56, факс 327-01-60
«Книжный клуб «Снарк»
тел. (812) 103-06-07
ООО «Русич-Сан»,
тел. (812) 589-29-75

Москва: *ООО «Азбука-М»*
тел. (095) 150-52-11,
792-50-68, 792-50-69
ООО «ИКТФ Книжный клуб 36,6»
тел. (095) 540-45-44
www.club366.ru, club366@aha.ru

Екатеринбург: *ООО «Валео Книга»*
тел. (3432) 42-07-75

Новосибирск: *ООО «Топ-книга»*
тел. (3832) 36-10-28;
www.opt-kniga.ru

Калининград: *Сеть магазинов «Книги и книжечки»*
тел. (0112) 56-65-68, 35-38-38

Хабаровск: *ООО «МИРС»*
тел. (4212) 29-25-65, 29-25-67;
sale_book@bookmirs.khv.ru

Челябинск: *ООО «ИнтерСервис ЛТД»*
тел. (3512) 21-33-74, 21-26-52

Казань: *ООО «Таис»*
тел. (8432) 72-34-55, 72-27-82
tais@bancorp.ru

INTERNET-МАГАЗИН
Все книги издательства в Internet-магазине «ОЗОН»
http://www.ozon.ru/

ПО ВОПРОСАМ ПРИОБРЕТЕНИЯ
КНИГ ИЗДАТЕЛЬСТВА «АЗБУКА» ОБРАЩАТЬСЯ:

ЗАРУБЕЖНЫЕ ПАРТНЕРЫ

Украина: ООО «Азбука-Украина», 04073 г. Киев
Московский пр., 6 (2 этаж, офис 19)
тел. (+38044) 490-35-67;
sale@azbooka.net

Израиль: «Спутник», P.O.B. 2462, Kefar-Sava,
Israel, тел.+972-9-767-99-96,
dob@sputnik-books.com

Германия: Каталог «Аврора»,
официальный представитель
издательства «Азбука»,
Франкфурт-на-Майне
тел. (069) 37564252;
avrora-katalog@yandex.ru

Уважаемые читатели!
*Приглашаем вас посетить интернет-сайт
издательства «АЗБУКА» по адресу*

www.azbooka.ru

*На нашем сайте вы найдете каталог книг
издательства, информацию о новинках
и планах на будущее, отрывки из новых книг
и многое другое.
Здесь можно задать интересующие вас вопросы
и высказать свои пожелания.
На сайте вы также найдете ссылки
на интернет-магазины, торгующие книгами
издательства «Азбука».*

Ждем вас круглосуточно, каждый день!

КНИГА — ПОЧТОЙ
ЗАО «Ареал», СПб., 192242, а/я 300
тел.: (812) 174-40-63; www.areal.com.ru;
e-mail: postbook@areal.com.ru